Vert Teacher's Guide for AQA

Gill Ramage

Heinemann Educational Publishers, Halley Court, Jordan Hill,
Oxford OX2 8EJ.

A division of Reed Educational & Professional Publishing Limited.

Heinemann is a registered trademark of Reed Educational &
Professional Publishing Limited.

OXFORD MELBOURNE AUCKLAND IBADAN
BLANTYRE JOHANNESBURG GABORONE
PORTSMOUTH (NH) USA CHICAGO

First published 2001

06 05 04 03 02
10 9 8 7 6 5 4 3 2

A catalogue record is available for this book from the
British Library on request.

ISBN 0 435 37284 X

Produced by Ken Vail Graphic Design, Cambridge.

Cover photograph by Paul Raferty

Printed and bound in Great Britain by Athenaeum Press Ltd.

Tel: 01865 888058 www.heinemann.co.uk

Contents

Introduction

Métro offers a lively, communicative approach, underpinned by clear grammatical progression.

The course is suitable for a wide ability range and includes differentiated materials in the Pupil's Books and differentiated Workbooks in *Métro 1* and *Métro 2*. *Métro 3* offers differentiated Pupil's Books and Workbooks.

In *Métro 4 for AQA* the Student's Books are differentiated to cater for the two tiers of GCSE: *Métro 4 for AQA Vert* is for Foundation level and *Métro 4 for AQA Rouge* is for Higher level. The Workbooks also reflect the examination tiers. *Métro 4 for AQA* is specifically designed to continue from *Métro 1, 2* and *3*, but is also suitable for students who have followed a different course at Key Stage 3.

Métro 4 for AQA Vert: The components

Student's Book
Cassettes or CDs
Teacher's Guide
Workbook Specification A
Workbook Specification B
Assessment Pack Specification A
Assessment Pack Specification B

Student's Book

The Student's Book is designed to last for two years and contains all the language required for the preparation of the GCSE examination. There are ten chapters or Modules, and it is expected that the first six will be completed in the first year of the course and four in the second.

Each module begins with a *Déjà vu* section which revises Key Stage 3 language as well as language learned in the preceding Module/s. This is followed by the core units.

At the end of each Module is a summary of the vocabulary covered, arranged into subject groups. These pages, entitled *Mots*, will serve as a valuable examination revision tool. At the end of each Module there is also a double-page spread entitled *Entraînez-vous*, further divided into *À l'oral* and *À l'écrit*. These pages are designed to help the student prepare for the Speaking examination and for Coursework, and contain practice role-plays, presentations and conversation questions, and written assignments practising material learned over the preceding Module(s).

At the back of the Student's Book there is a double-page spread for each Module entitled *À toi!* providing further reading and writing practice, and the *Grammaire* section which explains and practises grammar points introduced in *Métro 4 for AQA Vert* – see separate section of this introduction for further information. Finally, there is a comprehensive French–English word list and a shorter English–French word list (*Vocabulaire*).

Cassettes/CDs

There are four cassettes or three CDs for *Métro 4 for AQA Vert*. They contain listening material for both presentation and practice. The material includes passages, dialogues and interviews recorded by native speakers.

Workbooks (Specification A)

There are two parallel Workbooks to accompany *Métro 4 for AQA*, one for Foundation level and one for Higher level. The Higher Workbook is designed to be used alongside *Métro 4 for AQA Rouge*, while the Foundation Workbook accompanies *Métro 4 for AQA Vert*. The Workbooks provide self-access reading and writing tasks. They are ideal for homework. At the end of each Module there is a page of grammar revision and a page for Speaking preparation. All Workbook pages are referred to at the end of the appropriate Module in the Teacher's Guide, with a miniature version of the page and solutions to the activities.

Workbooks (Specification B)

There are two parallel Workbooks – one to support *Métro 4 for AQA Rouge* and one to support *Métro 4 for AQA Vert*. The Workbooks are divided into four sections corresponding to the four modules of Specification B. Each section provides core activities, grammar practice plus tips and guidance on the assessment for that Module. The completed Workbooks provide students with an excellent revision aid. Note: the Workbook B pages are not reproduced in this Teacher's Guide.

Teacher's Guide

The Teacher's Guide contains:

- overview grids for each Module
- clear teaching notes for all activities
- solutions for Student's Book and Workbook (Specification A) activities
- full transcripts of recorded material
- matching chart for the AQA Specification B examination
- photocopiable grids for selected listening activities in the Student's Book.

Assessment Pack (Specification A)

There is a separate Assessment Pack available to accompany *Métro 4 for AQA*. The pack has been written by a Senior Examiner for Specification A. The design and type of questions follow the examination board's own papers and give much-needed regular practice in developing examination skills.

The Pack contains assessment material at three levels, making it suitable for use with *Métro 4 for AQA Vert* and *Métro 4 for AQA Rouge*:

- Foundation level
- Foundation/Higher level
- Higher level.

Each of the main assessment blocks represents two Modules. It is suggested that one assessment block be

used at the end of each term of the two-year course, and that the final assessment be used at the end of the course as a pre-examination test.

The Assessment Pack includes the following important features:

- Assessments have clear and concise mark schemes for Listening, Speaking, Reading and Writing
- Speaking assessments contain pages for students and for teachers
- Rubrics reflect the language used by AQA, familiarising students with GCSE-style questions throughout Years 10 and 11.

Assessment Pack (Specification B)
This Pack provides material to prepare students for the assessments at the end of each of the four Specification B modules. It provides tips and guidance for internally assessed elements and practice tests for the externally assessed elements. The practice tests are provided at Foundation, Foundation/Higher and Higher levels. The Pack has been written by a Senior Examiner of Specification B.

Mark schemes and tape transcript are provided.

How the course works:

The teaching sequence
Core language can be presented using the cassettes or CDs, ensuring that students have authentic pronunciation models. Text may also be given in the Student's Book so that they can read the new language and check the pronunciation at the same time. Next, they will usually engage in a simple comprehension activity such as a matching, or true/false task to consolidate the language taught.

Students then move on to a variety of activities in which they practise the language that has been introduced, usually in pairs or groups. Many of the practice activities are open-ended, allowing students to work at their own pace and level. Ideas for additional practice + or reinforcement R are presented in the teaching notes for each Unit.

Progression
The first one or two double-page spreads (*Déjà vu*) of each Module are devoted to language that should already be familiar to students; the rest of the Units continue to revise earlier material but new grammar and structures are built in to the activities to ensure steady progression.

As well as the clear progression within each Module, language is constantly recycled through all chapters in a systematic spiral of revision and extension. Clear objectives are given in the Teacher's Guide, in the planning summary at the beginning of each Module, to help teachers plan a programme of work appropriate for the ability groups that they teach.

Skills and strategies
Many of the pages of *Métro 4 for AQA Vert* have boxes giving students tips to improve their language-learning skills or to equip them with strategies that will enhance their performance in the forthcoming examination. These are highlighted by a symbol to make them easily recognisable.

The *Entraînez-vous* sections
These sections provide further speaking and writing practice and are designed to help students prepare for the oral and coursework parts of their examinations.

À l'oral
The *À l'oral* pages offer practice role-plays, presentations and general conversation questions in contexts taken from the preceding Module. In the role-plays, the students are either given a choice of answers through pictorial prompts or else they are asked to supply their own responses, whenever they see the **!**. Opportunities are given to practise these at either Foundation level, denoted by or at Foundation/Higher level, denoted by . To help them prepare for the presentation part of the exam students are encouraged to prepare their own cue cards. The presentation activities are aimed at both Foundation and Higher candidates and are differentiated by outcome, denoted by . The Q box, also regularly found on this page, provides some questions which may well arise in the discussion of the student's presentation or in the general conversation part of the exam. Questions given here are just a sampler, taken from the Module as a whole.

À l'écrit
These sections give students regular, guided practice in preparing for the written coursework element of the GCSE examination (AQA Specifications), helping them to structure what they have learned over the previous Modules into a relevant piece of work. There are obviously more tasks suggested than need to be submitted, so teachers can pick and choose which ones suit them best. Students are given plenty of support in the form of a suggested structure, Top Tip boxes and regular referencing which gives them guidelines as to what language they might include and particular structures that will raise the level of their writing. Teachers need to remind their students that they will have to adapt and elaborate on the suggestions given to get the very best marks.

Tasks marked with a 40 words wordcount are suitable for Specification B students targeting grades G, F and E. Students should be encouraged to write in full sentences whenever possible. They need to be warned about the dangers of copying straight from the book.

Tasks marked are suitable for Specification B students targeting grades D and C. The suggested length of these **b** tasks is 90 words. Students should be reminded that they need to show an ability to use past, present and future tenses.
Tasks which have a 70–100 words wordcount are from Specification A.

Reading/Writing pages (*À toi!*)
These pages at the back of the book are designed to give students extra practice in reading and structured writing. They are differentiated, again with the tasks marked with a being easier than those marked with a . The intention is to give pupils a variety of types of 'authentic' texts to work on. Sometimes these relate closely to the relevant chapter of the Student's Book, sometimes the link is more general. This is deliberate, to avoid the impression of all the language tasks being too tightly controlled and over-prescriptive.

Grammar (*Grammaire*)
The key structures introduced in a Unit are presented in a Grammar box (*Grammaire*) on the Student's Book page, providing support for the speaking and writing activities. Structures that have already been introduced in *Métro 4 for AQA Vert* are highlighted in a *Rappel* box. *Grammaire* boxes contain page references for the comprehensive Grammar Section at the end of the Student's Book where grammar points are explained more fully. The *Grammaire* section also includes grammar practice activities. There is further grammar practice in the Workbook.

Using the target language in the classroom

Instructions are usually given in French throughout, with the exception of the *À l'oral* section of the *Entraînez-vous*. A page summarising these instructions is supplied for handy reference on pages 205–206 of the Student's Book. They have been kept as simple and as uniform as possible. In the Assessment Packs, the instructions are in line with those used by the AQA examination board, and reference pages at the end of the pack give a bilingual list of question forms that teachers may like to photocopy and give to their students for reference purposes.

Incorporating ICT

Appropriate use of Information and Communication Technology (ICT) to support modern foreign language learning is a requirement of the National Curriculum. It is an entitlement for all students.

Word processing and desktop publishing skills will be particularly useful for students who are preparing for the coursework option for the writing part of the GCSE examination. References to e-mail and websites occur within the course, as they do in the GCSE examination papers. Students should be encouraged to e-mail contemporaries in French-speaking countries and to research authentic information in French on the internet.

Please refer to the Heinemann website (www.Heinemann.co.uk/secondary/languages) for the most up-to-date information and a selection of useful websites.

Examples of key websites are suggested in *Métro 4 for AQA Vert*. Although they were up to date at the time of writing, it is essential for teachers to preview these sites before using them with pupils. This will ensure that the URL is still accurate and the content is suitable for your needs. We suggest that you bookmark useful sites and consider enabling pupils to access them through the school intranet. We are bringing this to your attention as we are aware of legitimate sites being appropriated illegally by people wanting to distribute offensive or inappropriate material. We strongly advise you to purchase screening software so that pupils are protected from unsuitable sites and their material.

We know that web addresses do change. Therefore please check on our website first where any address changes that we know of will be posted. If you do find that an address is incorrect, please let us know and we will post the details on our website.

Métro 4 for AQA Vert Matching Chart (Specifications A and B)

This chart shows where the content for the AQA Specifications is covered.

M=Module

MODULE/THEME 1: My World

Subtopic	Unit	Grammar
1A Self, Family and Friends		
Self, family and pets	M2: Déjà vu	Possessive adjectives (sing.) Plurals
Appearance	M2: Unit 1	*Avoir* and *être*
Opinions	M2: Unit 2	Adjectives
	M2: Unit 3	*Avec moi/nous*
Occupations	M4: Déjà vu	Masc. and fem. forms of job nouns Numbers over 19
Greetings; welcome visitor	M8: Déjà vu	
1B Interests and Hobbies		
State leisure activities	M3: Déjà vu	Question forms (*tu*) Present tense verbs
Exchange information and express preferences	M3: Déjà vu	
Talking about recent leisure activities	M3: Unit 3 (p47)	Perfect tense (with *avoir* and *être*)
1C Home and Local Environment		
Description of home and own room	M8: Unit 1	
Where you live (location, description and opinions)	M5: Déjà vu	Countries and compass points; *y; il (n')y a (pas de)*
	M5: Unit 1	*Il y a/Il n'y a pas* Position of adjectives
	M5: Unit 2 (p74)	
Making comparisons	M5: Unit 3	*Plus … que/moins … que* *Il y a plus/moins de* *Ne … aucun*
1D Daily Routine		
Daily routine	M9: Unit 1	Reflexive verbs; conjunctions
Meals at home and school	M9: Unit 2	Partitive article

Subtopic	Unit	Grammar
1E School and Future Plans		
Classroom language	M1: Déjà vu	Definite/indefinite articles *Tu/vous* Time *-er* verbs (*je* form)
Timetable	M1: Déjà vu	
Timetable and school routine	M1: Unit 1	Telling the time *Depuis* plus present tense
School size/location/terms/opinions	M1: Unit 2 (1a–1d)	
Future plans	M1: Unit 4	Near future

MODULE/THEME 2: Holiday Time and Travel

Subtopic	Unit	Grammar
2A Travel, Transport and finding the way		
Directions; modes of transport	M10: Déjà vu	*À,au,aux,en*; imperatives; asking questions (revision of KS3)
Directions	M10: Unit 1	*Y*; imperatives in *vous* and *tu* forms
Signs/announcements	M10: Unit 1 and À toi (also M6: À toi)	
Maps/plans/timetables	M10: Unit 1	
	M10:Unit 2	Prepositions; *quel* *Pour* + infinitive
Buying tickets	M10: Unit 2	
Describing a journey	M10: À toi	
2B Tourism		
Countries and weather	(M7: Déjà vu)	*En/au/aux* *À* + town Present and future tenses (weather phrases)
Holidays and preferences	M7: Unit 1	Present tense Perfect with *avoir* and *être* Imperfect (*c'était/il faisait/il y avait*)
Tourist information	M7: Unit 2	*On peut* plus infinitive
2C Accommodation		
Booking accommodation	M7: Unit 3	

Subtopic	Unit	Grammar
Accommodation problems	M7: Unit 4	*Était/étaient/Il n'y avait pas/quelqu'un/quelquefois/ quelque part/quelque chose*
2D Holiday Activities		
Eating out	M8: Unit 3	*Je voudrais*
Other activities (See holidays and preferences above)	M7: Unit 1 (See holidays and preferences above)	(See holidays and preferences above)
2E Services		
Changing money/post office	M6: Unit 4	*Je voudrais*; imperatives (in *vous* form)
Illnesses and visits to doctor etc.	M9: Déjà vu	24-hour clock
	M9: Unit 4	Expressions with *avoir*; imperative in *vous* form
Accident/breakdown	M10: Unit 3	Imperfect(recognition) and perfect
Hiring things	M10: À toi	

MODULE/THEME 3: Work and Lifestyle

Subtopic	Unit	Grammar
3A Home Life		
Helping at home	M2: Unit 4	*Faire* Negatives: *ne…pas, ne...rien, ne…jamais*
Festivals	M5: Unit 2 (p75)	*On* + verb (present)
3B Healthy Living		
Healthy/unhealthy lifestyles	M9: Unit 3	Present tense
Opinions about radio and TV programmes on health	M9: Unit 3	
Publicity announcements	M9: Unit 3	
3C Part-time jobs/Work experience		
Details about jobs and work experience inc. travel	M4: Unit 2	Asking questions (*tu*) with raised intonation Revision of perfect tense
	M4: Unit 3	
Availability of work	M4: Unit 3	
Telephoning etc	M4: Unit 4	

Subtopic	Unit	Grammar
3D Leisure		
Leisure facilities (inc. times/prices)	M3: Unit 1	
Opinions and preferences		
Publicity about leisure activities and events	M3: Unit 1	
Make arrangements to go out	M3: Unit 2	Verbs followed by infinitive (*vouloir, pouvoir, devoir*)
Describe recent leisure activities	M3: Unit 3 (p46)	Perfect tense with *avoir* and *être*
TV, radio, music, performers Narrate the main features of a book/film etc.	M8: Unit 2	Direct object pronouns
Pocket money	See 3E Shopping	
3E Shopping		
Signs, announcements	M6: Déjà vu M6: Units 1, 2, 3	
Information about particular goods/making purchases	M6: Déjà vu	Adjectival agreement
	M6: Unit 1	Expressions of quantity
	M6: Unit 2	*Ce, cette, cet, ces*
Shopping facilities and preferences	M6: Déjà vu	
Shoppipng facilities and pocket money	M6: Unit 3	
	M6: Unit 5	Superlatives *Il y a* (ago)
Complaints	M6: Unit 5 (p93)	

MODULE/THEME 4: The Young Person in Society

Subtopic	Unit	Grammar
4A Character and personal relationships		
Relationships	M2: Unit 3	*Avec moi/nous*
Relationship problems		
Friendships, marriage and children	M2: Unit 3	
4B The Environment		
Environmental problems and ways to improve the environment inc. transport	M5: Unit 3	*Ne…aucun*

Subtopic	Unit	*Grammar*
	M10: Unit 4	*Peu/trop/assez/beaucoup de*
4C Education		
Issues at school/college	M1: Unit 2 (2a–2c)	*Il faut/Il est interdit de*
Benefits/difficulties/pressures of school and ideas for improving	M1: Unit 3	*Je voudrais; j'aimerais* *Il n'y a pas de* *On peut*
Types of school, further education/training	M1: Unit 4*	Near future
4D Careers and future plans		
Future plans for time after completion of education	M1: Unit 4*	Near future
Career plans inc. pressures	M4: Unit 1	Recognition of future tense
Advantages/disadvantages of different jobs; working abroad and gap years	M4: Unit 5	*Je voudrais*
Future plans regarding marriage, family etc	M2: Unit 3	*Je voudrais/J'aimerais*
4E Social issues, choices and responsibilities		
Seeking a job inc. advertisements; unemployment	M4: Unit 4	
Social problems and pressures; equal opportunities	M9: Unit 5	
Addiction	M9: Unit 5	

*** Please note: You may have used this unit to teach "Future plans" in Module 1 of Specification B. You may wish to use supplementary resources here.**

Answers to Grammaire exercises (Student's Book pp.180–194)

1.1 Nouns: gender (p.180)

Masc.: frère, serveur, stylo, rideau, concert, volley, chat, avion, fromage
Fem.: belle-sœur, grand-mère, nièce, serveuse, table, veste, gomme, chambre, amie

1.2 Nouns: plurals (p.181)

1 des chaussettes
2 des cinémas
3 des cadeaux
4 des cheveux
5 des animaux

2.1 Articles: 'the' (p.181)

1 le
2 les
3 la
4 le
5 le

2.2 Articles: 'a' (p.181)

1 un frère
2 une robe
3 un magasin
4 une gare
5 un cadeau

2.3 Articles: 'some' (p.182)

1 pain
2 tarte
3 stylos
4 papier
5 eau minérale

3.1 Verbs: the infinitive (p.182)

1 attendre/*You must wait here.*
2 visiter/*You can visit the castle.*
3 rester/*I must stay at home.*
4 faire/*I try to do sport every day.*
5 faire/*I'm preparing the ingredients to make an omelette.*

3.2 Verbs: the present tense (p.183)

1 tu habites *you live, you are living*
2 on descend *we go down, we are going down*
3 nous décidons *we decide, we are deciding*
4 vous finissez *you finish, you are finishing*
5 elles attendent *they (f) wait, they (f) are waiting*

3.3 Verbs: the perfect tense (p.184)

1 Tu as aidé *you helped, you have helped*
2 On a bu *we (one) drank, we have (one has) drunk*
3 Nous avons vu *we saw, we have seen*
4 Vous avez fait *you did (made), you have done (have made)*
5 Elle a pris *she took, she has taken*

1 Vous êtes nés *you (pl) were born*
2 Elle est venue *she came, she has come*
3 Ils sont retournés *they returned, they have returned*
4 Nous sommes montés *we went up, we have gone up*
5 Tu es arrivée *you arrived, you have arrived*

3.4 Verbs: the imperfect tense (p.184)

1 I was doing my homework.
2 I was playing cards with friends.
3 I was eating a hamburger at MacDonalds.
4 I was having a shower.
5 I was at the cinema.

3.5 Verbs: the near future tense (p.185)

1 Je vais manger …
2 Tu vas faire …
3 Il va aller …
4 Nous allons sortir …
5 Vous allez jouer …

3.6 Verbs: the future tense (p.185)

1 You will be working in Africa.
2 You will buy a Ferrari.
3 You will get married at the age of 30.
4 You will have five children.
5 You will go around the world.

3.7 Verbs: the conditional tense (p.185)

Students give their own answers.

3.8 Verbs: reflexive verbs (p.186)

1 Tu t'amuses *You enjoy yourself*
2 Il se lève *He gets up*
3 Elle s'appelle *She is called*
4 On se lave *We wash/one washes*
5 Ils s'arrêtent *They (m) stop*

4.1 Questions: question words (p.186)

1 Paris
2 Le 21 juin
3 Muriel
4 En voiture
5 De Londres

Examples
1 Tu arrives à quelle heure?
2 À quelle heure est-ce que tu pars?
3 Qu'est-ce que tu préfères manger?
4 Pourquoi est-ce que tu vas à Paris?
5 Comment voyages-tu?

4.2 Questions: intonation (p.187)

Examples
1 (Est-ce que) tu aimes le fromage?
2 (Est-ce que) tu as un frère?
3 (Est-ce que) tu regardes 'Grandstand'?
4 (Est-ce que) tu joues au basket?
5 (Est-ce que) tu as visité Londres?

1 quelle
2 quel
3 quels
4 quelles
5 quel

5.1 Negatives: 'ne … pas' (p.187)

1 Je ne vais pas à la plage.
2 Je n'ai pas de stylo.
3 Je n'ai pas de coca.
4 Je n'ai pas fait mes devoirs.
5 Je ne suis pas arrivé à l'heure.

5.2 Negatives: other negatives (p.188)

1 I drank nothing/I didn't drink anything.
2 There is neither a cinema nor a pool in the town.
3 I have no idea.
4 I have only €10.
5 I have never been to Belgium.

6.1 Adjectives: regular adjectives (p.188)

1 petite
2 intelligent
3 fermés

4 amusantes
5 animée

6.2 Adjectives: irregular adjectives (p. 189)

1 heureuse
2 italiens
3 actives
4 gentille
5 intelligente

6.3 Adjectives: beau, nouveau, vieux (p.189)

1 nouvelle
2 vieux
3 belle
4 vieilles
5 bel (homme)

6.4 Adjectives: position of adjectives (p.189)

1 des filles intelligentes
2 un autre ballon
3 une petite rue
4 des maisons énormes
5 des vieilles chaussettes

6.5 Adjectives: comparative and superlative (p.189)

1 Marie is less tall than Paul.
2 I am more cool than Paul.
3 Who is the most stupid boy in the class?
4 Speak more slowly, please.
5 She left as quickly as possible.

6.6 Adjectives: 'this', 'these' (p.190)

1 ces
2 ce
3 cet
4 ce
5 cette

6.7 Adjectives: possessive adjectives (p.190)

1 notre père
2 tes parents
3 sa sœur
4 sa sœur
5 votre mère

7.1 Pronouns: subject pronouns (p.190)

1 vous
2 tu
3 vous
4 tu
5 vous

7.2 Pronouns: object pronouns (p.191)

1 Where's the cake? *We ate it.*
2 Have you got your homework? *No, I left it at home.*
3 Have you seen this film? *Yes, I've seen it.*
4 Did you talk to the teacher? *Yes, I talked to him/her.*
5 Have they got money? *Yes, I gave them €30.*

7.5 Pronouns: pronouns after prepositions (p.191)

1 chez moi
2 avec elle
3 avec eux
4 chez nous
5 avec toi / vous

8.1 Prepositions: prepositions (p.191)

1 in front of the post office
2 (on) the other side of the rue Victor Hugo
3 opposite the stadium
4 on bus number 4
5 under the bridge

8.2 Prepositions: 'à' (p.192)

1 au cinéma
2 à la piscine
3 aux magasins
4 aux restaurants
5 au marché

8.3 Prepositions: 'to' or 'in' with names of places (p.192)

1 en
2 au
3 à
4 en
5 au

Module 1: Études

(Student's Book pages 6–21)

Unit	Main topics and objectives	Grammar	Key language
Déjà vu (pp. 6–9)	Classroom language School subjects you like/dislike Telling the time	Definite/indefinite/ possessive articles *le, la, les* *un, une, des* *mon, ma, mes* Present tense *-er* verb endings	*Que veut dire ... en anglais?* *Répétez, s'il vous plaît.* *Je ne sais pas.* *Je ne comprends pas.* *Comment dit-on ... en français?* *C'est correct?* *Je peux avoir (un crayon) s'il vous plaît?* *Tu peux me prêter (une règle), s'il vous plaît?* *J'ai oublié (mon cahier).* *Je n'ai pas de (livre).* *J'adore/J'aime/Je n'aime pas/Je déteste (l'allemand).* *Il est (huit) heures.*
1 Emploi du temps (pp. 10–11)	Talking about your timetable Giving reasons for liking/disliking school subjects Saying for how long you have been learning something	*Depuis – J'apprends le français depuis 4 ans* Adjectives	*Mon collège s'appelle …* *Le collège commence/finit à …* *La pause de midi/un cours dure combien de temps?* *Comme matières j'ai …* *J'aime/je n'aime pas (les maths) car … le prof est trop (sévère).* *Je suis fort(e)/faible en …* *C'est (facile).* *À quelle heure commence …?* *Il y a une récréation à quelle heure?* *J'apprends (le français) depuis … ans.*
2 Mon collège (pp. 12–13)	Describing a school Giving opinions about school uniform Saying what you are allowed to wear to school	*Il faut/il est interdit de/on a le droit de* + inf.	*Je suis pour/contre l'uniforme scolaire parce que …* *C'est (démodé).* *Il faut porter l'uniforme scolaire.* *On a le droit de (porter des baskets).* *On n'a pas le droit d'(avoir des piercings).* *Il est interdit de/d' …* *J'aime porter …*
3 Vous aimez la vie scolaire? (pp. 14–15)	Talking about the good and bad aspects of school Describing your ideal school	*Il y a/Il n'y a pas de* + noun *On peut* + verb *J'aimerais …*	*J'aime/Je n'aime pas mon collège.* *Je pense que les professeurs sont (trop) stricts etc.* *J'ai … heures de devoirs par jour.* *C'est trop/Ça va.* *J'aime bien la récréation/le club de … etc.* *Il n'y a pas de (cours).* *On peut (jouer).* *Dans mon collège il y a (une bibliothèque).* *J'aimerais aussi (une patinoire).*
4 Après le collège … (pp. 16–17)	Talking about further education plans	The near future tense with *aller* + inf.	*Je vais passer mes examens en juin.* *Je vais (quitter le collège).* *J'espère (continuer mes études).* *Il/Elle va aller au lycée technique.* *D'abord … Après … Ensuite …*

Unit	Main topics and objectives	Grammar	Key language
Entraînez-vous (pp. 18–19)	Speaking practice and coursework	Revision of: Past, present and future tenses; *Il est interdit* + inf.; *Je vais* + inf.; Definite/ indefinite/ possessive articles	
À toi! (pp. 160–161)	Self-access reading and writing; Describing your school; Rules, regulations, uniform	Adjectives; *Aller* + inf.; Past, present and future tenses	

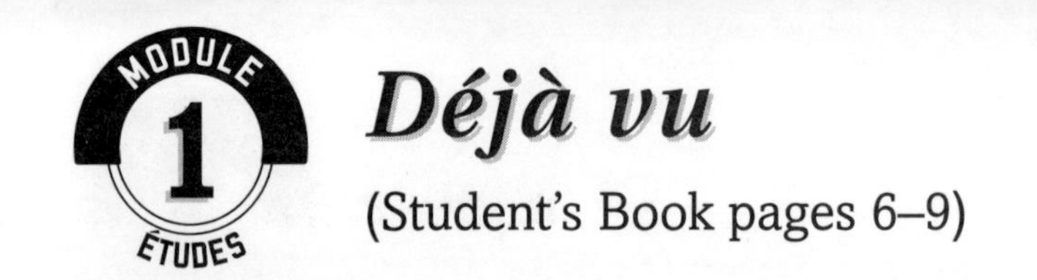

Déjà vu

(Student's Book pages 6–9)

Main topics and objectives

Classroom language
School subjects you like/dislike
Telling the time

Grammar

- Definite/indefinite/possessive articles *le, la, l', les, un, une, des, mon, ma, mes*
- Present tense *-er* verb endings

Key language

Que veut dire ... en anglais?
Répétez, s'il vous plaît.
Je ne sais pas.
Je ne comprends pas.
Comment dit-on ... en français?
C'est correct?
Je peux avoir un crayon/un bic/une gomme/un stylo s'il vous plaît?
Tu peux me prêter une règle, s'il vous plaît?
J'ai oublié mon cahier.
Je n'ai pas de livre.
J'adore/J'aime/Je n'aime pas/Je déteste ...
l'allemand/l'anglais/l'histoire/l'informatique/ la géographie/la musique/la technologie/le dessin/ le français/le sport/les maths/les sciences.
Il est (huit) heures.

Resources

Cassette A, side 1
CD1, track 2
Cahier d'exercices, pages 2–9
Grammaire 2, page 181 and 3.2, page 182

Suggestion

Use pictures a–f on page 6 to present the six key classroom language phrases.

1a Faites correspondre la phrase et l'image.

Reading. (1–6) Students match each picture with the right instruction.

Answers

1 b **2** c **3** a **4** d **5** e **6** f

1b Identifiez l'image.

Listening. (1–6) Students listen to the recording and choose the correct picture for each speaker.

Tapescript

1 *Répétez s'il vous plaît.*
2 *C'est correct?*
3 *Je ne comprends pas.*
4 *Comment dit-on 'help!' en français?*
5 *Je ne sais pas.*
6 *Que veut dire 'requin' en anglais?*

Answers

1 a **2** f **3** b **4** e **5** c **6** d

Suggestion

Collect a set of objects from students in the class by saying: *Tu peux me prêter un stylo? Je peux avoir un cahier?* and so on, until you have a set of all the classroom objects needed. Then use them to present and practise the names of the objects and these phrases:

Je peux avoir ... ?, J'ai oublié, je n'ai pas de ..., tu peux me prêter ... ?

2a Identifiez l'image.

Listening. (1–7) Students listen to the recording and write down the letter of the corresponding picture.

Tapescript

1 *Madame, j'ai oublié ma gomme.*
2 *Monsieur, je n'ai pas de stylo.*
3 *J'ai oublié mon cahier de français.*
4 *Tu peux me prêter un crayon, s'il te plaît?*
5 *Je n'ai pas de règle, mademoiselle.*
6 *Madame, je n'ai pas de livre.*
7 *Je peux avoir un bic, s'il vous plaît, monsieur?*

Answers

1 f **2** a **3** d **4** b **5** g **6** e **7** c

2b Faites correspondre la phrase et l'image.

Reading. (1–7) Students match each phrase with the right picture.

Answers

1 b **2** g **3** d **4** e **5** a **6** f **7** c

2c À deux. En français:

Speaking. Working in pairs, students practise the dialogue in French, replacing the pictures with words. They take turns to play each role.

Suggestion

Use pictures a–l to present the school subjects. You could make an OHT of the symbols.

3a Identifiez les symboles.

Reading. (a–l) Students match each symbol with one of the school subjects from the Key vocabulary box.

Answers

a l'anglais **b** le dessin **c** le français **d** l'allemand **e** la technologie **f** la géographie **g** l'histoire **h** l'informatique **i** les maths **j** la musique **k** les sciences **l** le sport

3b Copiez et complétez la grille en français.

Listening. (1–8) Having copied the grid, students listen to the recording and, in French, they fill in those school subjects each speaker likes and dislikes.

Tapescript

1 J'aime l'anglais et le dessin, mais je n'aime pas la technologie.
2 J'adore les maths, mais je n'aime pas le français.
3 Je déteste la musique parce que c'est ennuyeux, mais j'aime les sciences et le sport.
4 J'adore le français, mais je déteste l'allemand.
5 Je n'aime pas tellement l'histoire. Par contre, j'aime beaucoup la géographie.
6 J'aime l'informatique, c'est génial. Mais je n'aime pas les maths.
7 Ce que je déteste, c'est les sciences et la technologie. J'adore les langues, surtout l'anglais et l'allemand.
8 J'adore l'éducation physique. Je n'aime pas l'histoire, et je déteste le dessin.

Answers

	1	2	3	4
☺	anglais dessin	maths	sciences EPS	français
☹	EMT	français	musique	allemand

	5	6	7	8
☺	géo	informatique	les langues anglais allemand	éducation physique
☹	histoire	maths	sciences et technologie	histoire dessin

3c À deux. Posez la question et donnez une réponse pour chaque symbole.

Speaking. Working in pairs, students take turns to ask *Tu aimes …* + subject?, working through the phrases listed in the Key vocabulary box. The partner answers by giving his/her opinion.

Draw your students' attention to the Top Tip box.

3d Écrivez votre opinion sur chaque matière.

Writing. Students write a sentence for each of the subjects in the Key vocabulary box.

4a Notez l'heure.

Listening. (1–10) Students listen to the recording and note each time (of the clock) in figures.

Tapescript

1 Il est huit heures.
2 Le film est à onze heures.
3 Mon collège commence à neuf heures.
4 [TTTRRRING alarm clock] Ah non ... il est six heures et demie.
5 Il est dix heures et quart, allez, il faut partir.
6 Il est midi moins le quart.
7 On va manger à une heure dix, ça va?
8 Il est trois heures moins vingt déjà, allez, dépêchez-vous!
9 Levez-vous, levez-vous les enfants, il est sept heures et quart.
10 'Il est deux heures.' 'Quoi? Il est douze heures?' 'Non, il est deux heures.'

Answers

1 8h00 **2** 11h00 **3** 9h00 **4** 6h30 **5** 10h15 **6** 11h45 **7** 1h10 **8** 2h40 **9** 7h15 **10** 2h00

4b Faites correspondre l'heure et la phrase.

Reading. (1–8) Students match each clock with one of the times listed.

Answers

1 g **2** c **3** b **4** f **5** d **6** a **7** e **8** h

4c À deux. Notez 5 heures EN SECRET. Dites les heures à votre partenaire en français. Votre partenaire note les heures. Comparez vos résultats.

Speaking. Students create their own answer-gap activity.

Suggestion

Demonstrate the activity in front of the class with yourself and a student partner first.

Ask your students to work in pairs. Each student writes down five different times (of the clock), keeping them hidden from his/her partner. One partner reads his/her five chosen times to the other, who writes them down in figures. This partner then reads his/her chosen times out to the first partner, who notes them down. Students then compare answers to see if they have understood the times correctly.

MODULE 1 ÉTUDES

1 Emploi du temps

(Student's Book pages 10–11)

Main topics and objectives

- Talking about your timetable
- Giving reasons for liking/disliking school subjects
- Saying for how long you have been learning something

Grammar

- *Depuis – J'apprends le français depuis 4 ans.*

Key language

Mon collège s'appelle ...
Le collège commence/finit à ...
La pause de midi/un cours dure combien de temps?
Comme matières j'ai ...
J'aime (les maths) car ...
le prof est trop sévère/sympa/cool.
Je suis fort(e)/faible en ...
C'est facile/difficile/ennuyeux(euse)/intéressant(e).
À quelle heure commence ...?
Il y a une récréation à quelle heure?
J'apprends (le français) depuis ... ans.

Resources

Cassette A, side 1
CD 1, track 3
Cahier d'exercices, pages 2–9
Grammaire 3.2, page 183

Suggestion

Use the timetable on page 10 (or an OHT of your own school's timetable) to introduce the language needed to talk about the school day. Ask questions like:

Les classes commencent à quelle heure?
Un cours dure combien de temps?
Qu'est-ce qu'il y a le mardi à 14h?
and so on.

1a Copiez et complétez pour le collège de Flore.

Reading. (1–8) Students copy and complete the sentences according to the information given in the timetable shown.

Answers

1 CES Jules Verne
2 8h, 17h
3 10h
4 12h15
5 quatre, trois
6 60
7 mercredi, dimanche
8 anglais, français, espagnol, biologie, chimie, physique, maths, histoire-géo, musique, dessin, technologie, EPS

R Students write out their own timetable in French.

1b Écoutez l'interview sur un autre collège en France. Complétez les mêmes huit phrases en français.

Listening. (1–8) Students listen to the recording and complete the same eight sentences as in activity 1a. They do not need to write out the sentences, but they note the answers in French.

Tapescript

– *Eh bien, Anne-Claire, comment s'appelle ton collège?*
– *Mon collège s'appelle le Collège Hugo, H–u–g–o.*
– *Et le collège commence et finit à quelle heure?*
– *On commence à huit heures et quart, et on finit à quatre heures et demie normalement.*
– *Il y a une récréation à quelle heure?*
– *La récré est à dix heures et quart.*
– *La pause de midi est à quelle heure?*
– *On déjeune à midi et demi.*
– *Tu as combien de cours par jour?*
– *Il y a six cours par jour dans notre collège, quatre cours le matin et deux cours l'après midi.*
– *Et les cours durent combien de temps?*
– *Les cours durent une heure.*
– *Quels jours vas-tu au collège?*
– *Chez nous, on va au collège tous les jours sauf le samedi et le dimanche. On a changé pour donner un week-end complet aux élèves et aux profs.*
– *Quelles sont tes matières?*
– *Mes matières obligatoires sont le français, les maths, l'histoire, la géographie, l'anglais et le sport. Je fais aussi de la musique et de l'EMT.*
– *Qu'est-ce que c'est, exactement, l'EMT?*
– *C'est la technologie.*

Answers

1 Collège Hugo **2** 8h15, 4h30 **3** 10h15 **4** 12h30 **5** 4, 2 **6** 1h **7** samedi, dimanche **8** français, maths, histoire, géo, anglais, EPS, musique, technologie (EMT)

1c Répondez à ces questions pour votre collège.

Writing. Students answer the questions for their own school.

Encourage them to use the framework sentences of activity 1a to answer in correct sentences.

1d À deux. Préparez cette conversation en français.

Speaking. Working in pairs, students prepare the conversation in French.

2a Pourquoi préférez-vous certaines matières? Faites correspondre les raisons et les images.

Reading. (1–10). Students match each reason for liking a school subject with the correct picture.

Answers

1 e **2** j **3** b **4** g **5** c **6** h **7** a **8** d **9** f **10** i

2b Flore parle de ses matières. Copiez la grille. Complétez en français.

Listening. (1–5) Having copied the grid, students listen to the recording and fill in the opinion of each subject, and the reason given.

Tapescript

***1** – Au collège, ma matière préférée, c'est le dessin. J'aime le dessin parce que le professeur est très sympa et les cours sont intéressants.*
***2** – J'aime aussi l'EPS. Je suis sportive et j'adore le rugby et le basket.*
***3** – Je n'aime pas tellement les sciences, surtout la physique. Je trouve ça très difficile, et en plus je suis plutôt faible en sciences.*
***4** – Quant à l'histoire-géo, c'est assez intéressant mais on a souvent trop de devoirs: 2 ou 3 heures par semaine, c'est fatigant.*
***5** – L'anglais est très bien. Notre professeur est très bizarre et j'adore écouter des cassettes et parler anglais en classe. L'anglais, c'est extra.*

Answers

	Matière	**Opinion + raisons**
1	le dessin	✔ prof sympa, intéressant
2	EPS	✔ sportive
3	sciences	✘ difficile, faible
4	histoire-géo	✘ trop de devoirs
5	l'anglais	✔ prof bizarre

R Students simply draw ✔ or ✘ for each subject.

2c Écrivez ces phrases en français:

Writing. (1–6) Students replace the symbols with words and generate sentences.

Answers

a J'aime les maths car le prof est sympa est c'est intéressant.
b J'aime les sciences car je suis fort(e) en sciences.
c Je n'aime pas l'EMT/la technologie car c'est ennuyeux et difficile.
d Je n'aime pas l'anglais car je suis faible en anglais et j'ai trop de devoirs.
e J'aime le français car c'est facile et c'est très utile.
f Je n'aime pas le sport car le prof est trop sévère.

+ Students write their own opinion of all their school subjects giving a reason for each opinion.

3a Écrivez la langue et depuis quand ils l'apprennent.

Listening. (1–5). Students listen to the recording and write down the language and the number of years each speaker has been learning. Although some of the languages are new vocabulary, they are cognates and students should make a stab at writing them down in French.

R Write the five languages on the board, but not in the order in which they occur on the recording.

Tapescript

***1** J'apprends l'anglais depuis 5 ans.*
***2** J'apprends l'italien depuis 4 ans.*
***3** J'apprends l'espagnol depuis 6 ans.*
***4** J'apprends le latin depuis 2 ans.*
***5** J'apprends le français depuis 3 mois.*

Answers

1 anglais – 5 ans
2 italien – 4 ans
3 espagnol – 6 ans
4 latin – 2 ans
5 français – 3 mois

3b Vous apprenez ces matières depuis quand? Dites-le en français.

Speaking. Students say for how long they have been learning each subject, according to the information given.

For example: *J'apprends le français depuis 4 ans.*

+ Students write out the sentences.

MODULE 1 ÉTUDES

2 Mon collège

(Student's Book pages 12–13)

Main topics and objectives

- Describing a school
- Giving opinions about school uniform
- Saying what you are allowed to wear to school

Grammar

- *Il faut/il est interdit de/on a le droit de* + inf.

Key language

Je suis pour/contre l'uniforme scolaire parce que ...
c'est démodé/pratique/confortable/plus chic.
Il faut porter l'uniforme scolaire.
On a le droit de porter des baskets/du maquillage/ des bijoux.
On n'a pas le droit d'avoir des piercings/les cheveux bizarres.
Il est interdit de/d' ...
J'aime porter ...

Resources

Cassette A, side 1
CD 1, track 4
Cahier d'exercices, pages 2–9
Grammaire 3.1, page 182

Suggestion

Tell students that many schools in France have their own website which they might like to look at.

1a Copiez les 12 mots soulignés dans le texte. Trouvez la définition. (The first six definitions are in English, the rest are explained in French.)

Reading. Students list the 12 words which are underlined in the text, and match them with the 12 definitions.

Answers

1	Il est interdit de ...	**7**	une bibliothèque
2	rentrée	**8**	voyages scolaires
3	cours de récréation	**9**	mixte
4	une retenue	**10**	laboratoires
5	demi-pensionnaires	**11**	une cantine
6	club d'échecs	**12**	atelier théâtre

1b Flore parle de son collège. Répondez aux questions en anglais.

Listening. (1–9) Students listen to the recording and answer the questions in English. Go through the questions first so that your students know what information they are listening for.

Tapescript

- *Mon collège est un collège mixte, où il y a des garçons et des filles.*
- *C'est un assez grand collège. Il y a 720 élèves, dont 340 demi-pensionnaires, c'est-à-dire qu'ils mangent à la cantine. Il y a 42 professeurs.*
- *Le collège est assez grand. Il y a 36 salles de classe, et aussi une grande bibliothèque et une très belle cantine où on mange à midi.*
- *On peut faire partie d'un club de judo après les cours. Il y a aussi un club de foot et un atelier théâtre.*
- *Depuis dix ans, il y a un échange entre notre collège et un collège en Irlande. On fait aussi un échange avec un collège en Espagne.*
- *L'année prochaine, la rentrée scolaire aura lieu le 5 septembre. Quelle horreur ... J'aime bien mon collège, mais je préfère les vacances.*
- *Au collège, on n'a pas le droit de mâcher du chewing-gum.*

Answers

1 mixed **2** a720 **3** 42 **4** 36 **5** a library and a canteen **6** judo, football and theatre **7** yes **8** 5 September **9** chew gum

1c À deux. Lisez la conversation. Puis changez les détails pour parler de votre collège.

Speaking. Working in pairs, students change the underlined text to talk about their own school. Draw your students' attention to the Key Language box.

➕ Students write out their answers.

1d Écrivez l'interview que vous avez faite pour votre collège.

Writing. Students write the conversation from the previous activity.

2a Lisez les opinions de l'uniforme scolaire. Écrivez P (positif) ou N (négatif).

Reading. (1–7) Students read the opinions and decide whether each is positive (P) or negative (N).

2b Pour chaque opinion, écrivez POUR ou CONTRE l'uniforme. (1–7)

Listening. (1–7) Students listen to the recording and decide whether each person is FOR or AGAINST school uniform.

➕ Ask students to write down in French key words which helped them find their answers.

Tapescript

1 À mon avis, l'uniforme scolaire est pratique et chic.
2 Moi, je préfère porter ce que je veux, parce que l'uniforme n'est pas du tout à la mode.
3 Je trouve que c'est absolument bête d'interdire aux élèves de porter du maquillage par exemple.
4 Quand j'ai fait un échange en Angleterre, j'ai remarqué que l'uniforme encourageait la bonne discipline dans les classes.
5 À mon avis, l'uniforme est une très bonne idée parce que c'est facile et on sait toujours quoi mettre.
6 Les élèves britanniques qui doivent porter l'uniforme ont l'air très démodé et même un peu ridicule!
7 J'aimerais bien porter un uniforme pour aller au collège. Je trouve ça très chic et pas cher.

Answers

1 pour **2** contre **3** contre **4** pour **5** pour
6 contre **7** pour

2c Qu'est-ce que vous pensez de l'uniforme? Donnez votre opinion en français.

Speaking. Students use the phrases encountered in activities 2a and 2b to give their own opinion on school uniform. When students have practised their opinion, you could ask them to tell the class.

R Students make up six speech bubbles giving opinions about rules regarding dress in their own school.

+ Students make up a set of rules for their ideal school. For example: *Il faut manger du chewing-gum en classe.*

3 Vous aimez la vie scolaire?

(Student's Book pages 14–15)

Main topics and objectives

- Talking about the good and bad aspects of school
- Describing your ideal school

Grammar

- *Il y a*/*Il n'y a pas de* + noun
- *On peut* + verb
- *J'aimerais …* + verb

Key language

J'aime/Je n'aime pas mon collège.
Je pense que les professeurs sont (trop) stricts/sympa/cool/ennuyeux etc.
J'ai … heures de devoirs par jour.
C'est trop/une perte de temps./Ça va.
J'aime bien la récréation/le club de …/mes copains/la cantine/les ordinateurs etc.
Il n'y a pas de (cours).
On peut (jouer).
Dans mon collège il y a (une bibliothèque/un gymnase/un terrain en quick/des courts de tennis/une salle de devoirs/une laboratoire de langues/une salle d'Internet/une salle commune/une salle de musique).
J'aimerais aussi (une patinoire/une piste de ski artificielle/un sauna).

Resources

Cassette A, side 1
CD 1, track 5
Cahier d'exercices, pages 2–9

Suggestion

Introduce the topic by asking for a show of hands in response to questions such as:

Qui pense que les cours au collège sont trop longs?
Qui pense que l'éducation est importante?
Qui pense que les profs sont trop sévères?
Qui aime bien la récréation?
Que aime jouer au foot pendant la récré?

etc.

1a Lisez l'interview, puis lisez les opinions. Est-ce qu'ils sont d'accord ou pas d'accord avec Flore? Écrivez 'd'accord' ou 'pas d'accord' pour chaque opinion a–h.

Reading. Flore is interviewed about her opinions about school. Highlight useful opinions vocabulary, which can be included in oral presentations and written work. Students work out if the opinions given in speech bubbles agree with Flore's opinions or not.

Answers

a d'accord **b** pas d'accord **c** d'accord **d** d'accord
e pas d'accord **f** d'accord **g** d'accord
h pas d'accord

1b C'est quelle opinion? Écoutez et notez la bonne lettre.

Listening. (1–8) Extended versions of the opinions, to match to the summarised opinions in speech bubbles. Students should listen particularly for the key words in the speech bubbles, which will help them spot the matching text.

Tapescript

1 *Pendant la récréation, il n'y a rien à faire. Je n'aime pas les récrés.*
2 *Ce qui est bien au collège, c'est qu'on peut rencontrer les amis et discuter avec eux. Ça, c'est amusant.*
3 *Chez nous, les cours durent une heure. Une heure, ça fait trop long pour se concentrer en classe.*
4 *Je trouve que c'est vraiment chouette parce qu'on peut être membre de plein de clubs qui ont lieu après le collège. Je fais partie d'un club de ping-pong, et c'est génial.*
5 *Moi, je pense que l'important dans la vie, c'est de s'amuser. Les amis, la famille, les passe-temps, tout ça c'est plus important que l'éducation.*
6 *Hier soir, par exemple, j'avais quatre heures de devoirs: quatre heures, vous vous rendez compte? Ils exagèrent, non?*
7 *Je veux travailler dans le garage de mon père. J'ai déjà un poste avec papa. Moi, je perds mon temps au collège parce que j'ai déjà un emploi. L'éducation est une perte de temps pour moi.*
8 *Mes professeurs nous crient tout le temps: <<Asseyez-vous! Levez-vous! Écoutez! Lisez!>> On n'a pas le droit de parler en classe. Ils sont vraiment trop sévères.*

Answers

1 b **2** f **3** g **4** a **5** e **6** d **7** h **8** c

1c À deux. Préparez vos réponses à ces questions.

Speaking. Students practise the language by asking each other their opinions about aspects of school life, teachers, homework, etc.

2a Écoutez et lisez la chanson.

Listening. Students listen and follow the text about the hardships of school life. Explain difficult or new words, and check comprehension by asking: *Quels sont les problèmes pour un lycéen?* You could hold a competition to see who can read out the song well, perhaps having learnt it first by heart at home.

Transcript

Le chant du lycéen

Quand on étudie, on n'a plus de vie,
On ne peut pas sortir
On doit réviser ...
écouter ...
travailler ...
bachoter ...
Quand on étudie, on n'a plus de vie,
On a trop de stress ...
trop de pression ...
trop de devoirs ...
pas assez de temps.
Mais quand on a fini, la vie recommence!

2b Mettez le texte en anglais dans le bon ordre.

Reading. Students re-order the translated sentences from the song to give a complete version in English.

Answers

When you are studying, you haven't got a life
You can't go out
You must revise
Listen ...
Work ...
Cram ...
When you're studying, you haven't got a life,
You have too much stress
Too much pressure
Too much homework ...
No time
But when you've finished, life begins!

2c Utilisez un dictionnaire et écrivez 'Le chant de la liberté' (la vie après le collège). Copiez et complétez.

Writing. Students now have the opportunity to write about what they will not be sorry to leave behind at school, and what they are looking forward to doing when they leave. The Top Tip box highlights the two language structures required.

3a Vous dessinez un nouveau collège. Classifiez ces aspects en ordre d'importance pour vous.

Reading. Move on to thinking about what an ideal school would be like and what fantastic facilities it would have. Suggestions are given, which students rate in order of importance. You could conduct a quick survey to see which three facilities are rated most highly by the most students. Students could add extra ideas of their own to the list too.

3b Préparez une description de votre collège.

- *Qu'est-ce qu'il y a déjà dans votre collège?*
- *Qu'est-ce que vous voudriez aussi dans votre collège?*

Writing. Students consolidate Activity **3a** in writing, firstly by stating what facilities their own school does actually have, and then saying what other facilities they would like. *Je voudrais* and *J'aimerais* are picked up in the *Le détective* box.

➕ Extend Activity **1c** by asking further questions to elicit opinions about length of lessons, after school clubs, education in general, etc.

➕ Students learn the words of the song from **2a** by heart.

4 Après le collège ...

(Student's Book pages 16–17)

Main topics and objectives

- Talking about further education plans

Grammar

- The near future tense with *aller* + inf.

Key language

Je vais passer mes examens en (juin).
Je vais quitter le collège.
Je vais faire un apprentissage/mes études au lycée.
Je vais étudier six matières.
Je vais aller à l'université.
J'espère continuer mes études/être (ingénieur).
Il/Elle va aller au lycée technique.
D'abord ... Après ... Ensuite ...

Resources

Cassette A, side 1
CD 1, track 6
Cahier d'exercices, pages 2–9
Grammaire 3.5, page 184

Suggestion

Use the diagram on page 16 to present the French school system. If you have a FLA, ask him/her to do this if possible. Familiarise students with how the system works, and explain *sixième, cinquième,* etc.

1a Qu'est-ce qu'ils vont faire après le collège?

Listening. (1–5) Students listen to the recording and note down in French what each speaker's plans are.

Encourage students to look at the diagram for help with writing their answers.

Tapescript

1 Je vais faire un apprentissage. Je vais être apprenti dans un garage, j'espère.
2 Je vais aller au lycée pour passer mon bac.
3 Je vais aller au lycée technique.
4 J'espère faire une formation générale pour pouvoir travailler dans une banque plus tard.
5 Je vais faire un BEP secrétariat.

Answers

1 apprentissage/garage **2** lycée/bac **3** lycée technique
4 formation générale/banque **5** BEP secrétariat

1b Lisez la lettre de Flore. Remplissez les blancs avec un de ces verbes.

Reading. Students use the words given to fill in the blanks in the letter. This links in with the *Le Détective* box.

➕ Students write out in English the future plans of Flore from the letter.

Answers

faire/passer, quitter, continuer, étudier, passer/faire, aller, être

1c Écrivez ces phrases en français.

Writing. (1–5) Students write the five sentences in French. Draw their attention to the Top Tip box.

Answers

1 Elle va quitter le collège.
2 Il va continuer ses études.
3 Elle va être professeur.
4 Je vais passer mes examens l'année prochaine.
5 Je vais rester dans mon collège.

1d Préparez 2 ou 3 phrases sur ce que vous allez faire l'année prochaine. Joignez vos phrases avec: **d'abord** (*first of all ...*); **après** (*afterwards ...*); **ensuite** (*then ...*)

Speaking. Students use what they have learned to talk about their own future plans in two or three sentences. Listen to a selection of students tell the class about what they hope to do. Draw their attention to the Top Tip box.

2 Lisez ces e-mails, copiez la fiche et notez les détails. Écrivez en français.

Reading. Students copy the headings on the form three times. Then they fill in each form for the three e-mails shown.

Answers

1 Nom: Alice K.
Adresse e-mail: alice.k@caramel.com
Intentions: Partir en vacances/Reprendre ses études
2 Nom: Alex Genno
Adresse e-mail: alex.genno@worldonline.fr
Intentions: Voyager autour du monde/Faire un apprentissage de plombier
3 Nom: Elsa P.
Adresse e-mail: elsa.pr@aol.com
Intentions: Travailler dans un magasin/Continuer ses études à la fac

➕ Students imagine they are about to leave school. They write an e-mail about what they plan to do. They should try to use some new phrases from the activity.

➕ Students draw and label a similar diagram to the one on page 16 of the Student's Book about the school system in their own area.

MODULE 1 ÉTUDES

Entraînez-vous

(Student's Book pages 18–19)

Speaking practice and coursework

À l'oral

Topics revised

- Classroom language
- Talking about school
- Talking about future plans

1 You are in a French lesson at your penfriend's school.

Role-play. Ask students to work in pairs. They can take turns to be the 'penfriend', doing the role-play twice.

2 You are on your way to school with your French penfriend.

Role-play. Ask students to work in pairs. They can take turns to be the 'penfriend', doing the role-play twice.

3 Presentation. Talk for one minute about your school. Make a cue card to help you remember what to say and include as many symbols as you want.

Speaking. Students prepare a one-minute talk on their school. Look at the cue card together and reconstruct the sort of thing the speaker might say. Then ask your students to prepare their own talk, using a similar cue card for help.

This can be:

- prepared in the classroom or at home;
- recorded on tape;
- students can give their talk to a small group of other students; *or*
- certain students can be chosen to give their talk to the whole class.

The main thing is that students become used to speaking from notes, not reading a speech.

Questions générales

Speaking. These are key questions to practise for the oral exam, taken from the module as a whole. Students can practise asking and answering the questions in pairs. They should be encouraged to add as much detail as possible. It is often a good idea to write model answers together in class.

À l'écrit

Topics revised

- School subjects
- Describing your school
- Rules, regulations, uniform
- Giving your plans for the future

1 Advertising your school/college.

An AQA Specification A coursework-style task (Theme 1.7), requiring students to write 70–100 words to advertise their school or college. Various formats are possible, and suggestions and useful language are provided to stimulate ideas. Students could use ICT skills to present their work effectively, but impress upon them that marks are given for good French, not for attractive presentation.

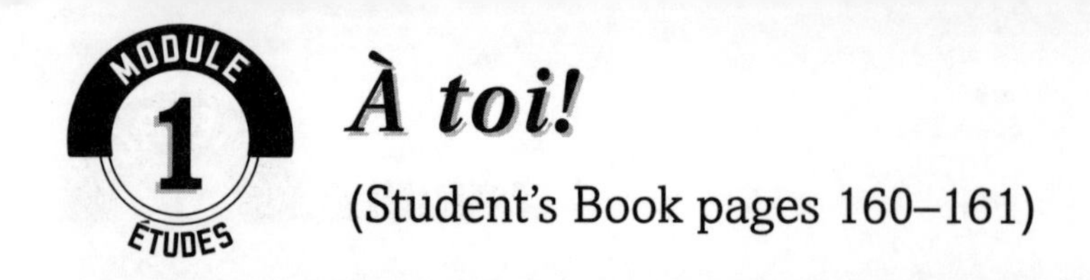

À toi!

(Student's Book pages 160–161)

Self-access reading and writing at two levels

1 Who says: …

Reading. (a–e) Students read three people's comments on school subjects, teachers and future plans, and complete a 'who says …?' exercise.

In the texts find the opposite for: …

Reading. (a–d) Students look for opposites.

Answers

a Claire **b** Claire **c** Claire **d** Alain **e** Philippe

a vieux et ennuyeux
b je suis fort
c j'ai de mauvaises notes
d j'adore les maths

2 Choisissez les bons mots pour compléter chaque phrase.

Reading. (1–11) Students read the interview with Anne-Claire and complete each of the sentences with one of the endings provided. One ending is a distractor.

Answers

1 assistante de français
2 l'université de Clermont-Ferrand
3 à Thurston en Angleterre
4 les profs et les élèves
5 sympa
6 différentes
7 l'uniforme scolaire
8 un jean et des baskets
9 refaire l'année scolaire
10 retourner en France
11 professeur d'anglais

3 C'est comment en Angleterre? Regardez les symboles et écrivez des phrases.

Writing. Students compare school life in France and Great Britain by using the model sentences to write similar ones describing British school life.

Answers

1 J'apprends le français.
2 Mes cours commencent à 9h.
3 Mes cours finissent à 15h30.
4 Je ne vais pas au collège le samedi.
5 Je porte un uniforme scolaire.
6 Je mange à la cantine.
7 Mes cours durent 35 minutes.

4 Vous écrivez un article sur votre éducation pour le magazine de votre partenaire-école.

Writing. Students write an article in which they reflect on what they consider to be the good and bad aspects of school, giving them an opportunity to express their own opinions. Answers to the stimulus questions will require the use of past, present and future tenses. Some model language is provided.

Cahier d'exercices, page 2

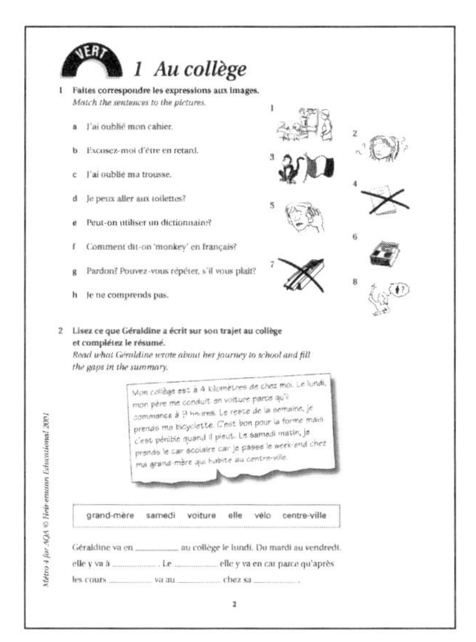

VERT **1 Au collège**

1 **Faites correspondre les expressions aux images.**
Match the sentences to the pictures.

a J'ai oublié mon cahier.
b Excusez-moi d'être en retard.
c J'ai oublié ma trousse.
d Je peux aller aux toilettes?
e Peut-on utiliser un dictionnaire?
f Comment dit-on 'monkey' en français?
g Pardon? Pouvez-vous répéter, s'il vous plaît?
h Je ne comprends pas.

2 **Lisez ce que Géraldine a écrit sur son trajet au collège et complétez le résumé.**
Read what Géraldine wrote about her journey to school and fill the gaps in the summary.

Mon collège est à 4 kilomètres de chez moi. Le lundi, mon père me conduit en voiture parce qu'il commence à 9 heures. Le reste de la semaine, je prends ma bicyclette. C'est bon pour la forme mais c'est pénible quand il pleut. Le samedi matin, je prends le car scolaire car je passe le week-end chez ma grand-mère qui habite au centre-ville.

grand-mère samedi voiture elle vélo centre-ville

Géraldine va en ________ au collège le lundi. Du mardi au vendredi, elle y va à ________ . Le ________ elle y va en car parce qu'après les cours ________ va au ________ chez sa ________ .

2

1
Answers

a 4; **b** 1; **c** 7; **d** 8; **e** 6; **f** 3; **g** 5; **h** 2

2
Answers

voiture; vélo; samedi; elle; centre-ville; grand-mère

Cahier d'exercices, page 3

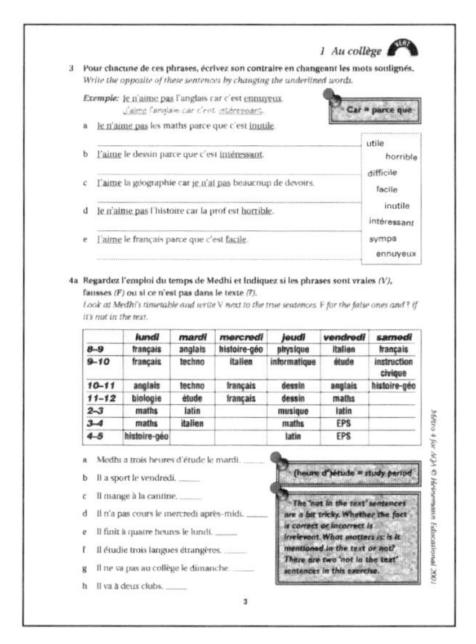

1 Au collège VERT

3 **Pour chacune de ces phrases, écrivez son contraire en changeant les mots soulignés.**
Write the opposite of these sentences by changing the underlined words.

Exemple: Je n'aime pas l'anglais car c'est ennuyeux.
J'aime l'anglais car c'est intéressant.

Car = parce que

a Je n'aime pas les maths parce que c'est inutile.
b J'aime le dessin parce que c'est intéressant.
c J'aime la géographie car je n'ai pas beaucoup de devoirs.
d Je n'aime pas l'histoire car la prof est horrible.
e J'aime le français parce que c'est facile.

utile horrible difficile facile inutile intéressant sympa ennuyeux

4a **Regardez l'emploi du temps de Medhi et indiquez si les phrases sont vraies (V), fausses (F) ou si ce n'est pas dans le texte (?).**
Look at Medhi's timetable and write V next to the true sentences, F for the false ones and ? if it's not in the text.

	lundi	mardi	mercredi	jeudi	vendredi	samedi
8–9	français	anglais	histoire-géo	physique	italien	français
9–10	français	techno	italien	informatique	étude	instruction civique
10–11	anglais	techno	français	dessin	anglais	histoire-géo
11–12	biologie	étude	français	dessin	maths	
2–3	maths	latin		musique	latin	
3–4	maths	italien		maths	EPS	
4–5	histoire-géo			latin	EPS	

a Medhi a trois heures d'étude le mardi. ____
b Il a sport le vendredi. ____
c Il mange à la cantine. ____
d Il n'a pas cours le mercredi après-midi. ____
e Il finit à quatre heures le lundi. ____
f Il étudie trois langues étrangères. ____
g Il ne va pas au collège le dimanche. ____
h Il va à deux clubs. ____

(heure d')étude = study period

The 'not in the text' sentences are a bit tricky. Whether the fact is correct or incorrect is irrelevant. What matters is: is it mentioned in the text or not? There are two 'not in the text' sentences in this exercise.

3

3
Answers

a J'aime les maths parce que c'est utile.
b Je n'aime pas le dessin parce que c'est ennuyeux.
c Je n'aime pas la géographie car j'ai beaucoup de devoirs.
d J'aime l'histoire car la prof est sympa.
e Je n'aime pas le français parce que c'est difficile.

4a
Answers

a F; **b** V; **c** ?; **d** V; **e** F; **f** V; **g** V; **h** ?

Cahier d'exercices, page 4

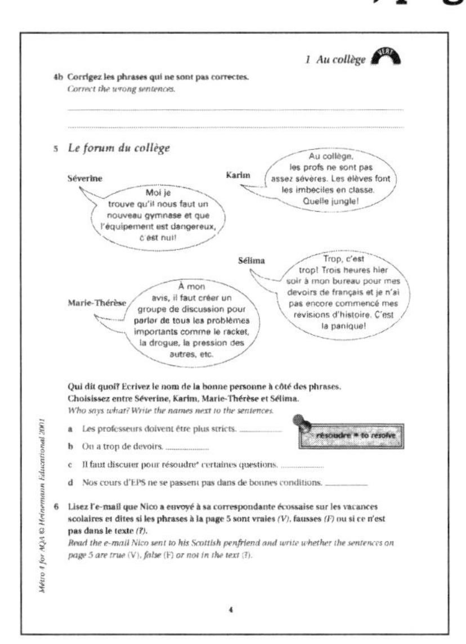

1 Au collège VERT

4b **Corrigez les phrases qui ne sont pas correctes.**
Correct the wrong sentences.

5 *Le forum du collège*

Séverine: Moi je trouve qu'il nous faut un nouveau gymnase et que l'équipement est dangereux, c'est nul!

Karim: Au collège, les profs ne sont pas assez sévères. Les élèves font les imbéciles en classe. Quelle jungle!

Sélima: Trop, c'est trop! Trois heures hier soir à mon bureau pour mes devoirs de français et je n'ai pas encore commencé mes révisions d'histoire. C'est la panique!

Marie-Thérèse: À mon avis, il faut créer un groupe de discussion pour parler de tous les problèmes importants comme le racket, la drogue, la pression des autres, etc.

Qui dit quoi? Ecrivez le nom de la bonne personne à côté des phrases. Choisissez entre Séverine, Karim, Marie-Thérèse et Sélima.
Who says what? Write the names next to the sentences.

a Les professeurs doivent être plus stricts. ____
b On a trop de devoirs. ____
c Il faut discuter pour résoudre* certaines questions. ____
d Nos cours d'EPS ne se passent pas dans de bonnes conditions. ____

résoudre = to resolve

6 **Lisez l'e-mail que Nico a envoyé à sa correspondante écossaise sur les vacances scolaires et dites si les phrases à la page 5 sont vraies (V), fausses (F) ou si ce n'est pas dans le texte (?).**
Read the e-mail Nico sent to his Scottish penfriend and write whether the sentences on page 5 are true (V), false (F) or not in the text (?).

4

4b
Answers

a Medhi a une heure d'étude le mardi.
e Il finit à cinq heures le lundi.

5
Answers

a Karim; **b** Sélima; **c** Marie-Thérèse; **d** Séverine

6
Answers

a V; **b** V; **c** ?; **d** F; **e** ?; **f** V

Cahier d'exercices, page 5

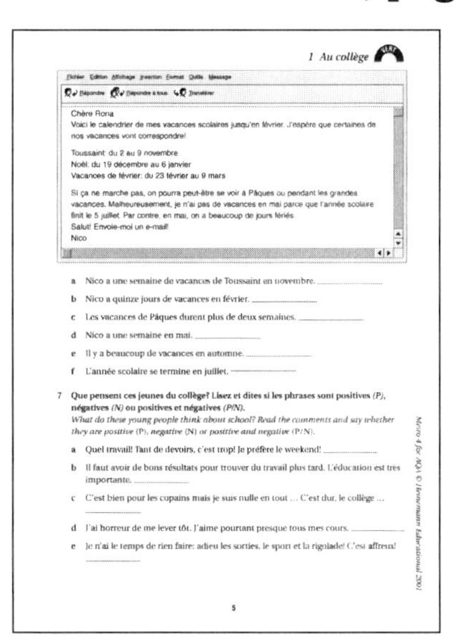

1 Au collège VERT

Fichier Edition Affichage Insertion Format Outils Message
Répondre Répondre à tous Transférer

Chère Rona
Voici le calendrier de mes vacances scolaires jusqu'en février. J'espère que certaines de nos vacances vont correspondre!

Toussaint: du 2 au 9 novembre
Noël: du 19 décembre au 6 janvier
Vacances de février: du 23 février au 9 mars

Si ça ne marche pas, on pourra peut-être se voir à Pâques ou pendant les grandes vacances. Malheureusement, je n'ai pas de vacances en mai parce que l'année scolaire finit le 5 juillet. Par contre, en mai, on a beaucoup de jours fériés.
Salut! Envoie-moi un e-mail!
Nico

a Nico a une semaine de vacances de Toussaint en novembre. ____
b Nico a quinze jours de vacances en février. ____
c Les vacances de Pâques durent plus de deux semaines. ____
d Nico a une semaine en mai. ____
e Il y a beaucoup de vacances en automne. ____
f L'année scolaire se termine en juillet. ____

7 **Que pensent ces jeunes du collège? Lisez et dites si les phrases sont positives (P), négatives (N) ou positives et négatives (P/N).**
What do these young people think about school? Read the comments and say whether they are positive (P), negative (N) or positive and negative (P/N).

a Quel travail! Tant de devoirs, c'est trop! Je préfère le weekend! ____
b Il faut avoir de bons résultats pour trouver du travail plus tard. L'éducation est très importante. ____
c C'est bien pour les copains mais je suis nulle en tout … C'est dur, le collège … ____
d J'ai horreur de me lever tôt. J'aime pourtant presque tous mes cours. ____
e Je n'ai le temps de rien faire: adieu les sorties, le sport et la rigolade! C'est affreux! ____

5

7
Answers

a N; **b** P; **c** P/N; **d** P/N; **e** N

Cahier d'exercices, page 6

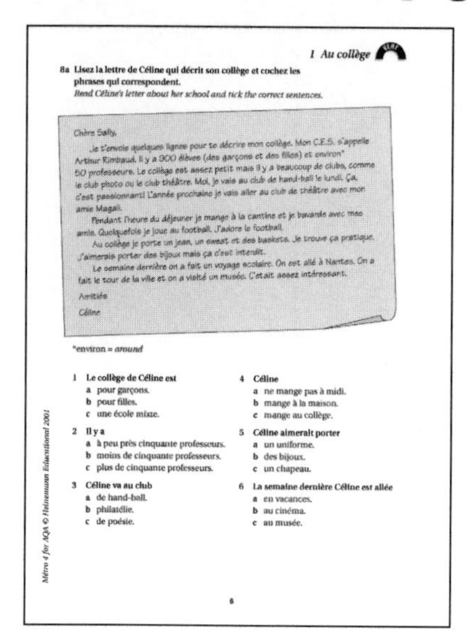

1 *Au collège*

8a Lisez la lettre de Céline qui décrit son collège et cochez les phrases qui correspondent.
Read Céline's letter about her school and tick the correct sentences.

Chère Sally,

Je t'envoie quelques lignes pour te décrire mon collège. Mon C.E.S. s'appelle Arthur Rimbaud. Il y a 900 élèves (des garçons et des filles) et environ* 50 professeurs. Le collège est assez petit mais il y a beaucoup de clubs, comme le club photo ou le club théâtre. Moi, je vais au club de hand-ball le lundi. Ça, c'est passionnant! L'année prochaine je vais aller au club de théâtre avec mon amie Magali.

Pendant l'heure du déjeuner je mange à la cantine et je bavarde avec mes amis. Quelquefois je joue au football. J'adore le football.

Au collège je porte un jean, un sweat et des baskets. Je trouve ça pratique. J'aimerais porter des bijoux mais ça c'est interdit.

La semaine dernière on a fait un voyage scolaire. On est allé à Nantes. On a fait le tour de la ville et on a visité un musée. C'était assez intéressant.

Amitiés

Céline

*environ = *around*

1 **Le collège de Céline est**
a pour garçons.
b pour filles.
c une école mixte.

2 **Il y a**
a à peu près cinquante professeurs.
b moins de cinquante professeurs.
c plus de cinquante professeurs.

3 **Céline va au club**
a de hand-ball.
b philatélie.
c de poésie.

4 **Céline**
a ne mange pas à midi.
b mange à la maison.
c mange au collège.

5 **Céline aimerait porter**
a un uniforme.
b des bijoux.
c un chapeau.

6 **La semaine dernière Céline est allée**
a en vacances.
b au cinéma.
c au musée.

Métro 4 for AQA © Heinemann Educational 2001

6

8a
Answers

1 c; **2** a; **3** a; **4** c; **5** b; **6** c

Cahier d'exercices, page 7

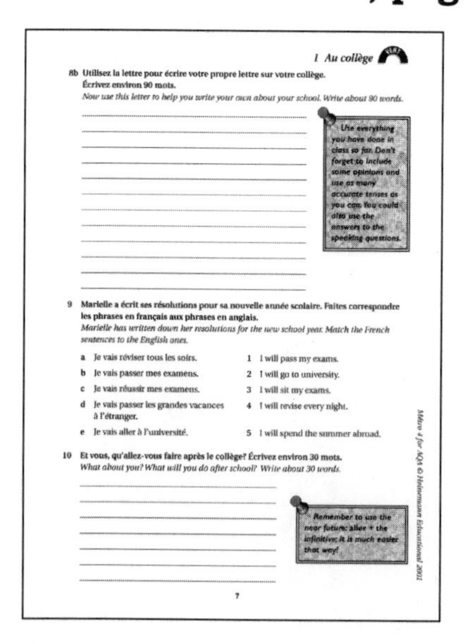

1 *Au collège*

8b Utilisez la lettre pour écrire votre propre lettre sur votre collège. Écrivez environ 90 mots.
Now use this letter to help you write your own about your school. Write about 90 words.

Use everything you have done in class so far. Don't forget to include some opinions and use as many accurate tenses as you can. You could also use the answers to the speaking questions.

9 Marielle a écrit ses résolutions pour sa nouvelle année scolaire. Faites correspondre les phrases en français aux phrases en anglais.
Marielle has written down her resolutions for the new school year. Match the French sentences to the English ones.

a Je vais réviser tous les soirs.
b Je vais passer mes examens.
c Je vais réussir mes examens.
d Je vais passer les grandes vacances à l'étranger.
e Je vais aller à l'université.

1 I will pass my exams.
2 I will go to university.
3 I will sit my exams.
4 I will revise every night.
5 I will spend the summer abroad.

10 Et vous, qu'allez-vous faire après le collège? Écrivez environ 30 mots.
What about you? What will you do after school? Write about 30 words.

Remember to use the near future: aller + the infinitive; it is much easier that way!

Métro 4 for AQA © Heinemann Educational 2001

7

9
Answers

a 4; **b** 3; **c** 1; **d** 5; **e** 2

Cahier d'exercices, page 8

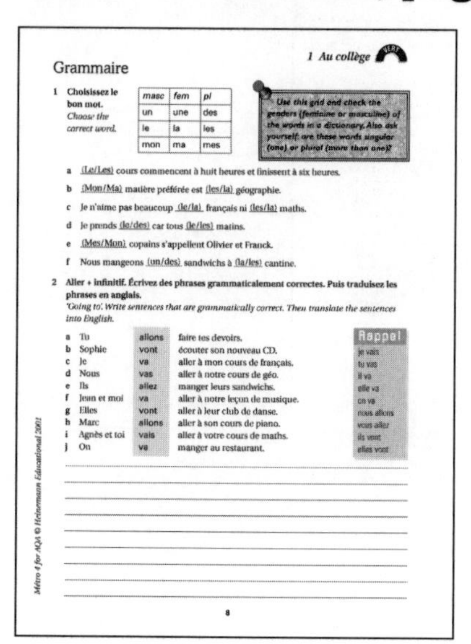

1 *Au collège*

Grammaire

1 Choisissez le bon mot.
Choose the correct word.

masc	*fem*	*pl*
un	une	des
le	la	les
mon	ma	mes

Use this grid and check the genders (feminine or masculine) of the words in a dictionary. Also ask yourself: are these words singular (one) or plural (more than one)?

a (Le/Les) cours commencent à huit heures et finissent à six heures.
b (Mon/Ma) matière préférée est (les/la) géographie.
c Je n'aime pas beaucoup (le/la) français ni (les/la) maths.
d Je prends (le/des) car tous (le/les) matins.
e (Mes/Mon) copains s'appellent Olivier et Franck.
f Nous mangeons (un/des) sandwichs à (la/les) cantine.

2 Aller + infinitif. Écrivez des phrases grammaticalement correctes. Puis traduisez les phrases en anglais.
'Going to'. Write sentences that are grammatically correct. Then translate the sentences into English.

a	Tu	allons	faire tes devoirs.
b	Sophie	vont	écouter son nouveau CD.
c	Je	va	aller à mon cours de français.
d	Nous	vas	aller à notre cours de géo.
e	Ils	allez	manger leurs sandwichs.
f	Jean et moi	va	aller à notre leçon de musique.
g	Elles	vont	aller à leur club de danse.
h	Marc	allons	aller à son cours de piano.
i	Agnès et toi	vais	aller à votre cours de maths.
j	On	va	manger au restaurant.

Rappel
je vais
tu vas
il va
elle va
on va
nous allons
vous allez
ils vont
elles vont

Métro 4 for AQA © Heinemann Educational 2001

8

Grammaire

1
Answers

a Les; **b** Ma, la; **c** le, les; **d** le, les; **e** Mes; **f** des, la

2
Answers

a Tu vas faire tes devoirs.
b Sophie va écouter son nouveau CD.
c Je vais aller à mon cours de français.
d Nous allons aller à notre cours de géo.
e Ils vont manger leurs sandwichs.
f Jean et moi allons aller à notre leçon de musique.
g Elles vont aller à leur club de danse.
h Marc va aller à son cours de piano.
i Agnès et toi allez aller à votre cours de maths.
j On va manger au restaurant.

3
Answers

a You will do your homework.
b Sophie will listen to her new CD.
c I will go to my French class.
d We will go to our geography class.
e They will eat their sandwiches.
f Jean and I will go to our music lesson.
g They will go to their dance club.
h Marc will go to his piano lesson.
i Agnès and you will go to your maths class.
j We will eat at the restaurant.

Cahier d'exercices, page 9

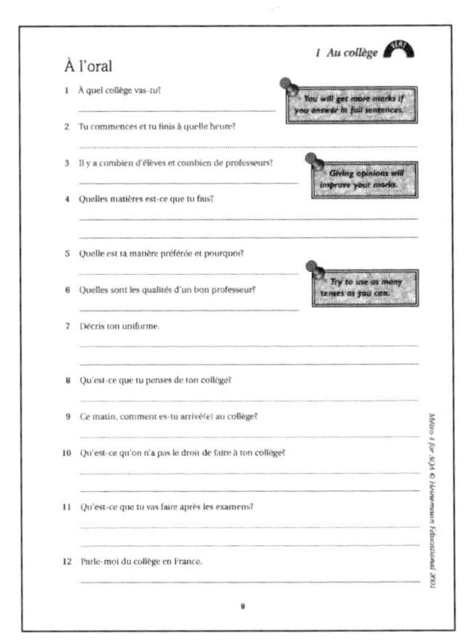

1 Au collège

À l'oral

1 À quel collège vas-tu?

You will get more marks if you answer in full sentences.

2 Tu commences et tu finis à quelle heure?

3 Il y a combien d'élèves et combien de professeurs?

Giving opinions will improve your marks.

4 Quelles matières est-ce que tu fais?

5 Quelle est ta matière préférée et pourquoi?

Try to use as many tenses as you can.

6 Quelles sont les qualités d'un bon professeur?

7 Décris ton uniforme.

8 Qu'est-ce que tu penses de ton collège?

9 Ce matin, comment es-tu arrivé(e) au collège?

10 Qu'est-ce qu'on n'a pas le droit de faire à ton collège?

11 Qu'est-ce que tu vas faire après les examens?

12 Parle-moi du collège en France.

9

Module 2: Chez moi

(Student's Book pages 22–37)

Unit	Main topics and objectives	Grammar	Key language
Déjà vu (pp. 22–25)	Listing family members Saying how many brothers and sisters you have Saying what pets you have and their colour Recognising dates and saying when your birthday is Spelling words out, including your name and home town.	Possessive adjectives Plural forms of nouns	Members of the family *Tu as (des frères)?* *J'ai (deux sœurs).* *Je n'ai pas de …* *Il y a … personnes dans ma famille.* Months of the year *Je m'appelle …* *Ça s'écrit …* *J'habite …*
1 Je vous présente ma famille (pp. 26–27)	Talking about your family Talking about what people look like	Irregular verbs Present tense of *avoir* and *être*	*Je m'appelle … et j'ai … ans.* *Il/Elle s'appelle ... et il/elle a ... ans.* *J'ai/Tu as/Il/Elle a les cheveux (courts) et les yeux (bleus).* *Je porte/Tu portes/Il/Elle porte des lunettes.* *Je suis (petit(e)).*
2 Comment êtes-vous? (pp. 28–29)	Describing personality Talking about family problems	Adjectival agreement Common irregular adjectives	*Il/Elle est (amusant(e)) parce que …* *Je suis un peu/assez/très/vraiment/extrêmement …* *Je m'entends bien avec …* *J'en ai marre de …* *Mon/ma meilleur(e) ami(e) est …* *Mon petit ami/ma petite amie idéal(e) est …* *Mon professeur préféré est …*
3 Les amis, les amours, les héros (pp. 30–31)	Talking about relationships Considering what makes a good friend Future hopes and dreams Giving opinions on marriage Considering what makes someone a hero(ine)	Emphatic pronouns used after prepositions (*moi, toi*, etc.)	*On a beaucoup de choses en commun.* *On sort ensemble.* *Il/Elle me fait rire/fait les mêmes choses/m'écoute …/est toujours là pour moi.* *Je m'entends bien avec lui/elle.* *Je peux compter sur lui/elle.* *Je voudrais me marier/avoir une bonne carrière/avoir des enfants.*
4 Aider à la maison (pp. 32–33)	Talking about helping at home	Present tense of *faire* Negatives (*ne … pas; ne … jamais; ne … rien*)	*Est-ce tu aides à la maison?* *Je sors la poubelle/Je range la chambre.* *Je mets/débarrasse la table.* *Je passe l'aspirateur.* *Je fais la vaisselle.* *Je fais le ménage.* *Il/Elle fait les courses/lave la voiture.*
Entraînez-vous (pp. 34–35)	Speaking practice and coursework	Revision of: Possessive adjectives *son, sa, ses* Past, present and future tenses *Avoir* and *être* Common irregular adjectives Negatives Past, present and future tenses	

Unit	Main topics and objectives	Grammar	Key language
À toi! (pp. 162–163)	Self-access reading and writing Describing personality Answering questions about a job as an 'au pair'	Adjectival agreement Common irregular adjectives Present tense of *avoir* and *être* Present tense of *faire* *Pouvoir* + inf.	

MODULE 2 CHEZ MOI

Déjà vu

(Student's Book pages 22–25)

Main topics and objectives

- Listing family members
- Saying how many brothers and sisters you have
- Saying what pets you have and their colour
- Recognising dates and saying when your birthday is
- Spelling words out, including your name and home town

Grammar

- Possessive adjectives
  mon, ma, mes, ton, ta, tes, son, sa, ses
- Plural forms of nouns

Key language

Ma famille/mon père/mon grand-père/ma mère/ ma grand-mère/mon frère/ma sœur
Tu as des frères et des sœurs/un animal?
J'ai un chat/un chien/un cheval/un lapin/ un oiseau/un poisson/une souris.
Je n'ai pas de ...
Il y a ... personnes dans ma famille.
J'ai deux sœurs et un frère.
janvier/février/mars/avril/mai/juin/juillet/août/ septembre/octobre/novembre/décembre
Je m'appelle ...
Ça s'écrit ...
J'habite ...

Resources

Cassette A, side 1
CD 1, track 7
Cahier d'exercices, pages 10–17
Grammaire 6.7, page 190 and 1.2, page 180

Suggestion

Use the picture on page 22 to recap key family members, brothers and sisters. Ask students the question *Tu as des frères et des sœurs?*

1a Faites correspondre l'image et le titre.

Reading. (a–g) Students identify the members of the cartoon family 'The Simpsons'.

Answers

a 7 **b** 2 **c** 4 **d** 1 **e** 3 **f** 6 **g** 5

1b Copiez et complétez la grille.

Listening. (1–8) Having drawn the grid, students listen to the recording and fill in the number of brothers/sisters each speaker has.

Tapescript

1 J'ai un frère, et j'ai une sœur.
2 J'ai deux sœurs, mais je n'ai pas de frères.
3 J'ai un frère et j'ai deux sœurs.
4 Je suis fille unique: je n'ai pas de frères, je n'ai pas de sœurs.
5 Je fais partie d'une grande famille: j'ai trois frères et quatre sœurs.
6 J'ai un frère mais pas de sœurs.
7 J'ai deux frères et je n'ai pas de sœurs.
8 Moi, j'ai une sœur, c'est tout.

Answers

1 1, 1 **2** 0, 2 **3** 1, 2 **4** 0, 0 **5** 3, 4 **6** 1, 0 **7** 2, 0 **8** 0, 1

1c Lisez la lettre. Copiez et complétez la fiche.

Reading. Having copied the form, students read the letter and complete the form in French.

Answers

Nom:	Beregi
Prénom:	Adrien
Parents:	Michel, Édith
Grand(s)-parent(s):	Marthe
Frère(s):	Manu
Sœur(s):	Juliette, Elsa
Animaux:	non

Suggestion

Recap pet vocabulary by using the pictures on page 23. Practise with the question *tu as un(e)* + pet? and the answers *j'ai ...* and *je n'ai pas de ...*

2a Mettez les images dans le bon ordre.

Listening. (1–10) Students listen to the recording and write down the letter of the picture which corresponds to each speaker's pets.

Tapescript

1 J'ai une souris.
2 J'ai trois poissons.
3 J'ai un cheval.
4 J'ai deux chats et un chien.
5 J'ai un chat.
6 Je n'ai pas d'animal.
7 J'ai une souris et un oiseau.
8 J'ai un chien.
9 J'ai un chien et un lapin.
10 J'ai un poisson.

Answers

1 h **2** c **3** e **4** b **5** f **6** d **7** i **8** a **9** g **10** j

2b Écrivez une phrase en français pour chaque image.

Writing. Using the set of pictures from activity 2a, students write down what each person would say about his/her pets. Before they start, remind students about the grammar point regarding plurals.

Answers

a J'ai un chien. **b** J'ai deux chats et un chien.
c J'ai trois poissons **d** J'ai un oiseau **e** J'ai un cheval
f J'ai un chat **g** J'ai un lapin et un chien
h J'ai une souris **i** J'ai un oiseau et une souris
j J'ai un poisson

2c Lisez les annonces. Copiez et complétez la grille en anglais.

Reading. (1–6) Having copied the grid, students read each of the advertisements, and fill in the details in English.

Answers

	Pet	Description
1	cat	black and white
2	bird	blue and green
3	dog	big, brown, aged 9, called Hercule
4	rabbit	grey and white
5	mice	small, white x 5
6	bird	yellow, called Lulu

2d À deux. En français:

Speaking. Students work with a partner. Ask them to work through the conversation three times, taking it in turns to ask the questions. The first time through, they use the first set of answers. The second time through, they use the second set of answers. Then each partner should have a turn in giving their own personal answers to the questions (as indicated by the question mark). Ask your students to keep repeating the conversations, so they become increasingly fluent and faster.

Suggestion

Revise months by asking students to write them down from memory (without warning: it is not a test!). Then ask them to check their answers against the Key vocabulary box. Identify common errors with your class. Go through pronunciation and remind them about the use of a lower case letter.

3a Faites correspondre les dates.

Reading. Students copy out the French dates and match each date with its corresponding date in figures.

Answers

le quatre mars	4/3
le dix-neuf janvier	19/1
le trente avril	30/4
le deux octobre	2/10
le premier août	1/8
le vingt-sept décembre	27/12
le vingt et un juin	21/6
le cinq mai	5/5
le trois septembre	3/9
le douze février	12/2
le treize novembre	13/11
le quinze juillet	15/7

3b Écrivez les 8 autres dates en français.

Writing. Students write out in French the eight dates left over in activity 3a.

Answers

le dix-neuf avril
le quatre juin
le cinq juillet
le vingt-trois janvier
le quinze novembre
le quatorze février
le dix-sept août
le trois novembre

3c Notez la date de leur anniversaire.

Listening. (1–8) Students listen to the recording and write down the birthday of each speaker. Encourage students to note down the beginning of the month as they hear the tape, then complete the correct spelling by looking back at the Key vocabulary box.

Tapescript

1 – Quelle est la date de ton anniversaire?
– C'est le cinq janvier.
2 – Quelle est la date de ton anniversaire?
– C'est le douze mai.
3 – Quelle est la date de ton anniversaire?
– Cest le vingt et un novembre.
4 – Quelle est la date de ton anniversaire?
– C'est le premier octobre.
5 – Quelle est la date de ton anniversaire?
– C'est le deux mars.
6 – Quelle est la date de ton anniversaire?
– C'est le quinze juin.
7 – Quelle est la date de ton anniversaire?
– Cest le quatre septembre.
8 – Quelle est la date de ton anniversaire?
– C'est le quatorze février.

Answers

1 le 5 janvier **2** le 12 mai **3** le 21 novembre
4 le 1er octobre **5** le 2 mars **6** le 15 juin
7 le 4 septembre **8** le 14 février

3d À deux. Notez 8 dates EN SECRET. Dites les dates à votre partenaire en français. Votre partenaire note les dates. Comparez vos résultats.

Speaking. Students create their own answer-gap activity.

You could demonstrate the activity at the front, with yourself and a student partner first.

Ask your students to work in pairs. Each student writes down eight dates, keeping them hidden from his/her partner. One student reads his/her eight dates to his/her partner, who writes the dates down. The partner then reads his/her secret dates out to the first student, who notes them down. Students then compare answers to see if they have understood the dates correctly.

Suggestion

Recap the alphabet by writing the letters on the board in a circle. Go through the letters, emphasising the groups of letters which have the same sound:

Groups

- **b c d g p t v w**
- **a h k**
- **e**
- **f l m n r s z**
- **i j x y**
- **o**
- **q u**

Focus on: the vowels and their pronunciation; **a** and **r**; **g** and **j**.

4a Écoutez et répétez.

Listening. Students listen to the alphabet on the recording and pronounce the letters after the speaker.

Tapescript

a b c d e f g h i j k l m n o p q r s t u v w x y z
b – c – d – g – p – t – v – w
f – l – m – n – r – s – z
a – h – k
i – j – x – y
q – u
e – o

4b Notez le nom des équipes de football françaises.

Listening. (1–10) Students listen to the recording and write down the name of the French football team which is spelled out from the list given.

Tapescript (Answers)

1 *L-e-n-s*
2 *M-o-n-a-c-o*
3 *P-S-G*
4 *M-o-n-t-p-e-l-l-i-e-r*
5 *N-a-n-c-y*
6 *S-e-d-a-n*
7 *B-a-s-t-i-a*
8 *S-t-r-a-s-b-o-u-r-g*
9 *L-y-o-n*
10 *A-u-x-e-r-r-e*

4c À deux. À tour de rôle, épelez le nom d'une équipe française. C'est quelle équipe?

Speaking. Ask students to work in pairs. One student spells out one of the teams from the list given, and his/her partner says which team it is. Then they change roles. After a while, encourage the partner who is listening to the spelling to guess the team without looking at the list for help.

5a Notez le nom des joueurs de foot français.

Listening. (1–8) Students listen to the recording and write down the name of the French football player which is being spelled.

Tapescript (Answers)

1 *P-e-t-i-t*
2 *L-i-z-a-r-a-z-u*
3 *V-i-e-r-a*
4 *Z-i-d-a-n-e*
5 *H-e-n-r-i*
6 *B-a-r-t-h-e-z*
7 *D-e-s-c-h-a-m-p-s*
8 *L-e-b-œ-u-f*

5b À deux. Répétez cette conversation. Remplacez les mots en caractères gras.

Speaking. In pairs, students practise repeating the conversation in the book, replacing the words in bold with their own details. They take turns to answer the questions. They should practise repeating it until they are able to do it fluently and with a good accent.

Suggestion

Set a time limit for the conversation, for example for both partners to ask and answer without errors in twenty-five seconds.

1 Je vous présente ma famille

(Student's Book pages 26–27)

Main topics and objectives

- Talking about your family
- Talking about what people look like

Grammar

- Irregular verbs
  Present tense of *avoir* and *être*

Key language

Je m'appelle ... et j'ai ... ans.
Il/Elle s'appelle ... et il/elle a ... ans.
J'ai/Tu as/Il/Elle a les cheveux courts/longs/blancs/gris/bruns/noirs/blonds/roux/une barbe
et les yeux bleus/verts/marron.
Je porte/Tu portes/Il/Elle porte des lunettes.
Je suis petit(e)/grand(e)/mince/gros(se).

Resources

Cassette A, side 1
CD 1, track 8
Cahier d'exercices, pages 10–17
Grammaire page 193

Suggestion

Recap physical descriptions using a student volunteer at the front of the class. Focus firstly on hair colour. Present the colour of the volunteer's hair, then do eyes, height and size. Get students to construct sentences using the words and pictures to describe people in the class. Work on differentiating *il* and *elle*, as well as the use of *avoir* and *être*.

1a Copiez et complétez.

Reading. (1–10) Students read the letter and complete the sentences according to the information in the letter.

Answers

1 14
2 bleus, bruns
3 Sylvie
4 blonds, courts
5 Belgique
6 beau-père
7 petit, un peu gros
8 Magali
9 son père (Christian)
10 Pierre, grand-père

1b Copiez et complétez la grille en français.

Listening. (1–4) Having copied the grid, students listen to the recording and fill in the details in French.

Suggestion

Before you start, clarify the meaning of the headings by getting suggestions for the type of answer which will be heard for each heading.

Tapescript

1 *Ma sœur s'appelle Audrey. Ça s'écrit A–u–d–r–e–y. Elle a 13 ans, et son anniversaire est le 4 juin. Elle a les yeux bleus et les cheveux roux. Elle est grande et assez grosse.*
2 *Mon père s'appelle Yves, Yves ça s'écrit Y–v–e–s. Mon père a 43 ans. Son anniversaire est le 25 décembre, le jour de Noël. Il n'a pas beaucoup de cheveux, mais ceux qu'il a sont gris! Il a les yeux bleus comme ma sœur. Il est grand et il porte des lunettes pour regarder la télé.*
3 *Ma mère est morte. Marthe, c'est ma belle-mère. Marthe, ça s'écrit M–a–r–t–h–e. Elle est plus âgée que mon père, elle a 45 ans. Son anniversaire est le 18 janvier. Elle est petite, aux cheveux marron et aux yeux verts.*
4 *Mon beau-frère s'appelle Boris. Il a les cheveux blonds et les yeux marron. Il est assez grand pour son âge. Il a 16 ans et son anniversaire est le 9 avril. Il adore le rock.*

Answers

	Prénom	Qui?	Âge	Anniversaire	Cheveux	Yeux	Taille	Autres détails
1	Audrey	sœur	13 ans	4/6	roux	bleus	grande	assez grosse
2	Yves	père	43 ans	25/12	gris	bleus	grand	porte des lunettes
3	Marthe	belle-mère	45 ans	18/1	marron	verts	petite	plus âgée que son mari
4	Boris	beau-frère	16 ans	9/4	blonds	marron	assez grand pour son âge	adore le rock

R Students copy out the form and fill it in, in French, for four of their friends.

1c À deux. Choisissez une personne dans la classe. Décrivez la personne à votre partenaire. C'est qui?

Speaking. Working in pairs, one student describes a class member, and his/her partner guesses who is being described. Then they change roles. After a while, ask one or two students to describe to the whole class so that everyone can try to guess who is being described.

+ Students use the sentence-generating grid on page 26 of the Student's Book to write descriptions of some people in the class.

2a C'est quel membre de la famille? Choisissez la bonne réponse.

Reading. (1–6) Students use logic to work out the family relationships.

Answers

1 tante **2** sœur **3** demi-frère **4** oncle **5** cousin **6** grand-mère

➕ Students make up some more sentences (with multiple choice answers) and give them to somebody in the class to try.

2b À deux. En français:

Speaking. Students work with a partner. Ask them to work through the conversation three times, taking it in turns to ask the questions. The first time through, they use the first set of answers. The second time through, they use the second set of answers. Then each partner should have a turn in giving their own personal answers to the questions (as indicated by the question mark). Ask your students to keep repeating the conversations, so they become increasingly fluent and faster.

2c Choisissez deux membres de votre famille. Pour chaque personne, écrivez une description en français.

Writing. Students write descriptions in French of two family members. Encourage them to use the grid on page 26 and the expressions from activity 1b, page 27 of the Student's Book, in their work.

Draw your students' attention to the Top Tip box.

MODULE 2 CHEZ MOI

2 Comment êtes-vous?

(Student's Book pages 28–29)

Main topics and objectives

- Describing personality
- Talking about family problems

Grammar

- Adjective agreement
  Il est amusant
  Elle est amusante
  Ils sont amusants
  Elles sont amusantes
- Common irregular adjectives
  Il est paresseux/travailleur.
  Elle est paresseuse/travailleuse.

Key language

Il/Elle est …
amusant(e)/timide/bavard(e)/poli(e)/gentil(le)/sévère/cool/travailleur(euse)
Je suis un peu/assez/très/vraiment/extrêmement …
Je m'entends bien avec …
J'en ai marre de …
Mon/ma meilleur(e) ami(e) est …
Mon petit ami/ma petite amie idéal(e) est …
Mon professeur préféré est …

Resources

Cassette A side 1
CD 1, track 9
Cahier d'exercices, pages 10–17
Grammaire 6.1, page 188

1a Nicolas décrit la personnalité des membres de sa famille. Notez les adjectifs en français.

Listening. (1–5) Students listen to the recording and write down the adjectives they hear used for each person. It is not necessary to worry about masculine/feminine forms at this stage.

Tapescript:

1 *Moi, Nicolas, je suis cool et plein de vie, mais aussi paresseux.*
2 *Sylvie, ma mère, elle est sympathique, et très très gentille.*
3 *Mon beau-père, Christian, est assez sévère, calme et drôle.*
4 *Magalie, ma demi-sœur, est aimable mais aussi trop bavarde et impatiente.*
5 *Pierre, le bébé, est casse-pieds!*

Answers

1 cool/plein de vie/paresseux
2 sympa/gentille
3 assez sévère/calme/drôle
4 aimable/trop bavarde/impatiente
5 casse-pieds

➕ Using each of the adjectives in turn, students write a sentence about somebody they know who has that quality, for example: *Rolf Harris est aimable.*

➕ Students make a spider diagram with JE SUIS in the middle, and their own personal qualities round the outside. They can use the dictionary to find some new adjectives if they wish.

1b Faites deux listes: adjectifs positifs/adjectifs négatifs. Catégorisez les adjectifs.

Reading. Students categorise adjectives as positive or negative traits. Note that the answers depend on the students' own views.

2a Écrivez des phrases correctes.

Writing. (1–8) Students write a sentence to go with each picture and adjective combination. Before they start, remind your students about *il/elle est* and *ils/elles sont*. Be severe with the correction of the adjective endings.

Answers

1 elle est amusante **2** elles sont timides **3** ils sont bavards **4** ils sont polis **5** elles sont gentilles **6** elle est sévère **7** il est cool **8** elle est travailleuse

2b En groupe. Monsieur Manet est …?

Speaking. Students work in a group of 4 to 5 people. This is a memory game, in which each student adds an adjective on to the list describing Monsieur Manet. Challenge the class to see which group can get the longest memorised list in a given time.

2c Complétez ces phrases. Utilisez des adjectifs.

Writing. Students complete each sentence using adjectives with the correct endings. Encourage students to use at least three adjectives for each person. They can continue on with other people too if they wish (e.g. classmates; family members; famous people).

3a Ces phrases sont fausses. Changez les mots soulignés pour corriger les phrases.

Reading. (1–7) After reading the problem page letter, students copy out each sentence and change the underlined part so that the sentence is true.

Answers

1 père **2** de l'humour **3** mère **4** la semaine **5** n'aime pas **6** jeune **7** petit copain

+ Using the letter as a model, students write a problem page letter of their own.

3b Choisissez trois phrases pour répondre à la lettre d'Élise.

Writing. Ask students to summarise Élise's problem for the whole class before proceeding with this exercise. Students choose which three pieces of advice they think are most appropriate, and write them down in a letter of reply to the problem page letter. Ask students to work out what all the pieces of advice mean before choosing the three they think most appropriate. There is no correct answer.

R Go through the proposed solutions with your class, working out what they mean.

3c Décidez si la personne est heureuse ou malheureuse, et, si possible, pourquoi.

Listening. (1–5) Students listen to the recording and draw a happy or sad face for each person, according to what each speaker says. They also note in French the reason for the happiness/sadness.

R Students simply draw  or 

Tapescript

1 Pour moi, ça va très bien à la maison, parce que mes parents sont très très sympa, et je peux leur parler de mes problèmes.
2 Je ne m'entends pas bien avec mon frère. Il me critique tout le temps, 'tu es trop grosse', 'tu manges trop de bonbons', 'tu es bête' ..., il est vraiment casse-pieds.
3 Moi, j'aimerais bien avoir un petit chien, mais mes parents refusent de me donner la permission d'avoir un animal. Je suis vraiment triste à cause de ça.
4 À la maison, il n'y a pas de problèmes. Toute la famille a un bon sens de l'humour, et quand il y a des problèmes, on discute ensemble et on ne se dispute pas.
5 Je ne suis pas très content en ce moment, parce que mes parents sont en train de divorcer, et il y a beaucoup de disputes tous les jours entre eux.

Answers

1 ☺ parents sympa **2** ☹ frère casse-pieds
3 ☹ voudrait un chien **4** ☺ famille a sens de l'humour
5 ☹ parents divorcent

3d Écrivez la lettre de Mark en français. Adaptez la lettre d'Élise.

Writing. Students produce a problem page letter from Mark by translating the given letter. Draw your students' attention to the Top Tip box. After the task, point out to students that they can manipulate a given text to help them with coursework.

R Before starting the task, make an OHT of Élise's letter, and underline with your class the parts which need to be changed.

3 Les amis, les amours, les héros

(Student's Book pages 30–31)

Main topics and objectives

- Talking about relationships
- Considering what makes a good friend
- Future hopes and dreams
- Giving opinions on marriage
- Considering what makes someone a hero(ine)

Grammar

- Emphatic pronouns used after prepositions (*moi, toi*, etc.)

Key language

On a beaucoup de choses en commun.
On sort ensemble.
Il/Elle me fait rire/fait les mêmes choses/ m'écoute .../est toujours là pour moi/est drôle.
Je m'entends bien avec lui/elle.
Je peux compter sur lui/elle.
Je voudrais me marier/avoir une bonne carrière/avoir des enfants/habiter seule(e)/être heureux(se).
J'admire ... parce qu'il /elle est célèbre/riche/courageux(se).

Resources

Cassette A, side 1
CD 1, track 10
Cahier d'exercices, pages 10–17

Suggestion

Check out the latest friendships in the soaps your students watch, by eliciting which characters they like and who is currently friends with whom. You could also establish which characters are definitely not friends.

1a C'est quoi, un(e) bon(ne) ami(e)? Quelle image correspond à chaque texte?

Reading. Language to describe friendships is presented here in five short texts, which students match to the corresponding pictures.

Answers

1 e	**2** d	**3** a	**4** c	**5** b

1b Sabine parle des qualités d'un bon ami / d'une bonne amie. Écoutez et mettez les qualités dans le bon ordre.

Listening. The vocabulary introduced above is picked up in this listening item. Students order the statements as they hear them (not in the order of importance to Sabine). Ensure familiarity with the list of qualities, then play the recording through before students begin noting the order, as several of the recorded statements cover more than one of the listed items.

Transcript

– *Pour moi, c'est quelqu'un qui est toujours là pour moi.*
– *Bien sûr, je m'entends bien avec elle, et on a beaucoup de choses en commun.*
– *Je dirais même qu'elle aime les mêmes choses que moi.*
– *En plus, elle me fait rire et on sort ensemble.*
– *Mais je sais aussi qu'elle m'écoute quand j'ai des problèmes, et d'abord et avant tout, je peux compter sur elle.*

Answers

h	f	a	d	c	b	e	g

1c Mettez ces qualités dans l'ordre d'importance pour vous.

Reading. Students decide which of the listed qualities they consider most important. They could then compare notes with a partner, e.g. *'d' est important pour moi / 'a' n'est pas important pour moi. Et pour toi?*

The use of the emphatic pronouns *moi, toi*, etc. is explained in the *Le détective* grammar box alongside.

2a Jean-Michel parle d'un de ses amis. Copiez et complétez sa description.

Listening. Students listen for the details about Jean-Michel's friend and write these down. Check understanding in English: 'What's Jean-Michel's friend called? How is his name spelt?', etc.

Transcript

– *Mon ami s'appelle Marc, ça s'écrit M - A - R - C.*
– *Il est plein de vie, amusant et bavard.*
– *Je l'aime parce qu'il aime les mêmes choses que moi, et il me fait rire.*

Answers

Mon ami s'appelle Marc.
Il est amusant et bavard.
Je l'aime parce qu'il aime les mêmes choses que moi et il me fait rire.

2b À deux. Faites une description d'un(e) ami(e). Suivez le modèle de Jean-Michel.

Speaking. Students now have a solid model on which they can base a description of their own friends. Encourage them to say as much as possible about him/her.

2c Écrivez votre description.

Writing. Descriptions can be written down very simply, or word processed and presented as a display with accompanying photos.

3a Quels sont vos rêves pour l'avenir? Lisez les statistiques, puis copiez et complétez les phrases. (a–e)

Reading. Three sets of statistics are presented. Comprehension is checked by way of short questions.

Answers

a 85% **b** des enfants **c** 15%
d une bonne carrière **e** 30%

3b Est-ce que les statistiques sont correctes ou incorrectes? (1–6)

Listening. This item requires listening for detail, to compare the figures quoted on the recording with the actual statistics on the pie charts. Students need to be careful to pick out the statements which include *ne ... pas*, so as not to be misled.

Transcript

1 50 %voudraient se marier.
2 87% voudraient avoir une bonne carrière.
3 10% ne voudraient pas avoir des enfants.
4 28% voudraient avoir d'enfants.
5 13% ne veulent pas une bonne carrière.
6 45% ne voudraient pas se marier.

Answers

1 ✗ 2 ✓ 3 ✗ 4 ✗ 5 ✓ 6 ✗

4a Lisez les textes et décidez si vous êtes d'accord (✓) ou pas d'accord (✗) avec chaque personne.

Reading. Opinions on marriage, which students comment on by noting whether they agree or disagree. They could then exchange their views with a partner.

4b À deux. Préparez une petite conversation sur le mariage.

Speaking. Students interview each other about their views on marriage. This could be repeated two or three times with different pairings. With some groups, this activity may be inappropriate, and could be omitted.

5 Les héros et les héroïnes. Pourquoi aiment-ils ces personnes? (1–4) Prenez des notes en anglais.

Listening. This activity is quite demanding, due to the amount of new vocabulary. You will need to explain difficult language in advance to make the recording accessible to all. As a lead-in, write the names of the four heroes on the board, and on a first listening, students match texts to names. Then ask them to make notes in English on why each person is admired. Alternatively, list some of the attributes mentioned in English and students again match the attributes to the person.

Transcript

1 – Moi, j'admire Nelson Mandela, parce qu'il est vraiment courageux. Il a été emprisonné pendant plus de 20 ans, mais il est resté patient. Quand il est devenu Président de l'Afrique du Sud, c'était un signe très important contre le racisme dans le monde entier.

2 – Elle est forte, elle se dédie à son sport, elle est enthousiaste et gentille aussi. J'admire Venus Williams parce qu'elle aime gagner, mais elle n'est pas égoïste. Elle s'entend très bien avec sa sœur et ses parents sont très importants pour elle.

3 – Ce grand héros canadien a perdu une jambe à cause du cancer. Mais c'était un jeune très déterminé et extrêmement courageux. Terry Fox a essayé de traverser le Canada en courant avec une jambe artificielle. Il a gagné beaucoup d'argent pour les recherches contre le cancer, mais il est mort à l'âge de 22 ans.

4 – Le visage de cette personne est reconnu dans le monde entier, et on dit que c'est la personne la plus célèbre du monde. Elle était très riche, mais son mariage la rendait malheureuse. J'admire la Princesse Diana pour son attitude vers les gens souffrant du SIDA, et aussi pour son travail contre les mines anti-personnelles.

Answers

1 Nelson Mandela – brave, stayed strong during imprisonment. Presidency of South Africa important in struggle against racism.
2 Venus Williams – strong, dedicated, nice. Likes to win but not selfish. Gets on well with family.
3 Terry Fox – lost leg because of cancer. Very brave. Tried to run across Canada with artificial leg. Earned lots of money for cancer research. Died young.
4 Princess Diana – probably the most famous person in the world. Rich, but unhappy marriage. Admirable because of attititude to AIDS sufferers and for work against land mines.

➕ Students look at Activity **3a**, and come up with similar true/false statements, choosing percentages of their own. They test their partner.

➕ As a follow-up to Activity **5a**, students write a brief statement about a person they admire. They could do this very simply: *J'admire ... parce que ...*, or present it as a profile with details of the person's name, age (or when he/she lived), occupation, characteristics, achievements, etc.

MODULE 2 CHEZ MOI

4 Aider à la maison

(Student's Book pages 32–33)

Main topics and objectives

- Talking about helping at home

Grammar

- Present tense of *faire*
- Negatives
  Ne … pas; ne … jamais; ne … rien

Key language

Est-ce tu aides à la maison?
Je fais le lit/du jardinage/la cuisine.
Je sors la poubelle/Je range la chambre.
Je mets/débarrasse la table.
Je passe souvent l'aspirateur
… tous les jours.
Je fais parfois la vaisselle.
Je ne fais jamais le ménage.
Il/Elle fait les courses/lave la voiture.

Resources

Cassette A, side 1
CD 1, track 11
Cahier d'exercices, pages 10–17
Grammaire page 193 and 5.1, page 187

Suggestion

Present household tasks using the grid on page 32 or by miming them. Introduce them with *je* and ask students questions using *tu*. Then read through the newspaper article together and ensure the meaning of *tous les jours* etc. is understood.

1a Complétez les phrases selon les résultats.

Reading. Students fill in the percentage for each sentence using the table in the magazine article.

Answers

a 10% **b** 5% **c** 38% **d** 59% **e** 76% **f** 0% **g** 10% **h** 12%

Make up some more statements and give them to somebody in the class to work out if they are true or false.

1b Lisez le sondage et trouvez le bon résumé.

Reading. Students find which paragraph summarises the table from the magazine article.

Answer

C

2a Écoutez le reportage sur une jeune fille au pair. Choissisez les bonnes images pour compléter ces phrases.

Listening. (1–7) Students listen to the recording and write down the letter(s) of the picture(s) which complete each sentence correctly.

Tapescript

- *Julie Mann est anglaise. Elle travaille comme jeune fille au pair à Toulouse en France. Elle s'occupe d'un petit garçon de 4 ans.*
- *Le lundi, elle fait le ménage dans toute la maison.*
- *Le mardi, elle doit aller en ville pour faire les courses au supermarché.*
- *Le jeudi, elle fait la cuisine, parce que les parents rentrent tard ce jour-ci.*
- *Tous les jours, Julie a beaucoup à faire. Elle fait les lits et elle passe l'aspirateur. Elle doit aussi ranger la chambre du petit garçon.*
- *Heureusement, le week-end, elle a du temps libre, et elle va au cinéma ou chez McDonald pour manger un hamburger.*
- *Julie aime bien être jeune fille au pair, mais le travail est assez difficile, et très fatigant.*

Answers

1 b **2** i **3** j **4** e **5** a, g, d **6** c, h **7** f

Using the beginnings of sentences for help, write a report about a week in the life of another au pair, called Georges.

2b Répondez aux questions en français.

Writing. Students write their own responses in sentences to these questions. Remind them about changing the infinitives at the top of the table in the magazine article, and to be careful with *ne … jamais.*

2c Faites un sondage dans votre classe sur le travail à la maison.

Speaking. Students carry out a survey about household jobs. Demonstrate the questioning and answering with a student.

Suggestion

Call the survey 'Mon mari/Ma femme idéal(e)'. Ask students to draw a 6 × 6 grid, and to draw five job symbols along the top for the five jobs they most dislike doing. Numbers 1 to 5 are written down the side.

Students work with a partner and ask their five questions. For example, *Est-ce que tu fais du jardinage? Est-ce que tu fais le lit?* etc.

The partner answers using *tous les jours/souvent/ parfois/ne ... jamais*, which is recorded in the grid. The partner then asks his/her questions and records the answers given. Then each student interviews someone else, until they have recorded five sets of answers.

For fun you can then advise students to 'score' each person:

tous les jours = 4 points
souvent = 3 points
parfois = 2 points
jamais = 1 point

The person they have interviewed with the highest total is their dream husband/wife.

+ Students write up the results of the class survey using a table like the one in the magazine article (page 32, Student's Book). They fill in the number of people doing each task rather than a percentage.

2d Écrivez une lettre au magazine pour expliquer qui aide à la maison chez vous. Commencez comme ceci: *Je vous écris pour expliquer qui aide à la maison chez moi. Mon père ...*

Writing. Students write about who does what jobs in their family. Draw their attention to the Key Language box. Encourage them to use *tous les jours* etc. in their answer.

MODULE 2 CHEZ MOI

Entraînez-vous

(Student's Book pages 34–35)

Speaking practice and coursework

À l'oral

Topics revised

- Describing a friend
- Talking about helping at home
- Describing a hero/heroine

1 You are phoning your French penfriend to talk about your new boyfriend or girlfriend

Role-play. Ask students to work in pairs. They can take turns to be the 'penfriend', doing the role-play twice.

2 You are talking with your French penfriend about helping at home.

Role-play. Ask students to work in pairs. They can take turns to be the 'penfriend', doing the role-play twice.

3 Bring in a photo of someone you admire and talk about them for one minute. Make a cue card to help you remember what to say.

Presentation. Students give a short talk about their hero/heroine.
This can be:

- prepared in the classroom or at home;
- recorded on tape;
- students can give their talk to a small group of other students; *or*
- certain students can be chosen to give their talk to the whole class.

The main thing is that students become used to speaking from notes, not reading a speech.

Questions générales

Speaking. These are key questions to practise for the oral exam, taken from the module as a whole. Students can practise asking and answering the questions in pairs. They should be encouraged to add as much detail as possible. It is often a good idea to write model answers together in class.

À l'écrit

Topics revised

- Giving personal details
- Describing a problem

1 Writing about a problem.

An AQA Specification A coursework-style task (Theme 4.7), requiring students to write a letter to a problem page, of between 70–100 words. Suggestions and useful language and tips are provided to help students focus their ideas. Students will find more to write about if they discuss several issues, rather than just one. Remind them that they do not need to tell the absolute truth here!

2 Your task is to write in French about helping at home.

An AQA Specification B modular coursework-style **b** task (Module 3, topic A), for which students write about 90 words relating to what they do to help at home. The prompts indicate that they should include a variety of tenses here. Opinions vocabulary is also required.

MODULE 2 CHEZ MOI

À toi!

(Student's Book pages 162–163)

Self-access reading and writing at two levels

1a Dans le Tableau 1 trouvez l'année et le mois où vous êtes né(e) et notez le chiffre qui se trouve à l'intersection. Puis, additionnez ce chiffre à celui du jour de votre naissance.

Reading. Students follow the instructions to find out the day of the week on which they were born, if they do not already know.

1b Trouvez le bon sous-titre pour chaque jour de la semaine.

Reading. Students match up each day with the right sub-title from those given.

Answers

lundi	=	le séducteur
mardi	=	le battant
mercredi	=	le sociable
jeudi	=	le meneur
vendredi	=	l'amoureux
samedi	=	le patient
dimanche	=	l'actif

1c Trouvez la description pour le jour où vous êtes né(e). Êtes-vous d'accord ou pas?

Reading/writing. Students write a sentence to say whether or not the description for their day of birth corresponds to their personality. Remind students about the use of *ne … pas* in the example.

1d Quel jour est-ce qu'ils sont né(e)s?

Reading. Students read about each person's personality, and match each one with the most appropriate day of the week.

Answers

Anna	=	mardi
Maryse	=	samedi
Cécile	=	mercredi
Benjamin	=	jeudi
Didier	=	lundi

2 Vous cherchez un(e) correspondant(e). Copiez et remplissez la fiche.

Writing. Students copy and fill in a form about themselves, to include information about ID, family, appearance and personality.

3 Vous travaillez comme jeune fille/garçon au pair pour une famille française. Votre correspondant(e) français(e) vous pose ces questions.

Writing. Students write a letter to a penfriend in response to his/her questions. Emphasise the need to give extra details where requested (at least three jobs they do around the house, etc.). Model language is provided.

Cahier d'exercices, page 10

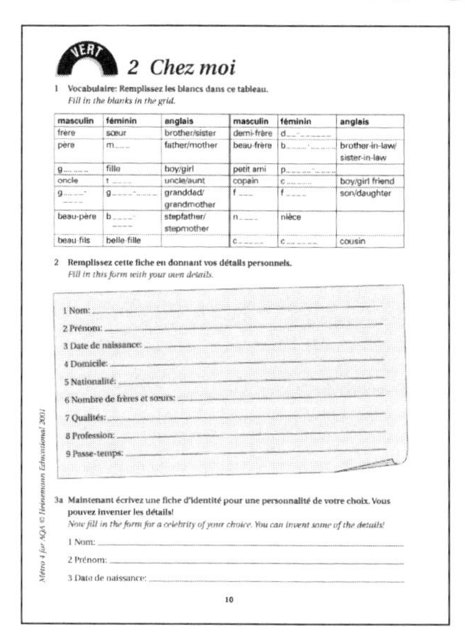

2 Chez moi

1 **Vocabulaire: Remplissez les blancs dans ce tableau.**
Fill in the blanks in the grid.

masculin	féminin	anglais	masculin	féminin	anglais
frère	sœur	brother/sister	demi-frère	d...-.....	
père	m......	father/mother	beau-frère	b......-......	brother-in-law/ sister-in-law
g......	fille	boy/girl	petit ami	p......-......	
oncle	t......	uncle/aunt	copain	c......	boy/girl friend
g......-......	g......-......	granddad/ grandmother	f......	f......	son/daughter
beau-père	b......-......	stepfather/ stepmother	n......	nièce	
beau-fils	belle-fille		c......	c......	cousin

2 **Remplissez cette fiche en donnant vos détails personnels.**
Fill in this form with your own details.

1 Nom:
2 Prénom:
3 Date de naissance:
4 Domicile:
5 Nationalité:
6 Nombre de frères et sœurs:
7 Qualités:
8 Profession:
9 Passe-temps:

3a **Maintenant écrivez une fiche d'identité pour une personnalité de votre choix. Vous pouvez inventer les détails!**
Now fill in the form for a celebrity of your choice. You can invent some of the details!

1 Nom:
2 Prénom:
3 Date de naissance:

10

1
Answers

masculin	féminin	anglais
frère	sœur	brother/sister
père	mère	father/mother
garçon	fille	boy/girl
oncle	tante	uncle/aunt
grand-père	grand-mère	granddad/ grandmother
beau-père	belle-mère	stepfather/ stepmother
beau-fils	belle-fille	stepson/ stepdaughter
demi-frère	demi-sœur	stepbrother/ stepsister
beau-frère	belle-sœur	brother-in-law/ sister-in-law
petit ami	petite amie	boy/girlfriend
copain	copine	friend
fils	fille	son/daughter
neveu	nièce	nephew/niece
cousin	cousine	cousin

Cahier d'exercices, page 11

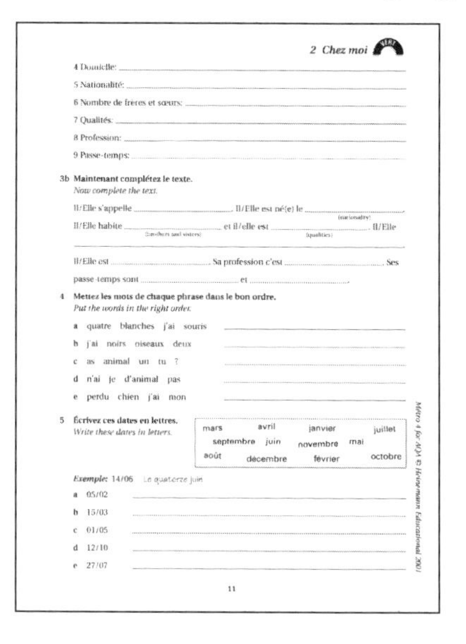

2 Chez moi

4 Domicile:
5 Nationalité:
6 Nombre de frères et sœurs:
7 Qualités:
8 Profession:
9 Passe-temps:

3b **Maintenant complétez le texte.**
Now complete the text.

Il/Elle s'appelle .... Il/Elle est né(e) le .... (nationality)
Il/Elle habite .... (brothers and sisters) et il/elle est .... (qualities). Il/Elle ....
Il/Elle est .... Sa profession c'est .... Ses passe-temps sont .... et ....

4 **Mettez les mots de chaque phrase dans le bon ordre.**
Put the words in the right order.

a quatre blanches j'ai souris
b j'ai noirs oiseaux deux
c as animal un tu ?
d n'ai je d'animal pas
e perdu chien j'ai mon

5 **Écrivez ces dates en lettres.**
Write these dates in letters.

mars avril janvier juillet septembre juin novembre mai août décembre février octobre

Exemple: 14/06 Le quatorze juin
a 05/02
b 15/03
c 01/05
d 12/10
e 27/07

11

4
Answers

a J'ai quatre souris blanches.
b J'ai deux oiseaux noirs.
c As-tu un animal?
d Je n'ai pas d'animal.
e J'ai perdu mon chien.

5
Answers

a Le cinq février; **b** Le quinze mars; **c** Le premier mai; **d** Le douze octobre; **e** Le vingt-sept juillet

Cahier d'exercices, page 12

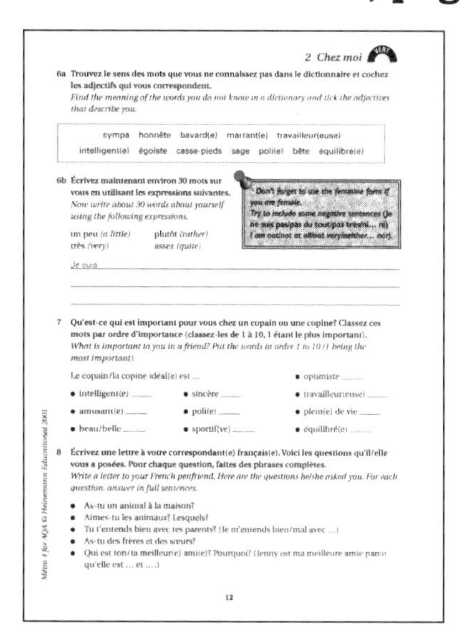

2 Chez moi

6a **Trouvez le sens des mots que vous ne connaissez pas dans le dictionnaire et cochez les adjectifs qui vous correspondent.**
Find the meaning of the words you do not know in a dictionary and tick the adjectives that describe you.

sympa honnête bavard(e) marrant(e) travailleur(euse) intelligent(e) égoïste casse-pieds sage poli(e) bête équilibré(e)

6b **Écrivez maintenant environ 30 mots sur vous en utilisant les expressions suivantes.**
Now write about 30 words about yourself using the following expressions.

un peu *(a little)* plutôt *(rather)*
très *(very)* assez *(quite)*

Je suis

Don't forget to use the feminine form if you are female.
Try to include some negative sentences (Je ne suis pas/pas du tout/pas très/ni... ni) I am not/not at all/not very/neither... nor).

7 **Qu'est-ce qui est important pour vous chez un copain ou une copine? Classez ces mots par ordre d'importance (classez-les de 1 à 10, 1 étant le plus important).**
What is important to you in a friend? Put the words in order 1 to 10 (1 being the most important).

Le copain/la copine idéal(e) est ...

- intelligent(e)
- amusant(e)
- beau/belle
- sincère
- poli(e)
- sportif(ve)
- optimiste
- travailleur(euse)
- plein(e) de vie
- équilibré(e)

8 **Écrivez une lettre à votre correspondant(e) français(e). Voici les questions qu'il/elle vous a posées. Pour chaque question, faites des phrases complètes.**
Write a letter to your French penfriend. Here are the questions he/she asked you. For each question, answer in full sentences.

- As-tu un animal à la maison?
- Aimes-tu les animaux? Lesquels?
- Tu t'entends bien avec tes parents? (Je m'entends bien/mal avec ...)
- As-tu des frères et des sœurs?
- Qui est ton/ta meilleur(e) ami(e)? Pourquoi? (Jenny est ma meilleure amie parce qu'elle est ... et ....)

12

6a
Answers

nice; honest; talkative; funny; hard-working; intelligent; selfish; annoying; well-behaved; polite; stupid; well-adjusted

7
Answers

intelligent; funny; pretty/handsome; sincere; polite; sporty; optimistic; hard-working; full of life; well-adjusted

Cahier d'exercices, page 13

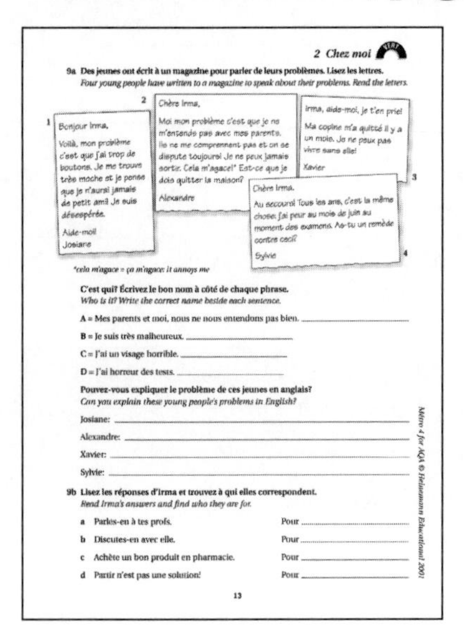

2 Chez moi

9a Des jeunes ont écrit à un magazine pour parler de leurs problèmes. Lisez les lettres.
Four young people have written to a magazine to speak about their problems. Read the letters.

1
Bonjour Irma,
Voilà, mon problème c'est que j'ai trop de boutons. Je me trouve très moche et je pense que je n'aurai jamais de petit ami! Je suis désespérée.
Aide-moi!
Josiane

2
Chère Irma,
Moi mon problème c'est que je ne m'entends pas avec mes parents. Ils ne me comprennent pas et on se dispute toujours! Je ne peux jamais sortir. Cela m'agace!* Est-ce que je dois quitter la maison?
Alexandre

3
Irma, aide-moi, je t'en prie!
Ma copine m'a quitté il y a un mois. Je ne peux pas vivre sans elle!
Xavier

4
Chère Irma,
Au secours! Tous les ans, c'est la même chose: j'ai peur au mois de juin au moment des examens. As-tu un remède contre ceci?
Sylvie

*cela m'agace = ça m'agace: *it annoys me*

C'est qui? Écrivez le bon nom à côté de chaque phrase.
Who is it? Write the correct name beside each sentence.

A = Mes parents et moi, nous ne nous entendons pas bien. ___
B = Je suis très malheureux. ___
C = J'ai un visage horrible. ___
D = J'ai horreur des tests. ___

Pouvez-vous expliquer le problème de ces jeunes en anglais?
Can you explain these young people's problems in English?

Josiane: ___
Alexandre: ___
Xavier: ___
Sylvie: ___

9b Lisez les réponses d'Irma et trouvez à qui elles correspondent.
Read Irma's answers and find who they are for.

a Parles-en à tes profs. Pour ___
b Discutes-en avec elle. Pour ___
c Achète un bon produit en pharmacie. Pour ___
d Partir n'est pas une solution! Pour ___

13

9a
Answers

A Alexandre; B Xavier; C Josiane; D Sylvie
Josiane feels ugly because she is very spotty. She feels she will never find a boyfriend.
Alexandre does not get on with his parents. They keep arguing because they don't understand him.
Xavier is heart-broken because his girlfriend has left him.
Sylvie is stressed because of her exams.

9b
Answers

a Sylvie; **b** Xavier; **c** Josiane; **d** Alexandre

Cahier d'exercices, page 14

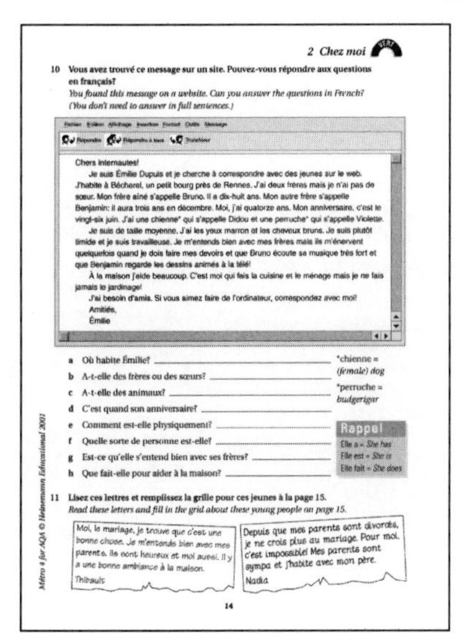

2 Chez moi

10 Vous avez trouvé ce message sur un site. Pouvez-vous répondre aux questions en français?
You found this message on a website. Can you answer the questions in French? (You don't need to answer in full sentences.)

Chers internautes!
Je suis Émilie Dupuis et je cherche à correspondre avec des jeunes sur le web. J'habite à Bécherel, un petit bourg près de Rennes. J'ai deux frères mais je n'ai pas de sœur. Mon frère aîné s'appelle Bruno. Il a dix-huit ans. Mon autre frère s'appelle Benjamin: il aura trois ans en décembre. Moi, j'ai quatorze ans. Mon anniversaire, c'est le vingt-six juin. J'ai une chienne* qui s'appelle Didou et une perruche* qui s'appelle Violette.
Je suis de taille moyenne. J'ai les yeux marron et les cheveux bruns. Je suis plutôt timide et je suis travailleuse. Je m'entends bien avec mes frères mais ils m'énervent quelquefois quand je dois faire mes devoirs et que Bruno écoute sa musique très fort et que Benjamin regarde les dessins animés à la télé!
À la maison j'aide beaucoup. C'est moi qui fais la cuisine et le ménage mais je ne fais jamais le jardinage!
J'ai besoin d'amis. Si vous aimez faire de l'ordinateur, correspondez avec moi!
Amitiés,
Émilie

a Où habite Émilie? ___
b A-t-elle des frères ou des sœurs? ___
c A-t-elle des animaux? ___
d C'est quand son anniversaire? ___
e Comment est-elle physiquement? ___
f Quelle sorte de personne est-elle? ___
g Est-ce qu'elle s'entend bien avec ses frères? ___
h Que fait-elle pour aider à la maison? ___

*chienne = *(female) dog*
*perruche = *budgerigar*

Rappel
Elle a = *She has*
Elle est = *She is*
Elle fait = *She does*

11 Lisez ces lettres et remplissez la grille pour ces jeunes à la page 15.
Read these letters and fill in the grid about these young people on page 15.

Moi, le mariage, je trouve que c'est une bonne chose. Je m'entends bien avec mes parents. Ils sont heureux et moi aussi. Il y a une bonne ambiance à la maison.
Thibault

Depuis que mes parents sont divorcés, je ne crois plus au mariage. Pour moi, c'est impossible! Mes parents sont sympa et j'habite avec mon père.
Nadia

14

10
Answers

a Émilie habite à Bécherel, un petit bourg près de Rennes.
b Elle a deux frères.
c Elle a une chienne et une perruche.
d Son anniversaire est le 26 juin.
e Elle est de taille moyenne. Elle a les yeux marron et les cheveux bruns.
f Elle est timide et travailleuse.
g Elle s'entend bien avec ses frères mais ils l'énervent un peu de temps en temps.
h Pour aider à la maison, elle fait la cuisine et le ménage.

11
Answers

A Thibault 🙂; Nadia ☹; Martina ☹; Elie 😐
B Thibault ✓; Nadia ✓; Martina ✗; Elie ✓

Cahier d'exercices, page 15

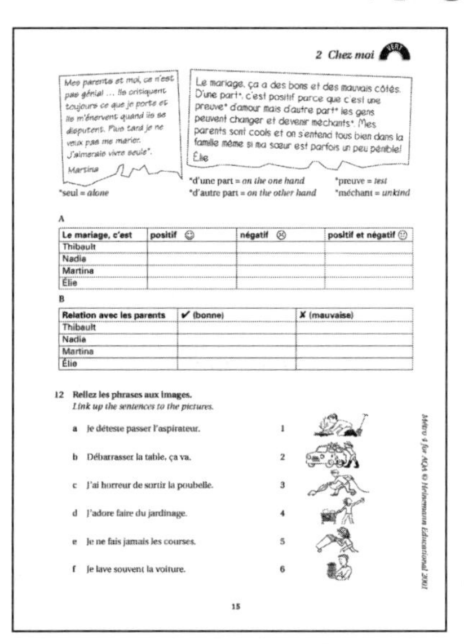

2 Chez moi

Mes parents et moi, ce n'est pas génial … Ils critiquent toujours ce que je porte et ils m'énervent quand ils se disputent. Plus tard je ne veux pas me marier. J'aimerais vivre seule*.
Martina

*seul = *alone*

Le mariage, ça a des bons et des mauvais côtés. D'une part*, c'est positif parce que c'est une preuve* d'amour mais d'autre part* les gens peuvent changer et devenir méchants*. Mes parents sont cools et on s'entend tous bien dans la famille même si ma sœur est parfois un peu pénible!
Élie

*d'une part = *on the one hand*
*d'autre part = *on the other hand*
*preuve = *test*
*méchant = *unkind*

A

Le mariage, c'est	positif 🙂	négatif ☹	positif et négatif 😐
Thibault			
Nadia			
Martina			
Élie			

B

Relation avec les parents	✓ (bonne)	✗ (mauvaise)
Thibault		
Nadia		
Martina		
Élie		

12 Reliez les phrases aux images.
Link up the sentences to the pictures.

a Je déteste passer l'aspirateur. 1
b Débarrasser la table, ça va. 2
c J'ai horreur de sortir la poubelle. 3
d J'adore faire du jardinage. 4
e Je ne fais jamais les courses. 5
f Je lave souvent la voiture. 6

15

12
Answers

a 3; **b** 6; **c** 5; **d** 1; **e** 4; **f** 2

Cahier d'exercices, page 16

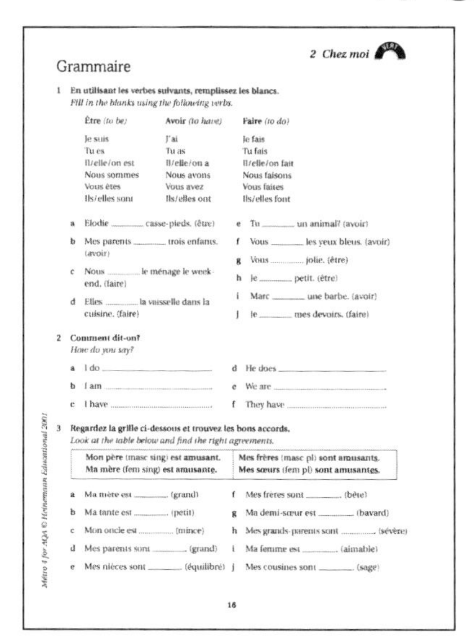

2 Chez moi

Grammaire

1 **En utilisant les verbes suivants, remplissez les blancs.**
Fill in the blanks using the following verbs.

Être *(to be)*	**Avoir** *(to have)*	**Faire** *(to do)*
Je suis	J'ai	Je fais
Tu es	Tu as	Tu fais
Il/elle/on est	Il/elle/on a	Il/elle/on fait
Nous sommes	Nous avons	Nous faisons
Vous êtes	Vous avez	Vous faites
Ils/elles sont	Ils/elles ont	Ils/elles font

a Elodie ______ casse-pieds. (être)
b Mes parents ______ trois enfants. (avoir)
c Nous ______ le ménage le week-end. (faire)
d Elles ______ la vaisselle dans la cuisine. (faire)
e Tu ______ un animal? (avoir)
f Vous ______ les yeux bleus. (avoir)
g Vous ______ jolie. (être)
h Je ______ petit. (être)
i Marc ______ une barbe. (avoir)
j Je ______ mes devoirs. (faire)

2 **Comment dit-on?**
How do you say?

a I do ______
b I am ______
c I have ______
d He does ______
e We are ______
f They have ______

3 **Regardez la grille ci-dessous et trouvez les bons accords.**
Look at the table below and find the right agreements.

Mon père (masc sing) **est amusant.** **Ma mère** (fem sing) **est amusante.**	**Mes frères** (masc pl) **sont amusants.** **Mes sœurs** (fem pl) **sont amusantes.**

a Ma mère est ______ (grand)
b Ma tante est ______ (petit)
c Mon oncle est ______ (mince)
d Mes parents sont ______ (grand)
e Mes nièces sont ______ (équilibré)
f Mes frères sont ______ (bête)
g Ma demi-sœur est ______ (bavard)
h Mes grands-parents sont ______ (sévère)
i Ma femme est ______ (aimable)
j Mes cousines sont ______ (sage)

Métro 4 for AQA © Heinemann Educational 2001

16

Grammaire

1
Answers

a est; **b** ont; **c** faisons; **d** font; **e** as; **f** avez; **g** êtes; **h** suis; **i** a; **j** fais

2
Answers

a Je fais. **b** Je suis. **c** J'ai. **d** Il fait. **e** Nous sommes. **f** Ils ont.

3
Answers

a grande; **b** petite; **c** mince; **d** grands; **e** équilibrées; **f** bêtes; **g** bavarde; **h** sévères; **i** aimable; **j** sages

Cahier d'exercices, page 17

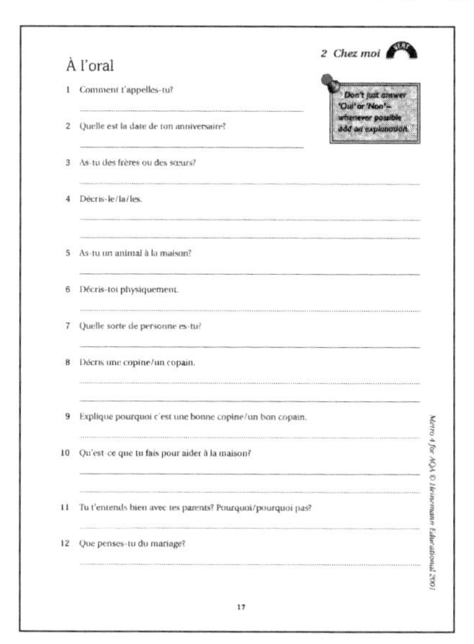

2 Chez moi

À l'oral

Don't just answer 'Oui' or 'Non' – whenever possible add an explanation.

1 Comment t'appelles-tu?
2 Quelle est la date de ton anniversaire?
3 As-tu des frères ou des sœurs?
4 Décris-le/la/les.
5 As-tu un animal à la maison?
6 Décris-toi physiquement.
7 Quelle sorte de personne es-tu?
8 Décris une copine/un copain.
9 Explique pourquoi c'est une bonne copine/un bon copain.
10 Qu'est-ce que tu fais pour aider à la maison?
11 Tu t'entends bien avec tes parents? Pourquoi/pourquoi pas?
12 Que penses-tu du mariage?

Métro 4 for AQA © Heinemann Educational 2001

17

Module 3: Temps libre

(Student's Book pages 38–51)

Unit	Main topics and objectives	Grammar	Key language
Déjà vu (pp. 38–41)	Saying which hobbies and sports you do Saying which clubs you go to, and when Giving your opinion on different things	Asking questions using intonation Present tense	*Quels sont tes passe-temps?* *Je vais (au cinéma).* *Je lis/Je nage/J'écoute de la musique/Je regarde la télé.* *Tu fais du sport? Je fais (du vélo).* *Je joue (au basket).* *Tu es membre d'un club?* *Je suis membre d'un club de gymnastique.* *Je vais au club le (lundi).* *Qu'est-ce que tu penses de ...?* *C'est (amusant).* *Le week-end je ...* *Comme sports j'aime ... mais je n'aime pas ...*
1 Qu'est-ce qu'on va faire aujourd'hui? (pp. 42–43)	Understanding information about opening/closing times, prices and tickets Talking about a film	The present tense	*Allô, ici ...* *Vous ouvrez/fermez à quelle heure?* *C'est combien par personne?* *C'est ... pour les adultes et ... pour les enfants.* *Est-ce qu'il y a une réduction pour les étudiants?* *Qu'est-ce qui joue au cinéma ce soir?* *C'est quelle sorte de film?* *C'est un film d'aventures.* *Le film dure ... minutes.* *La dernière séance commence à ...*
2 Invitations (pp. 44–45)	Inviting people out Accepting and refusing invitations Making arrangements to meet	*Vouloir/pouvoir/ devoir* + inf.	*Est-ce que tu voudrais/tu veux/tu as envie de/d' (sortir avec moi/aller en boîte)?* *D'accord/bien sûr/je veux bien/bonne idée/avec plaisir.* *Je suis désolé(e)/je regrette/je m'excuse/c'est dommage.* *Je ne peux pas/ça ne me dit rien/je ne suis pas libre.* *On se rencontre (chez moi vers ... heures).*
3 Ça s'est bien passé? (pp. 46–47)	Talking about the past	The perfect tense with *avoir* and *être* Irregular past participles	*J'ai bu/J'ai eu/J'ai lu/J'ai vu/J'ai pu/J'ai dû/J'ai voulu ...* *Lundi, (j'ai regardé la télé).* *J'ai fait (de l'équitation).* *J'ai joué (au tennis).* *Normalement je ... mais le week-end dernier, ...*
Entraînez-vous (pp. 48–49)	Speaking practice and coursework	Revision of: *Vouloir* + inf. The perfect tense with *avoir* and *être* Past, present and future tenses	
À toi! (pp. 164–165)	Self-access reading and writing Describing a sport Describing a sports personality Talking about equipment needed for a sport Talking about your likes/dislikes and leisure activities	Negatives (*ne ... pas*) Past, present and future tenses Definite/possessive articles	

MODULE 3 TEMPS LIBRE

Déjà vu

(Student's Book pages 38–41)

Main topics and objectives

- Saying which hobbies and sports you do
- Saying which clubs you go to and when
- Giving your opinion on different things

Grammar

- Asking questions using intonation
- Present tense

Key language

Quels sont tes passe-temps?
Je vais au cinéma/à la pêche.
Je lis/Je nage/J'écoute de la musique/Je regarde la télé.
Tu fais du sport? Je fais du vélo/du cyclisme/du ski/ de la gymnastique/de la natation/de la voile/ de l'équitation.
Je joue au basket/au foot/au hockey/au rugby/ au tennis/au volley/avec l'ordinateur.
Tu es membre d'un club?
Je suis membre d'un club de (gymnastique).
Je vais au club le ...
lundi/mardi/mercredi/jeudi/vendredi/samedi/ dimanche matin/après-midi/soir.
Qu'est-ce que tu penses de ...?
C'est amusant/barbant/pénible/super/pas mal/ passionnant/affreux/génial/ chouette.
Le week-end je ...
Comme sports j'aime ... mais je n'aime pas ...

Resources

Cassette A, side 2
CD 1, track 12
Cahier d'exercices, pages 18–25

Suggestion

Present the phrases for free time activities using pictures a–i on page 38.

1a Faites correspondre l'activité et l'image.

Reading. (a–i) Students match each picture with one of the phrases from the Key language box.

Answers

a Je joue avec l'ordinateur. **b** Je lis. **c** J'écoute de la musique. **d** Je regarde la télé. **e** Je nage/Je fais de la natation. **f** Je vais à la pêche. **g** Je fais du sport (Je joue au foot). **h** Je fais du vélo (du cyclisme).

1b Notez la bonne lettre pour chaque activité.

Listening. (1–8) Students listen to the recording and note down the letter of the picture showing each speaker's hobby.

Tapescript

1 Moi, je regarde la télé.
2 Je lis.
3 Je vais à la pêche.
4 Je fais du sport.
5 Je fais du vélo et je nage.
6 Je vais souvent au cinéma, et je joue avec l'ordinateur.
7 J'adore écouter de la musique, et je lis aussi.
8 Moi, j'aime aller à la pêche. Je fais du vélo aussi.

Answers

1 d **2** b **3** f **4** g **5** h, e **6** i, a **7** c, b **8** f, h

Suggestion

Present the 9 sports from the key vocabulary box on page 38 by miming them. Practise *je joue* AU *+ sport* first; then, *je fais* DU/DE LA/ DES *+ sport.*

Draw the attention of your students to the Top Tip box about forming a question from a statement. Practise asking some questions before doing activity 1c.

1c À deux. Écrivez lundi–vendredi en français. EN SECRET, notez une activité par jour. Trouvez les cinq activités de votre partenaire.

Speaking. This activity works like the game 'Battleships'. Working in pairs, students write out the days of the week (from Monday to Friday) in French. Then, in French, they write in a different activity for each of the five days, keeping this information secret from their partner. Students try to find out what their partner is doing on each of the days. The partner may only answer OUI or NON.

For example:

Q. *Lundi, tu regardes la télé?*
R. *Non.*

The first person to find the partner's five activities is the winner. You could have the winner in each partnership moving on to a new partner and repeating the activity.

2 Remplissez les blancs. Les blancs indiquent le nombre de lettres dans chaque mot.

Writing. Students copy and complete the text using the expressions in the Key vocabulary boxes for help.

Answers

regarde, écoute, du, joue, au, vélo, joue, natation, lis, vais, ordinateur

Suggestion

Revise the days of the week by asking students to write them down from memory (without warning!)

Then get them to check their answers against the Key vocabulary box. Pool common errors and look for patterns or tricks which will help to spell the days correctly.

3a Copiez et complétez la grille pour chaque personne.

Listening. (1–6) Having copied the grid, students listen to the recording and, in French, fill in the name of the club and when each speaker goes there.

Tapescript

1 *Salut, je suis membre d'un club de volley. Je vais au club le mercredi soir.*
2 *Bonjour, je suis membre d'un club de foot. Je fais partie d'une équipe. Je vais au club de foot le mardi soir.*
3 *Salut, je suis membre d'un club de danse. Je vais au club de danse le samedi après-midi.*
4 *Bonjour, je suis membre d'un club de cyclisme. On fait du vélo le dimanche matin.*
5 *Bonjour, moi aussi, je suis membre d'un club. Je suis membre d'un club de natation. Je vais au club de natation le vendredi soir.*
6 *Salut, je suis membre d'un club de tennis. Je vais au club de tennis le lundi après-midi, pendant les vacances.*

Answers

1 volley/mercredi soir **2** foot/mardi soir
3 danse/samedi après-midi **4** cyclisme/dimanche matin
5 natation/vendredi soir **6** tennis/lundi après-midi

3b Dites ce que vous faites en français.

Speaking. (1–8) Students prepare each of the statements in French, according to the pictures.

For example:

Je suis membre d'un club d … (activity).
Je vais au club le … (day) *(matin/après-midi/soir)*

Suggestion

On the board or an OHT draw out a grid with 2 columns, headed ☺ or ☹. First of all, ask your students for opinion words. If they remember some, write them in a grid in the correct column. Then present the new words one by one and, by your facial expression, get students to tell you in which column to write each word. Ask students some questions about TV programmes to get them using some of the new vocabulary, e.g. *Tu aimes* "Eastenders"? *C'est pénible.*

4a Copiez les phrases. Indiquez si vous êtes d'accord ✓ ou pas d'accord ✗.

Reading. (1–9) Having copied out the statements, students show if they agree or disagree with each statement by ticking or crossing. There is no one correct solution.

4b Notez l'activité en français, et l'opinion.

Listening. (1–8) Students listen to the recording and note down the activity mentioned by each speaker, and the opinion ☺ or 😐/☹.

Tapescript

1 *Le sport, je trouve ça affreux.*
2 *La pêche, c'est passionnant.*
3 *Je pense que la natation est vraiment géniale.*
4 *À mon avis, l'équitation n'est pas mal.*
5 *Je lis beaucoup. La lecture c'est super.*
6 *Le volley est très amusant.*
7 *Je pense que le ski c'est chouette. J'adore les sports d'hiver.*
8 *La télé, c'est barbant.*

Answers

1 sport ☹ **2** pêche ☺ **3** natation ☺
4 équitation 😐 **5** lecture ☺ **6** volley ☺
7 ski ☺ **8** télé ☹

4c À deux. En français:

Speaking. Working in pairs, students prepare these conversations in French.

4d Copiez et complétez.

Writing. Students complete this paragraph about their own hobbies and interests. The English prompts help students to complete the sentences.

MODULE 3 TEMPS LIBRE

1 Qu'est-ce qu'on va faire aujourd'hui? (Student's Book pages 42–43)

Main topics and objectives

- Understanding information about opening/closing times, prices and tickets
- Talking about a film

Grammar

- The present tense

Key language

Allô, ici ...
Vous ouvrez/fermez à quelle heure?
C'est combien par personne?
C'est ... pour les adultes et ... pour les enfants.
Est-ce qu'il y a une réduction pour les étudiants?
Qu'est-ce qui joue au cinéma ce soir?
C'est quelle sorte de film?
C'est un film d'aventures.
Le film dure ... minutes.
La dernière séance commence à ...

Resources

Cassette A, side 2
CD 1, track 13
Cahier d'exercices, pages 18–25

Suggestion

Use the adverts on page 42 to introduce the key language needed for the unit. Ask your class questions about opening and closing days/times, prices, and so on.

1a Trouvez le français dans les textes ci-dessus.

Reading. Students find the French for these words in the text. These key words should be learned.

Answers

open = *ouvert*	closed = *fermé*
every day = *tous les jours*	entrance price = *prix d'entrée*
adults = *adultes*	children = *enfants*
from ... to ... = *de ... à ...*	bank holidays = *jours fériés*
cinema showings = *séances*	reductions = *réductions*
until = *jusqu'à*	free = *gratuit*
	except for = *sauf*

1b C'est où?

Notez P (piscine), CS (centre sportif), C (cinéma) ou F (festival).

Reading. (1–12) Students read each statement and write down the initial letter(s) of the attraction to which it applies.

Answers

1 CS	**2** C	**3** F	**4** C	**5** P	**6** F	**7** C
8 P	**9** F	**10** CS	**11** F	**12** CS		

➕ Students make up an advertisement for an attraction of their own choice, like the ones at the start of the unit.

➕ Students make up some more statements referring to the attractions and get their partner to identify the place to which they refer.

1c Pour chaque conversation, notez les détails qui manquent.

Listening. (1–4) Students listen to the recording, and write down in French the missing answers for each of the four conversations.

R Go through the conversation in the book first of all with your class, anticipating the type of answer they will hear in each gap.

Tapescript

1 – *Allô, ... ici la piscine municipale.*
– *Bonjour, monsieur. Vous ouvrez à quelle heure, aujourd'hui?*
– *À sept heures et quart.*
– *Et vous fermez à quelle heure?*
– *À neuf heures et demie.*
– *Merci. C'est combien par personne?*
– *C'est €3 pour les adultes et €2,30 pour les enfants.*
– *Est-ce qu'il y a une réduction pour les étudiants?*
– *Non.*
– *Merci beaucoup. Au revoir, monsieur.*

2 – *Allô, ... ici le théâtre Gallimard.*
– *Bonjour, madame. Vous ouvrez à quelle heure, aujourd'hui?*
– *À six heures du soir.*
– *Et vous fermez à quelle heure?*
– *À minuit.*
– *Merci. C'est combien par personne?*
– *C'est €18,20 pour les adultes, et €9,15 pour les enfants.*
– *Est-ce qu'il y a une réduction pour les étudiants?*
– *Oui, les étudiants paient €15,20 la place.*
– *Merci beaucoup. Au revoir, madame.*

3 – *Allô? Allô, ... ici la patinoire.*
– *Bonjour, monsieur. Vous ouvrez à quelle heure, aujourd'hui?*
– *À neuf heures et demie.*
– *Et vous fermez à quelle heure?*
– *À vingt-deux heures, c'est à dire à dix heures du soir.*
– *Merci. Et c'est combien par personne?*
– *C'est €2,90 pour les adultes, et €1,70 pour les enfants.*
– *Est-ce qu'il y a une réduction pour les étudiants?*
– *Ah non, je suis désolé.*
– *Merci beaucoup. Au revoir, monsieur.*

4 – *Allô, ... ici le stade municipal.*
– *Bonjour, madame. Vous ouvrez à quelle heure, aujourd'hui?*
– *À deux heures, pour le match de rugby.*
– *Et vous fermez à quelle heure?*
– *À huit heures du soir.*
– *Merci. C'est combien par personne?*

– *C'est €5,20 pour les adultes et €3 pour les enfants.*
– *Est-ce qu'il y a une réduction pour les étudiants?*
– *Ah, non, il n'y a pas de prix réduit pour les étudiants.*
– *Merci beaucoup. Au revoir, madame.*

Answers

1 a la piscine municipale **b** 7h15 **c** 9h30 **d** €3 **e** €2,30 **f** Non
2 a théâtre Gallimard **b** 6h **c** minuit **d** €18,20 **e** €9,15 **f** Oui, €9,15
3 a patinoire **b** 9h30 **c** 22h00 **d** €2,90 **e** €1,70 **f** Non
4 a stade municipal **b** 2h **c** 8h **d** €5,20 **e** €3 **f** Non

1d À deux. Répétez la conversation pour ces distractions.

Speaking. Working in pairs, students use the same conversation framework as in activity 1c. They take it in turns to be the customer, and use the information in the book for the answers. Draw their attention to the Top Tip box which reminds them that the pound Sterling = une livre Sterling.

➕ Students write out the conversations in French.

2 Répondez aux questions en français/anglais.

Reading. (1–8) Students read the article about the film and answer the first three questions in French and the last five in English. The first three questions are key phrases and should be learnt by heart.

Answers

1 Le monde ne suffit pas
2 un film d'aventures
3 2 heures 8 minutes

4 at 22.15
5 French
6 Pierce Brosnan, Robert Carlyle, Sophie Marceau
7 To protect King, a great industrialist
8 Excellent

➕ Students make a poster for a film of their choice, including when it is showing, how long it lasts, who is in it, what language it is in, and don't forget to include a picture!

MODULE 3 TEMPS LIBRE

2 Invitations

(Student's Book pages 44–45)

Main topics and objectives

- Inviting people out
- Accepting and refusing invitations
- Making arrangements to meet

Grammar

- *Vouloir/pouvoir/devoir* + inf

Key language

Est-ce que tu voudrais/tu veux/tu as envie de/d'... aller en boîte/jouer au foot/sortir avec moi?
D'accord/bien sûr/je veux bien/bonne idée/avec plaisir.
Je suis désolé(e)/je regrette/je m'excuse/c'est dommage.
Je ne peux pas/ça ne me dit rien/je ne suis pas libre.
On se rencontre chez moi, vers ... heures/ devant le stade/chez toi/chez Benjamin/ dans une heure/aujourd'hui/demain.

Resources

Cassette A, side 2
CD 1, track 14
Cahier d'exercices, pages 18–25
Grammaire 3.1, page 182

Suggestion

Introduce the theme by telling the students how important it is to be able to ask somebody out; imagine if they meet the girl/boy of their dreams and do not understand the invitation to go out together – or turn up at the wrong time!

1a Lisez l'article et répondez aux questions en anglais.

Reading. (1–17) Students read the magazine article and answer the questions in English.

Answers

1 concert, theatre, film
2 The first one: I'd love to, where shall we meet?
3 ask why not, and try another date or time
4 I must wash my hair
5 There are plenty more fish in the sea ...
6 time, date, place, and how you'll get home
7 good luck

1b Pour chaque conversation, notez l'invitation et si la réaction est positive (+) ou négative (–).

Listening. (1–8) Students listen to the recording and note in French what each person is being invited to do. They also note whether the reaction is positive or negative by putting a plus or a minus. Draw your students' attention to the Key vocabulary box before starting the activity.

Tapescript

1 – Est-ce que tu voudrais m'accompagner à la boum, samedi soir?
– C'est très gentil, mais malheureusement je ne suis pas libre.
2 – Si on allait voir le match de foot?
– Avec plaisir, on se retrouve à quelle heure?
3 – Tu voudrais sortir avec moi ce soir? Je voudrais aller voir un film.
– Je veux bien, c'est quel film?
4 – Est-ce que tu as envie d'aller au cirque samedi?
– Ça ne me dit rien, je suis plutôt contre les cirques, tu sais.
5 – Es-tu libre demain soir? Il y a un très bon concert à l'hôtel de ville, c'est un groupe que j'aime beaucoup.
– Bonne idée, j'ai vraiment envie de voir ce concert aussi, moi.
6 – Veux-tu aller en boîte avec moi ce week-end?
– Je m'excuse, mais j'aimerais mieux rester à la maison.
7 – J'aimerais bien faire un pique-nique à la campagne aujourd'hui. Est-ce que tu peux venir?
– Bien sûr, merci beaucoup. On va partir à quelle heure?
8 – Si tu es libre demain, on pourrait faire une excursion à vélo ensemble. Qu'est-ce que tu en penses?
– Zut, j'aimerais bien t'accompagner, mais je dois faire mes devoirs demain.

Answers

1 boum (–) **2** match de foot (+) **3** voir un film (+)
4 cirque (–) **5** concert (+) **6** boîte (–)
7 pique-nique (+) **8** excursion à vélo (–)

1c Mettez ces phrases dans le bon ordre.

Writing. (1–8) Students put the words into the right order to make a sentence.

Answers

1 Tu veux aller à la piscine avec moi?
2 Tu voudrais voir un film?
3 Tu veux faire du vélo avec moi?
4 Tu veux jouer au squash?
5 Je dois rester à la maison.
6 Je ne peux pas sortir ce soir.
7 Je dois faire mes devoirs.
8 Je ne veux pas aller au cinéma avec toi.

➕ Students make up eight more mixed-up sentences and ask their partner to unjumble them.

1d À deux. Imaginez que vous êtes quelqu'un de célèbre. Invitez votre partenaire à sortir.

Speaking. Working in pairs, the first partner chooses a famous person to be, and invites the other person out. S/he gives a suitable reaction. Then they change

roles. Students can make several invitations each.

A variation on this is to give all your students a sticky label on their back, containing the name of a famous person. Students then go around asking people in the class out, and try to gauge from the reactions they get what kind of person they are. After a fixed time, you tell the students to take off their labels and see who they are.

2a Copiez et complétez la grille en anglais.

Reading. (1–5) Having copied the grid, students read the five invitations and fill in the grid in English.

Answers

	When?	Where?
1	tomorrow morning	my house
2	the day after tomorrow at 8pm	in front of the cinema
3	next Thursday at midday	at Anne-Claire's house
4	today in 2 hours	at the pool
5	tonight at around 7pm	at your house

2b Qui a téléphoné? Notez le bon prénom.

Listening. (1–6) Students listen to the recording and identify the name of the speaker from the pictures.

Tapescript

1 *Salut! On se verra demain à huit heures, au terrain de rugby, ok?*
2 *Bonjour! C'est bon pour demain? Chez moi, à quatre heures.*
3 *On se retrouve devant la boîte vers neuf heures, d'accord?*
4 *Bonjour! C'est moi! Je t'attendrai devant le collège à huit heures et demie.*
5 *Coucou! Ça va? Je suis vraiment impatiente de te voir cet après-midi. On se verra à la patinoire à trois heures et quart.*
6 *Salut. Mon père a réservé une table pour après-demain. On se retrouve au restaurant à sept heures et demie. Appelle-moi si ça ne va pas. Au revoir!*

Answers

1 Leila **2** Lise **3** Loïc **4** Louise **5** Laure **6** Louis

➕ Students write a message saying when and where to meet for each of the pictures.

2c Écrivez ces invitations en français. Commencez comme ceci: On se rencontre …

Writing. (1–6) Students write out invitations, replacing the pictures with French words. They need to look back at activity 2a for help with vocabulary.

Answers

1 On se rencontre chez moi vers 15h.
2 On se rencontre devant le stade – demain à 14h30.
3 On se rencontre mercredi prochain chez toi.
4 On se rencontre demain chez Benjamin.
5 On se rencontre dans une heure au stade.
6 On se rencontre aujourd'hui vers midi.

➕ Students produce a cartoon strip called 'Une Invitation'.

3 Ça s'est bien pass

(Student's Book pages 46–47)

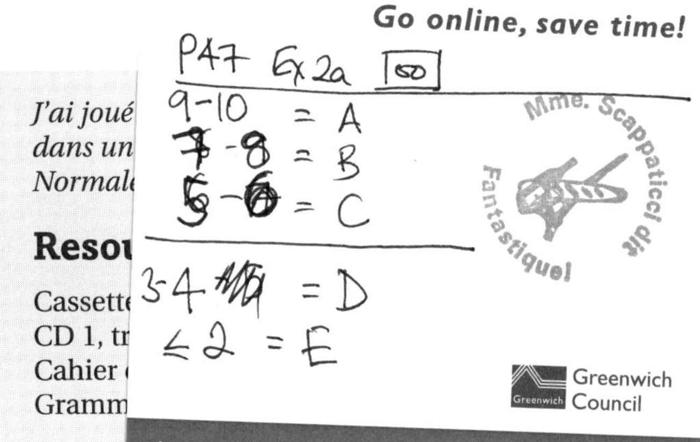

Main topics and objectives

- Talking about the past

Grammar

- The perfect tense with *avoir* and *être*
- Irregular past participles

Key language

J'ai bu/J'ai eu/J'ai lu/J'ai vu/J'ai pu/J'ai dû/J'ai voulu …
Lundi, j'ai regardé la télé/je suis allé(e) au cinéma/
j'ai lu/j'ai écouté des CD.
J'ai fait de l'équitation/de la natation/de la pêche/
du VTT/une promenade.

J'ai joué
dans un
Normal

Resou

Cassett
CD 1, tr
Cahier
Gramm

Suggestion

Read the rubric together so students get the context for the e-mail. Then move into activity 1a.

1a Écoutez et lisez son e-mail. Mettez les images dans le bon ordre.

Listening. Students listen to the e-mail which is printed in the book. They then put the pictures in the order in which they occur in the e-mail.

Tapescript

Coucou Fleur!
Eh bien, le 14 juillet, quelle journée affreuse! Mon rendez-vous avec Emmanuel était à 19h. J'ai attendu devant le cinéma jusqu'à 19h30, puis j'ai téléphoné chez lui. 'Oh, je suis désolé, je suis en retard!' a-t-il dit. Finalement, il est arrivé vers 20h. J'étais furieuse!

Comme on était au cinéma, j'ai proposé d'aller voir un film. 'Ah! Non', a-t-il répondu, 'j'ai vu ce film hier soir avec Coralie. C'était nul'. À ce moment là, j'en ai eu assez. Je suis rentrée à la maison et je suis montée dans ma chambre. J'ai passé le reste de la soirée dans ma chambre ou j'ai regardé la télé en paix. Les garçons? Non merci.

Bisous, Elsa

Answers

e	g	f	a	c	b	d

1b Trouvez le français dans l'e-mail.

Reading. (1–10) Students find the French equivalent of the English verbs in the e-mail.

Answers

1 je suis rentrée à la maison
2 j'ai téléphoné
3 j'ai proposé
4 j'ai regardé
5 j'ai vu
6 il est arrivé
7 j'ai passé
8 je suis montée
9 j'ai attendu
10 j'ai eu

2a Écoutez et mettez les symboles dans le bon ordre.

Listening. Students listen to the recording and write down the letter of the picture, in the right order.

Tapescript

– *J'ai passé un week-end plutôt nul. Vendredi soir, je suis allé à une boum chez mon copain Fred. C'était très ennuyeux. Je n'aime pas danser. Pendant la boum, je suis monté dans la chambre de Fred et on a joué aux cartes avec d'autres copains. Bien sûr, j'ai perdu. On a aussi joué aux jeux-vidéo, mais les jeux de Fred sont très démodés.*
– *Samedi matin, ma mère m'a ammené en ville pour mon orchestre. J'ai joué du violon pendant deux heures. C'était pénible. Samedi soir, je suis resté à la maison et j'ai lu un livre. C'est passionnant, n'est–ce pas? Samedi soir, à la maison, en train de lire et écouter des CD. Bof!*
– *Dimanche, j'ai fait une promenade à la campagne avec mes parents. Oh! C'était ennuyeux. Après, j'ai dû jouer au foot avec mon petit frère dans le jardin. Il n'est pas Zidane, hein? Quelle perte de temps.*
– *Dimanche soir, je suis allé à la piscine avec mes copains, et j'ai fait du VTT. Ça, c'était mieux … mais je pensais déjà au collège le lendemain.*

Answers

b	e	d;	h	g	a;	c	j;	i	f

2b Mettez ces phrases dans le bon ordre, puis trouvez le symbole qui correspond à chaque phrase.

Reading. (1–10) Students unjumble each sentence, then match each sentence with one of the pictures from activity 2a.

Answers

1 (f) J'ai fait du VTT.
2 (j) J'ai joué au foot.
3 (g) J'ai lu un livre.
4 (a) J'ai écouté des CD.
5 (b) Je suis allé à une boum.
6 (d) J'ai joué aux jeux-vidéo.
7 (i) J'ai fait de la natation.
8 (h) J'ai joué dans un orchestre.
9 (c) J'ai fait une promenade.
10 (e) J'ai joué aux cartes.

2c Regardez l'agenda. Qu'est-ce que vous avez fait la semaine dernière? Écrivez une phrase en français pour chaque jour.

Writing. Using the diary given, students write one sentence in French for each day of the week.

Answers

Lundi j'ai regardé la télé.
Mardi je suis allé(e) au cinéma.
Mercredi j'ai lu un livre.
Jeudi j'ai fait de l'équitation.
Vendredi j'ai joué au tennis.
Samedi j'ai fait de la natation.
Dimanche je suis allé(e) à la pêche.

➕ Students write out all the verbs from the *Le Détective* box on the perfect tense and form sentences using each verb.

3a En groupe. Qu'est-ce que vous avez fait le week-end dernier?

Speaking. Working in groups of 4 or 5, each student adds one more activity in the Perfect tense on to the list. Each student in turn repeats the whole list before adding on a new activity. See which group can memorise the longest list.

3b Vous avez passé le 14 juillet en France. Écrivez une liste de 10 activités que vous avez faites. Utilisez le passé composé.

Writing. Students use their imagination and write down 10 things they did while in France. Encourage them to look back at Units 1 and 2 for ideas.

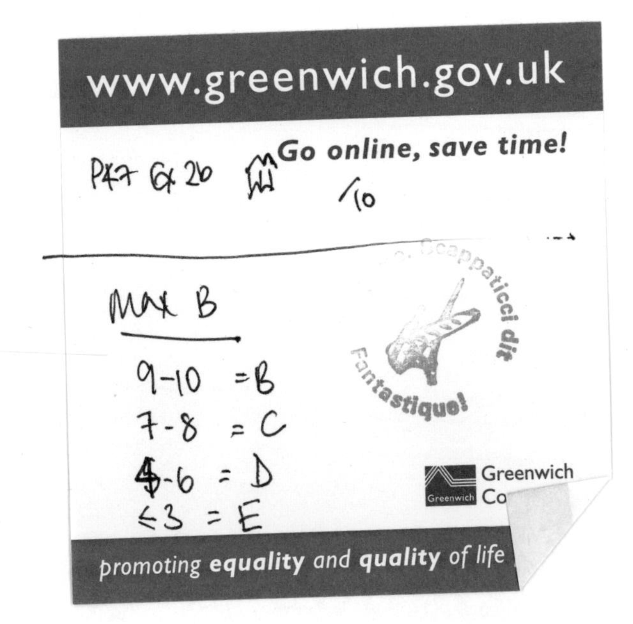

MODULE 3 TEMPS LIBRE

Entraînez-vous

(Student's Book pages 48–49)

Speaking practice and coursework

À l'oral

Topics revised

- Arranging a meeting
- Visiting an attraction in a French town
- Talking about your favourite hobby
- Talking about what you did last week/last weekend

1 You are arranging to go out with a French boy/girl.

Role-play. Working in pairs, students take it in turns to be the other person, doing the role-play twice.

2 You are at the museum in a French town with your family.

Role-play. Working in pairs, students take it in turns to be the 'museum assistant', doing the role-play twice.

3 Bring photos or any equipment that you use for your favourite pastimes and talk about them for one minute. Make yourself a cue card.

Presentation. Students give a short talk about their favourite pastimes.
This can be:

- prepared in the classroom or at home;
- recorded on tape;
- students can give their talk to a small group of other students; *or*
- certain students can be chosen to give their talk to the whole class.

The main thing is that students become used to speaking from notes, not reading a speech.

Questions générales

Speaking. These are key questions to practise for the oral exam, taken from the module as a whole. Students can practise asking and answering the questions in pairs. They should be encouraged to add as much detail as possible. It is often a good idea to write model answers together in class.

- Get students to look out for tense 'markers' such as *normalement/hier soir/le week-end dernier.*

You could use these markers yourself whenever you ask questions as, with practice, they help students to answer in the right tense.

À l'écrit

Topics revised

- Describing a leisure facility
- Opening/closing times
- Prices
- Opinions

1 Publicising a leisure facility.

An AQA Specification A coursework-style task (Theme 3.9), requiring students to write publicity for a leisure facility (70–100 words). Various formats are possible, and suggestions, useful language and tips are provided to stimulate ideas. There is scope here for using ICT skills effectively, and photos or visuals could be included, but students are reminded that it is the quality of their written French which counts, not the quality of their presentation.

2 Your task is to write a description of a visit to a leisure/sports centre.

An AQA Specification B modular coursework-style **b** task (Module 3, topic D), for which students write about 90 words describing a visit to a leisure or sports facility. A variety of tenses is required, as is opinions vocabulary.

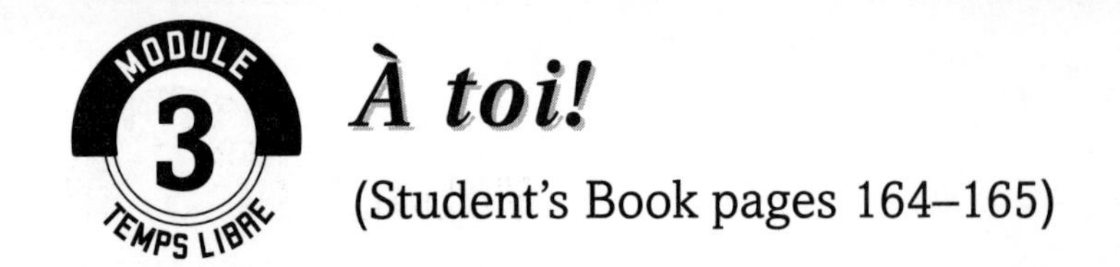

À toi!

(Student's Book pages 164–165)

Self-access reading and writing at two levels

1a Ça coûte combien?

Reading. Students match the picture on page 165 with the equipment list on page 164 and write down the correct price. Encourage them to use what they know to guess before looking up the dictionary to check.

Answers

1 $60 **2** $40 **3** $109 **4** $50 **5** $229 **6** $50

1b Regardez la carte d'identité à la page 164. Copiez et complétez pour Patrick Roy.

Reading. Having copied the summary, students fill in the gaps by looking at Patrick Roy's ID card.

Answers

Patrick Roy est né au **Québec**, et son anniversaire est le **5 octobre 1965**. Il mesure **1,83 mètres** et il pèse **87 kilos**.

Sa position est **gardien de but** et il porte toujours le numéro **33**. Pendant 10 ans, il a joué pour les **Canadiens de Montréal**, et depuis, il joue pour l'**Avalanche du Colorado** en Amérique. Les fans l'appellent **St. Patrick** ou **Goose**.

Patrick préfère manger **le steak**, et pendant son temps libre, en été, il joue au **golf**.

1c Répondez à ces questions en français.

Reading. (1–10) Having read the information about Patrick Roy, students answer the questions in French. Remind them to look at the number of marks available for each of their answers.

Answers

1 le hockey sur glace
2 des soldats britanniques
3 4–5 ans
4 il faut avoir beaucoup d'équipement
5 3 heures
6 20 joueurs
7 12
8 les Canadiens de Montréal
9 bleu, blanc et rouge
10 24

2 Complétez le questionnaire. Notez les choses que vous aimez ou n'aimez pas.

Writing. A straightforward activity in which students fill in the grid with items of their own choice. Encourage them to use vocabulary they know is right (even if it is not the truth!).

3 Répondez aux questions de ta correspondante, Isabelle.

Writing. Students respond to Isabelle's e-mail. They must be sure to answer all her questions. Go through the questions in class with your students and get them to spot the tense needed each time.

Cahier d'exercices, page 18

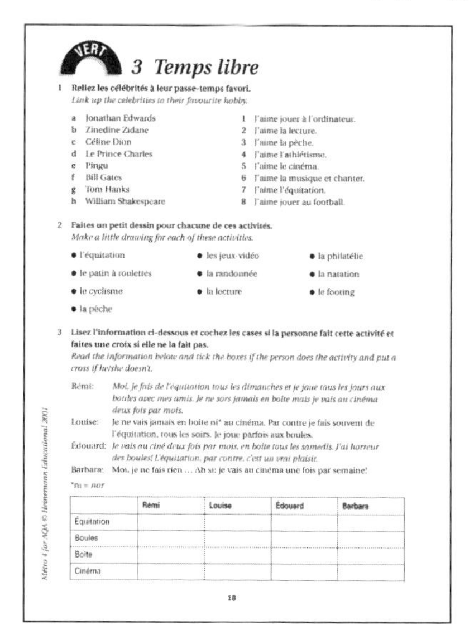

VERT **3 Temps libre**

1 **Reliez les célébrités à leur passe-temps favori.**
Link up the celebrities to their favourite hobby.

a Jonathan Edwards
b Zinedine Zidane
c Céline Dion
d Le Prince Charles
e Pingu
f Bill Gates
g Tom Hanks
h William Shakespeare

1 J'aime jouer à l'ordinateur.
2 J'aime la lecture.
3 J'aime la pêche.
4 J'aime l'athlétisme.
5 J'aime le cinéma.
6 J'aime la musique et chanter.
7 J'aime l'équitation.
8 J'aime jouer au football.

2 **Faites un petit dessin pour chacune de ces activités.**
Make a little drawing for each of these activities.

- l'équitation
- les jeux-vidéo
- la philatélie
- le patin à roulettes
- la randonnée
- la natation
- le cyclisme
- la lecture
- le footing
- la péche

3 **Lisez l'information ci-dessous et cochez les cases si la personne fait cette activité et faites une croix si elle ne la fait pas.**
Read the information below and tick the boxes if the person does the activity and put a cross if he/she doesn't.

Rémi: *Moi, je fais de l'équitation tous les dimanches et je joue tous les jours aux boules avec mes amis. Je ne sors jamais en boîte mais je vais au cinéma deux fois par mois.*
Louise: Je ne vais jamais en boîte ni* au cinéma. Par contre je fais souvent de l'équitation, tous les soirs. Je joue parfois aux boules.
Édouard: *Je vais au ciné deux fois par mois, en boîte tous les samedis. J'ai horreur des boules! L'équitation, par contre, c'est un vrai plaisir.*
Barbara: Moi, je ne fais rien … Ah si: je vais au cinéma une fois par semaine!

*ni = *nor*

	Rémi	Louise	Édouard	Barbara
Équitation				
Boules				
Boîte				
Cinéma				

18

1
Answers

a 4; **b** 8; **c** 6; **d** 7; **e** 3; **f** 1; **g** 5; **h** 2

2
Answers

horse-riding; roller-skating; cycling; fishing; video-games; hiking; reading; stamp-collecting; swimming; jogging

3

	Rémi	Louise	Edouard	Barbara
Équitation	✓	✓	✓	✗
Boules	✓	✓	✗	✗
Boîte	✗	✗	✓	✗
Cinéma	✓	✗	✓	✓

Answers

Cahier d'exercices, page 19

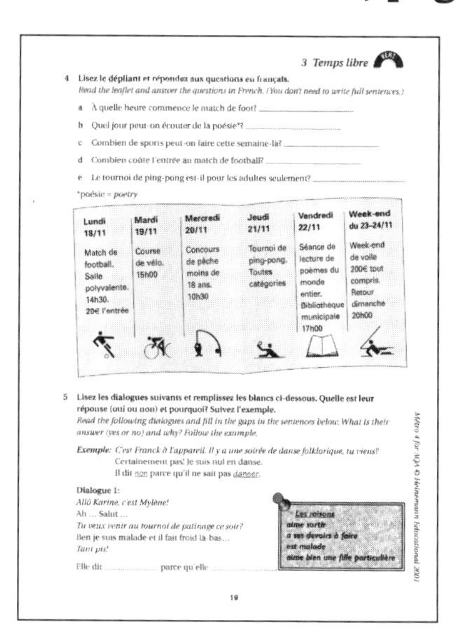

3 Temps libre VERT

4 **Lisez le dépliant et répondez aux questions en français.**
Read the leaflet and answer the questions in French. (You don't need to write full sentences.)

a À quelle heure commence le match de foot? ____
b Quel jour peut-on écouter de la poésie*? ____
c Combien de sports peut-on faire cette semaine-là? ____
d Combien coûte l'entrée au match de football? ____
e Le tournoi de ping-pong est-il pour les adultes seulement? ____

*poésie = *poetry*

Lundi 18/11	Mardi 19/11	Mercredi 20/11	Jeudi 21/11	Vendredi 22/11	Week-end du 23–24/11
Match de football. Salle polyvalente. 14h30. 20€ l'entrée	Course de vélo. 15h00	Concours de pêche moins de 18 ans. 10h30	Tournoi de ping-pong. Toutes catégories	Séance de lecture de poèmes du monde entier. Bibliothèque municipale 17h00	Week-end de voile 200€ tout compris. Retour dimanche 20h00

5 **Lisez les dialogues suivants et remplissez les blancs ci-dessous. Quelle est leur réponse (oui ou non) et pourquoi? Suivez l'exemple.**
Read the following dialogues and fill in the gaps in the sentences below. What is their answer (yes or no) and why? Follow the example.

Exemple: *C'est Franck à l'appareil. Il y a une soirée de danse folklorique, tu viens?*
Certainement pas! Je suis nul en danse.
Il dit non parce qu'il ne sait pas danser.

Dialogue 1:
Allô Karine, c'est Mylène!
Ah … Salut …
Tu veux venir au tournoi de patinage ce soir?
Ben je suis malade et il fait froid là-bas…
Tant pis!
Elle dit ____ parce qu'elle ____

Les raisons
aime sortir
a ses devoirs à faire
est malade
aime bien une fille particulière

19

4
Answers

a Le match de foot commence à 14h30.
b On peut écouter de la poésie vendredi.
c Cette semaine là, on peut faire 5 sports différents.
d L'entrée au match de foot coûte 20 euros.
e Non, le tournoi est ouvert à toutes les catégories.

5
Answers

1 Elle dit **non** parce qu'elle **est malade**.
2 Il dit **oui** parce qu'il **aime bien une fille particulière**.
3 Elle dit **non** parce qu'elle **a ses devoirs à faire**.
4 Elle dit **oui** parce qu'elle **aime sortir**.

Cahier d'exercices, page 20

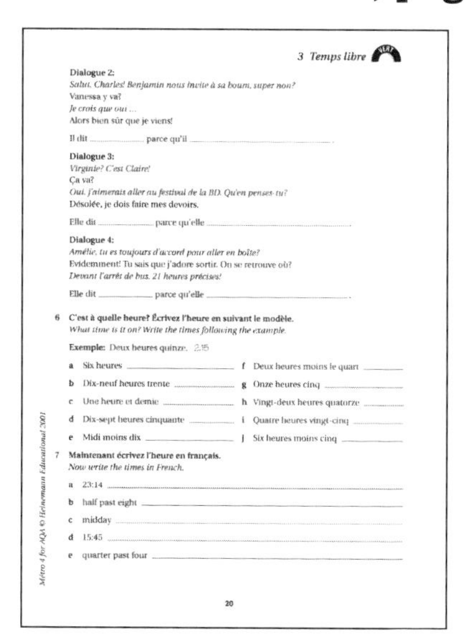

3 Temps libre VERT

Dialogue 2:
Salut, Charles! Benjamin nous invite à sa boum, super non?
Vanessa y va?
Je crois que oui …
Alors bien sûr que je viens!
Il dit ____ parce qu'il ____.

Dialogue 3:
Virginie? C'est Claire!
Ça va?
Oui, j'aimerais aller au festival de la BD. Qu'en penses-tu?
Désolée, je dois faire mes devoirs.
Elle dit ____ parce qu'elle ____.

Dialogue 4:
Amélie, tu es toujours d'accord pour aller en boîte?
Evidemment! Tu sais que j'adore sortir. On se retrouve où?
Devant l'arrêt de bus. 21 heures précises!
Elle dit ____ parce qu'elle ____.

6 **C'est à quelle heure? Écrivez l'heure en suivant le modèle.**
What time is it on? Write the times following the example.

Exemple: Deux heures quinze. 2:15

a Six heures ____
b Dix-neuf heures trente ____
c Une heure et demie ____
d Dix-sept heures cinquante ____
e Midi moins dix ____
f Deux heures moins le quart ____
g Onze heures cinq ____
h Vingt-deux heures quatorze ____
i Quatre heures vingt-cinq ____
j Six heures moins cinq ____

7 **Maintenant écrivez l'heure en français.**
Now write the times in French.

a 23:14 ____
b half past eight ____
c midday ____
d 15:45 ____
e quarter past four ____

20

6
Answers

a 6:00; **b** 19:30; **c** 1:30; **d** 17:50; **e** 11:50; **f** 1:45; **g** 11:05; **h** 22:14; **i** 4:25; **j** 5:55

7
Answers

a vingt-trois heures quatorze; **b** huit heures et demie; **c** midi; **d** quinze heures quarante-cinq; **e** quatre heures et quart

Cahier d'exercices, page 21

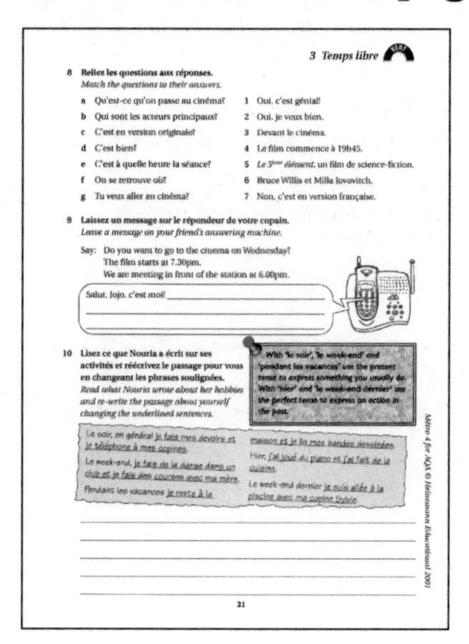

3 *Temps libre*

8 **Reliez les questions aux réponses.**
Match the questions to their answers.

a Qu'est-ce qu'on passe au cinéma?
b Qui sont les acteurs principaux?
c C'est en version originale?
d C'est bien?
e C'est à quelle heure la séance?
f On se retrouve où?
g Tu veux aller au cinéma?

1 Oui, c'est génial!
2 Oui, je veux bien.
3 Devant le cinéma.
4 Le film commence à 19h45.
5 *Le 5ème élément*, un film de science-fiction.
6 Bruce Willis et Milla Jovovitch.
7 Non, c'est en version française.

9 **Laissez un message sur le répondeur de votre copain.**
Leave a message on your friend's answering machine.

Say: Do you want to go to the cinema on Wednesday?
The film starts at 7.30pm.
We are meeting in front of the station at 6.00pm.

Salut, Jojo, c'est moi! ______

10 **Lisez ce que Nouria a écrit sur ses activités et réécrivez le passage pour vous en changeant les phrases soulignées.**
Read what Nouria wrote about her hobbies and re-write the passage about yourself changing the underlined sentences.

With 'le soir', 'le week-end' and 'pendant les vacances' use the present tense to express something you usually do. With 'hier' and 'le week-end dernier' use the perfect tense to express an action in the past.

Le soir, en général je fais mes devoirs et je téléphone à mes copines.
Le week-end, je fais de la danse dans un club et je fais des courses avec ma mère.
Pendant les vacances je reste à la maison et je lis mes bandes dessinées.
Hier, j'ai joué du piano et j'ai fait de la cuisine.
Le week-end dernier je suis allée à la piscine avec ma copine Sylvie.

21

8
Answers

a 5; **b** 6; **c** 7; **d** 1; **e** 4; **f** 3; **g** 2

9
Answers

Salut, Jojo, c'est moi ! Tu veux aller au cinéma mercredi? Le film commence à 7 heures 30. On se retrouve devant la gare à 6 heures.

Cahier d'exercices, page 22

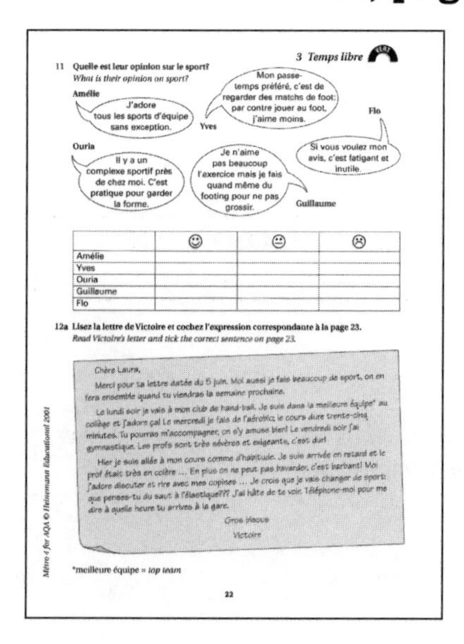

3 *Temps libre*

11 **Quelle est leur opinion sur le sport?**
What is their opinion on sport?

	☺	😐	☹
Amélie			
Yves			
Ouria			
Guillaume			
Flo			

12a **Lisez la lettre de Victoire et cochez l'expression correspondante à la page 23.**
Read Victoire's letter and tick the correct sentence on page 23.

Chère Laura,

Merci pour ta lettre datée du 5 juin. Moi aussi je fais beaucoup de sport, on en fera ensemble quand tu viendras la semaine prochaine.

Le lundi soir je vais à mon club de hand-ball. Je suis dans la meilleure équipe* au collège et j'adore ça! Le mercredi je fais de l'aérobic; le cours dure trente-cinq minutes. Tu pourras m'accompagner, on s'y amuse bien! Le vendredi soir j'ai gymnastique. Les profs sont très sévères et exigeants, c'est dur!

Hier je suis allée à mon cours comme d'habitude. Je suis arrivée en retard et le prof était très en colère ... En plus on ne peut pas bavarder, c'est barbant! Moi j'adore discuter et rire avec mes copines ... Je crois que je vais changer de sport: que penses-tu du saut à l'élastique??? J'ai hâte de te voir. Téléphone-moi pour me dire à quelle heure tu arrives à la gare.

Gros bisous
Victoire

*meilleure équipe = *top team*

22

11
Answers

Amélie ☺; Yves 😐; Ouria ☺; Guillaume 😐; Flo ☹

12a

Answers

1 b; **2** a; **3** a; **4** c; **5** b

Cahier d'exercices, page 23

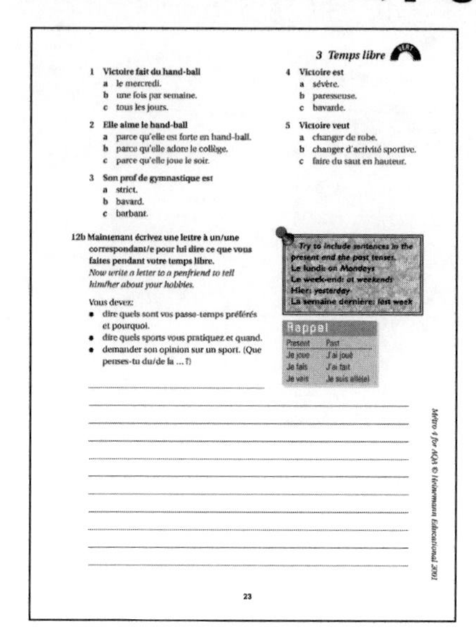

3 *Temps libre*

1 **Victoire fait du hand-ball**
a le mercredi.
b une fois par semaine.
c tous les jours.

2 **Elle aime le hand-ball**
a parce qu'elle est forte en hand-ball.
b parce qu'elle adore le collège.
c parce qu'elle joue le soir.

3 **Son prof de gymnastique est**
a strict.
b bavard.
c barbant.

4 **Victoire est**
a sévère.
b paresseuse.
c bavarde.

5 **Victoire veut**
a changer de robe.
b changer d'activité sportive.
c faire du saut en hauteur.

12b **Maintenant écrivez une lettre à un/une correspondant/e pour lui dire ce que vous faites pendant votre temps libre.**
Now write a letter to a penfriend to tell him/her about your hobbies.

Vous devez:
- dire quels sont vos passe-temps préférés et pourquoi.
- dire quels sports vous pratiquez et quand.
- demander son opinion sur un sport. (Que penses-tu du/de la ... ?)

Try to include sentences in the present and the past tenses.
Le lundi: on Mondays
Le week-end: at weekends
Hier: yesterday
La semaine dernière: last week

Rappel

Present	Past
Je joue	J'ai joué
Je fais	J'ai fait
Je vais	Je suis allé(e)

23

Cahier d'exercices, page 24

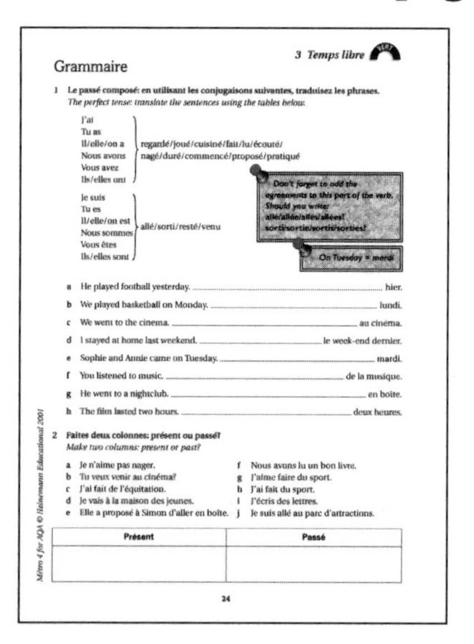

Grammaire

3 *Temps libre*

1 **Le passé composé: en utilisant les conjugaisons suivantes, traduisez les phrases.**
The perfect tense: translate the sentences using the tables below.

J'ai / Tu as / Il/elle/on a / Nous avons / Vous avez / Ils/elles ont } regardé/joué/cuisiné/fait/lu/écouté/nagé/duré/commencé/proposé/pratiqué

Je suis / Tu es / Il/elle/on est / Nous sommes / Vous êtes / Ils/elles sont } allé/sorti/resté/venu

Don't forget to add the agreements to this part of the verb. Should you write: allé/allée/allés/allées! sorti/sortie/sortis/sorties?

On Tuesday = mardi

a He played football yesterday. ______ hier.
b We played basketball on Monday. ______ lundi.
c We went to the cinema. ______ au cinéma.
d I stayed at home last weekend. ______ le week-end dernier.
e Sophie and Annie came on Tuesday. ______ mardi.
f You listened to music. ______ de la musique.
g He went to a nightclub. ______ en boîte.
h The film lasted two hours. ______ deux heures.

2 **Faites deux colonnes: présent ou passé?**
Make two columns: present or past?

a Je n'aime pas nager.
b Tu veux venir au cinéma?
c J'ai fait de l'équitation.
d Je vais à la maison des jeunes.
e Elle a proposé à Simon d'aller en boîte.
f Nous avons lu un bon livre.
g J'aime faire du sport.
h J'ai fait du sport.
i J'écris des lettres.
j Je suis allé au parc d'attractions.

Présent	Passé

24

Grammaire

1
Answers

a Il a joué au foot hier./Il a pratiqué le foot hier.
b Nous avons joué au basket lundi.
c Nous sommes allé(e)s au cinéma.
d Je suis resté(e) à la maison le week-end dernier.
e Sophie et Annie sont venues mardi.
f Tu as/Vous avez écouté de la musique.
g Il est allé/sorti en boîte.
h Le film a duré deux heures.

2

Answers

Présent: a, b, d, g, i
Passé: c, e, f, h, j

Cahier d'exercices, page 25

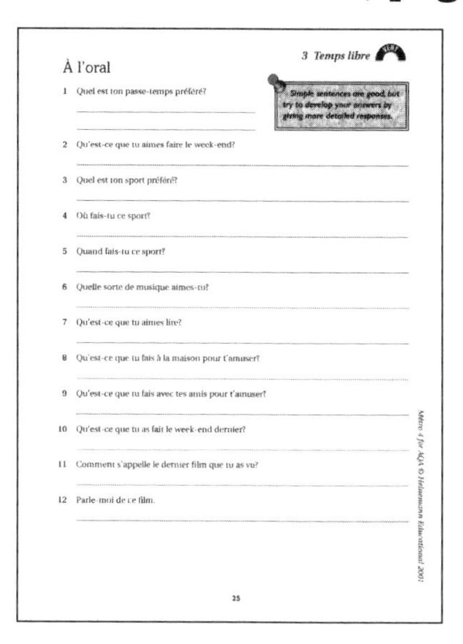

3 *Temps libre*

À l'oral

Simple sentences are good, but try to develop your answers by giving more detailed responses.

1 Quel est ton passe-temps préféré?

2 Qu'est-ce que tu aimes faire le week-end?

3 Quel est ton sport préféré?

4 Où fais-tu ce sport?

5 Quand fais-tu ce sport?

6 Quelle sorte de musique aimes-tu?

7 Qu'est-ce que tu aimes lire?

8 Qu'est-ce que tu fais à la maison pour t'amuser?

9 Qu'est-ce que tu fais avec tes amis pour t'amuser?

10 Qu'est-ce que tu as fait le week-end dernier?

11 Comment s'appelle le dernier film que tu as vu?

12 Parle-moi de ce film.

Métro 4 for AQA © Heinemann Educational 2001

25

Module 4: Au boulot

(Student's Book pages 52–67)

Unit	Main topics and objectives	Grammar	Key language
Déjà vu (pp. 52–53)	Understanding the names of jobs Saying what jobs people do Understanding high numbers Giving telephone numbers	Masculine/feminine job names Omission of article for job	*(Ma mère) est (agent de police).* French phone numbers
1 Qu'est-ce que vous voulez faire dans la vie? (pp. 54–55)	Talking about your future career Saying where you would like to work, and with whom	Recognising the future tense	*Je voudrais travailler (dehors/avec les enfants).* *Je ne voudrais pas travailler dans (un bureau).* *Je voudrais être (serveur/serveuse).* *Je voyagerai dans le monde.*
2 Avez-vous un job? (pp. 56–57)	Talking about part-time jobs and work experience	Interrogative pronouns Asking questions using intonation	*Tu travailles où?* *J'ai un petit job d'été.* *Je travaille dans un grand hypermarché/Je distribue le courrier.* *Tu commences/finis à quelle heure?* *Je commence/finis à … heures.* *Comment vas-tu au travail?* *Je vais au supermarché (en bus).* *Le trajet dure combien de temps?* *Le trajet dure … minutes.* *Combien est-ce que tu gagnes?* *Je gagne … par heure/par semaine.* *Tu aimes ton job?* *J'aime mon job parce que c'est (bien payé).* *J'ai travaillé …*
3 Je cherche un poste (pp. 58–59)	Writing a letter of application and a CV Answering questions in a job interview	Present tense *Pouvoir* + inf.	*Je voudrais un poste comme (serveur(euse)).* *Pendant mon stage en entreprise j'ai travaillé …* *J'ai aussi un job. Je travaille …* *Je peux commencer le … et continuer jusqu'au …* *Je suis travailleur(euse)/sérieux(euse).* *J'ai un bon sens de l'humour.*
4 La communication (pp. 60–61)	Answering a phone call, and taking a message Understanding phone messages	Revision of verbs in the infinitive	*C'est … à l'appareil.* *Je peux vous aider?* *Je voudrais parler à … s'il vous plaît.* *C'est de la part de qui?* *Est-ce que je peux laisser un message?* *Votre nom, comment ça s'écrit?* *Ça s'écrit …* *Quel est votre message?* *Quel est votre numéro de téléphone?* *… peut vous rappeler à quelle heure?* *À partir de …*
5 Le monde du travail (pp. 62–63)	Talking about issues in the world of work Giving opinions Taking a year out Discussing the advantages and disadvantages of different jobs	*Je voudrais*	*Je voudrais travailler à l'étranger/perfectionner mon français/voyager/prendre une année sabbatique.* *C'est bien/mal payé/satisfaisant/stressant etc.* *On peut voyager.* *On aide les gens.* *Il y a beaucoup de possibilités de …* *Les études sont longues.* *Les heures sont irregulières.* *Les conditions peuvent être dangereuses.*

Unit	Main topics and objectives	Grammar	Key language
Entraînez-vous (pp. 64–65)	Speaking practice and coursework	Revision of: Noun genders *Vouloir* + inf. Past, present and future tenses	
À toi! (pp. 166–167)	Self-access reading and writing Talking about the world of work in the future Applying for a holiday job	*Pouvoir/vouloir* + inf. Agreement Past, present, conditional and future tenses	

MODULE 4 AU BOULOT

Déjà vu

(Student's Book pages 52–53)

Main topics and objectives

- Understanding the names of jobs
- Saying what jobs people do
- Understanding high numbers
- Giving telephone numbers

Grammar

- Masculine/feminine job names
  Serveur/serveuse
  Boulanger/boulangère
- Omission of article for job
  Ma sœur est secrétaire

Key language

Ma mère/mon père/ma sœur/mon frère/ mon oncle/mon grand-père/ma belle-mère est … agent de police/coiffeur(euse)/fermier(ère)/ boulanger(ère)/boucher(ère)/sans travail/dentiste/ infirmier(ère)/professeur/serveur(euse)/caissier(ère)/ médecin/secrétaire/vendeur(euse).
High numbers

Resources

Cassette B, side 1
CD 2, track 2
Cahier d'exercices, pages 26–33
Grammaire 1.1, page 180

Suggestion

Use pictures a–o on page 52 or an OHT of these to present jobs in their masculine form.

1a Faites correspondre les métiers et les symboles.

Reading. (a–o) Students match up the symbols with the job title from the Key vocabulary box.

Answers

a vendeur **b** infirmier **c** chauffeur **d** secrétaire **e** boucher **f** coiffeur **g** caissier **h** fermier **i** dentiste **j** sans travail **k** agent de police **l** serveur **m** médecin **n** professeur **o** boulanger

1b Copiez et complétez la grille.

Writing. Having copied the grid, students categorise the job titles on the notice board, and fill in the English meaning.

Answers

Masculin	Féminin	Anglais
coiffeur	coiffeuse	hairdresser
steward	hotesse de l'air	flight attendant
boucher	bouchère	butcher
boulanger	boulangère	baker
serveur	serveuse	waiter/waitress
fermier	fermière	farmer
vendeur	vendeuse	shop assistant
infirmier	infirmière	nurse
caissier	caissière	check out assistant

1c Notez le métier en français.

Listening. (1–10) Students listen to the recording and note down the job in French.

Tapescript

1 *Ma sœur est coiffeuse.*
2 *Mon père est boulanger.*
3 *Mon grand-père était fermier.*
4 *Ma mère est professeur.*
5 *Ma grand-mère était serveuse.*
6 *Je voudrais être infirmier.*
7 *Mon frère voudrait être steward.*
8 *Ma tante est agent de police.*
9 *Mon oncle est médecin.*
10 *Je ne voudrais pas être secrétaire.*

Answers

1 coiffeuse **2** boulanger **3** fermier **4** professeur **5** serveuse **6** infirmier **7** steward **8** agent de police **9** médecin **10** secrétaire

2a Écrivez en français.

Writing. Students write one sentence for each family member + job symbol. Draw their attention to the Top Tip box.

Answers

1 Ma sœur est secrétaire.
2 Mon père est coiffeur.
3 Ma belle-mère est médecin.
4 Mon grand-père est boucher.
5 Mon copain est sans travail.
6 Mon oncle est agent de police.
7 Ma mère est infirmière.
8 Mon frère est serveur.

2b À deux. Commencez une phrase avec un membre de la famille. Puis, mimez un métier. Votre partenaire complète la phrase.

Speaking. In pairs, one student chooses a member of the family and says, for example: *Ma sœur est …* (then mimes a job).

The partner completes the sentence, repeating the beginning then adding the name of the job being mimed.

Suggestion

Demonstrate a few examples yourself to the whole class first.

3a Complétez les numéros.

Writing. Students fill in the missing letters in the numbers shown. Each star represents one letter.

Answers

a cinquante-neuf
b vingt-cinq
c soixante
d quarante-trois
e trente-six
f quarante-sept
g vingt et un
h soixante-quatre
i cinquante-huit
j trente-deux

Suggestion

Put some numbers on the board and recap how numbers 70 to 99 are formed:

e.g. $60 + 10 = 70$; $4 \times 20 + 9 = 89$ and so on.

3b Faites correspondre les numéros.

Reading. Having copied out the numbers in French, students write in the correct figure beside each number.

Answers

70 soixante-dix
71 soixante et onze
72 soixante-douze
75 soixante-quinze
80 quatre-vingts
82 quatre-vingt-deux
86 quatre-vingt-six
90 quatre-vingt-dix
94 quatre-vingt-quatorze
99 quatre-vingt-dix-neuf

3c C'est quel numéro? Écrivez **a**, **b** ou **c**.

Listening. (1–8) Students listen to the recording and write down the letter (**a**, **b** or **c**) of the number heard.

You could go through the French for the different alternatives given before you play the tape.

Tapescript

1 75 – soixante-quinze
2 80 – quatre-vingts
3 62 – soixante-deux
4 71 – soixante et onze
5 99 – quatre-vingt-dix-neuf
6 83 – quatre-vingt-trois
7 90 – quatre-vingt-dix
8 78 – soixante-dix-huit

Answers

1 b	**2** a	**3** a	**4** c	**5** c	**6** b	**7** a	**8** b

Suggestion

Draw your students' attention to the Top Tip box which explains the way in which telephone numbers are said, in preparation for the coming exercises and work in activity 3e.

3d À deux. Notez 5 numéros de téléphone EN SECRET. Dites les numéros à votre partenaire en français. Votre partenaire note les numéros. Comparez vos résultats.

Speaking. Students work in pairs. Each student writes down five 10-digit numbers, keeping them secret. The first student then says his/her five numbers in French to his/her partner, who notes them down. The partner then says his/her numbers in French to the first student, who notes them. When both partners have finished, they compare notes to see if the numbers have been noted correctly. It is a good idea to demonstrate the activity yourself first, to the whole class, using a student partner.

3e Notez les numéros de téléphone.

Listening. (1–8) Students listen to the recording and write down the phone numbers they hear.

Tapescript (answers)

1 03 – 92 – 77 – 56 – 32
2 01 – 03 – 82 – 67 – 56
3 04 – 14 – 95 – 73 – 12
4 02 – 22 – 08 – 88 – 88
5 01 – 31 – 17 – 90 – 11
6 04 – 40 – 29 – 02 – 21
7 05 – 59 – 35 – 12 – 23
8 02 – 66 – 44 – 01 – 09

1 Qu'est-ce que vous voulez faire dans la vie? (Student's Book pages 54–55)

Main topics and objectives

- Talking about your future career
- Saying where you would like to work, and with whom

Grammar

- Recognising the future tense
  Je travaillerai chaque jour
  Je voyagerai dans le monde

Key language

Je voudrais travailler …
dehors/en plein air/à l'intérieur/avec les enfants/
les personnes âgées/les gens/les malades/les animaux/
les ordinateurs
Je ne voudrais pas travailler …
dans un bureau/un magasin/une banque/
une usine/une école/le commerce/le marketing/
le tourisme/l'informatique.
Je voudrais être serveur/serveuse.
Je voyagerai dans le monde/Je travaillerai
chaque jour.

Resources

Cassette B, side 1
CD 2, track 3
Cahier d'exercices, pages 26–33
Grammaire 3.6, page 185

Suggestion

Introduce the topic by explaining in simple language why you became a teacher.

1a Choisissez un emploi pour chaque personne ci-dessous.

Reading. Ask students to write down the names of the four young people. Students match each person with one of the jobs in the newspaper advertisements.

Answers

Philippe = vendeur
Sophie = opératrice d'ordinateur
Adrien = vétérinaire
Stéphanie = technicienne de laboratoire

1b Choisissez un emploi pour chaque personne.

Listening. (1–5) Students listen to the recording and match each speaker with the appropriate job from those remaining in the newspaper advertisements. They use the table for help.

Tapescript

1 *Je voudrais travailler en plein air quelquefois, et puis aussi dans un bureau. Je veux travailler avec les gens, aider les gens, et avoir un métier très passionnant.*
2 *J'aimerais travailler avec les enfants. Ça me plairait de faire le ménage et un peu de cuisine aussi.*
3 *Je voudrais travailler dans le secteur du tourisme, peut-être dans le restaurant d'un de nos grands hôtels.*
4 *Mon rêve, c'est de travailler en plein air. Je n'ai pas envie de passer mon temps derrière un ordinateur. J'aime être dehors.*
5 *Soigner les malades à l'hôpital, c'est ce que je veux faire dans la vie. Ça me permettra de travailler avec les enfants et les personnes âgées aussi.*

Answers

1 i **2** e **3** a **4** f **5** b

➕ Students write a sentence for each of the jobs listed in the newspaper on page 54 of the Student's Book, saying whether they would like to do that job – why? or, why not?

➕ Students use the dictionary to make a list of jobs where knowledge of French would be useful.

1c Écrivez vos projets d'avenir en français.

Writing. Ask students to write down their own plans for the future basing their sentences on the table in activity 1b.

➕ Students make a careers poster for a job of their choice.

1d À deux. En français:

Speaking. In pairs, students work through the conversation three times taking it in turns to ask the questions. The first time through, they use the first set of pictures. The second time through, they use the second set of pictures. Then each partner should have a go at giving their own personal answers to the questions (as indicated by the question mark). Ask your students to keep repeating the conversations, so they become increasingly fluent and faster.

2a Lisez les projets d'avenir de ces 5 jeunes. Qui …?

Reading. (1–8) Students read the texts and identify to whom each statement applies.

Answers

1 Vincent **2** Anne **3** Hassiba **4** Romain **5** Yoann
6 Anne **7** Hassiba **8** Romain

2b Qui parle? Anne, Vincent, Yoann, Hassiba ou Romain?

Listening. (1–5) Students listen to the recording and identify the speaker each time. They need to look back at the texts in activity 2a.

Tapescript

1 *Si tout va bien, je serai footballeur, parce que le sport, c'est ma passion.*
2 *J'espère être informaticien, parce que c'est l'informatique qui m'intéresse le plus.*
3 *Je devrai faire des études de langues pour faire le métier qui m'intéresse. C'est un métier très dur, parce qu'il faut se concentrer tout le temps.*
4 *Je n'ai aucune idée de ce que je veux faire dans la vie, mais ce que je sais, c'est que je visiterai beaucoup de pays différents à l'avenir.*
5 *Comme il y a plein de touristes dans ma région, je travaillerai tout près de chez moi, sur un terrain de camping.*

Answers

1 Vincent **2** Yoann **3** Anne **4** Romain **5** Hassiba

2 Avez-vous un job?

(Student's Book pages 56–57)

Main topics and objectives

- Talking about part-time jobs and work experience

Grammar

- Interrogative pronouns
- Asking questions using intonation
  Tu travailles où?
  Tu commences à quelle heure?

Key language

Tu travailles où?
J'ai un petit job d'été.
Je travaille dans un grand hypermarché/Je distribue le courrier.
Tu commences/finis à quelle heure?
Je commence/finis à … heures.
Comment vas-tu au travail?
Je vais au supermarché en bus/en voiture/en car/ en métro/à pied.
Le trajet dure combien de temps?
Le trajet dure … minutes.
Combien est-ce que tu gagnes?
Je gagne … par heure/par semaine.
Tu aimes ton job?
J'aime mon job parce que c'est bien payé/assez varié.
J'ai travaillé …

Resources

Cassette B, side 1
CD 2, track 4
Cahier d'exercices, pages 26–33
Grammaire 4.2, page 187

Suggestion

Read the newspaper article through with your class, getting different students to read the different roles.

1a Copiez et complétez la grille en français.

Reading. Having copied the grid, students fill in the details in French according to the text.

Answers

	Valérie	Fanch
Job:	travaille dans un supermarché	distribue les journaux
Heures:	8h30–17h/11h–20h	5h30
Transport:	en bus	à pied/à vélo
Salaire:	€5,90 par heure	€12,20 par semaine
Opinion(s):	bien payé, varié	ennuyeux, mal payé

1b Regardez les questions dans l'interview. Trouvez le français pour …

Reading. (1–6) Students find the French for the interrogative pronouns in the text.

Answers

1 où?
2 à quelle heure?
3 comment?
4 combien de temps?
5 combien?
6 pourquoi?

➕ In conjunction with *Le Détective* box, students use the question words and write three correct questions (on any subject) for each one.

1c Écoutez une autre interview. Coralie répond aux mêmes questions. Notez ses réponses.

Listening. (1–7) Students listen to the recording and hear responses to the same questions as used for 1a. They write down the speaker's answers in French.

Tapescript (Answers)

– *Bonjour, Coralie. Tu travailles où?*
– ***Je travaille dans le centre sportif** de mon village. **Je travaille tous les samedis.***
– *Tu commences à quelle heure?*
– ***Je commence à 9h15.***
– *Tu finis à quelle heure?*
– *D'habitude, **je finis vers une heure quinze**, je ne fais que 4 heures par jour.*
– *Comment vas-tu au travail?*
– ***J'y vais à vélo**, parce que c'est tout près de chez moi.*
– *Et le trajet dure combien de temps?*
– ***Le trajet dure 5 minutes.***
– *Combien est-ce que tu gagnes?*
– ***Je gagne €6,10 de l'heure.***
– *Tu aimes ton job?*
– ***Oui, c'est chouette.***
– *Et pourquoi?*
– ***Parce que j'adore le sport**, et j'ai l'occasion d'en faire pendant la journée. En plus, j'ai le droit d'avoir une réduction de prix pour les activités sportives, pendant le reste de la semaine.*

1d À deux. Parlez de votre travail.

Speaking. Working in pairs, one student asks the seven interview questions, while the partner answers according to the set of pictures labelled **a**. They then change roles and repeat the conversation using the set of pictures labelled **b**.

2a Copiez et remplissez les blancs.

Writing. Draw students' attention to the Top Tip box before they start this activity. Students fill the gaps with the correct verbs from the box.

Answers

*J'ai **travaillé** dans un bureau chez France-Télécom. J'ai **commencé** à huit heures et j'ai **fini** à quatre heures et demie. Mon patron **était** sympa. Je suis **allé** au bureau à pied. J'ai **tapé** des lettres sur ordinateur, j'ai **distribué** le courrier et j'ai **répondu** au téléphone. J'ai gagné €40 par semaine. C'**était** chouette!*

2b Marc a fait son stage en entreprise aussi. Vrai ou faux?

Listening. (1–6) With your class, anticipate the sort of answers they might hear for each response. Students then listen to the recording and decide whether the sentences are true or false.

Tapescript

- *Salut, j'ai fait mon stage en entreprise dans un garage local, pendant 2 semaines. C'était absolument fantastique, vraiment bien mieux que le collège. J'ai aidé dans le bureau, ce qui était pas mal, euh … et j'ai travaillé sur ordinateur pour commander des pièces de rechange, mais ce qui m'a vraiment plu le plus, c'est quand j'ai réparé des voitures avec un autre mécanicien.*
- *Mon patron, Monsieur Gourbeault, il était vraiment gentil avec moi.*
- *Je suis allé au garage en bus, et j'ai commencé à huit heures et demie tous les jours. J'ai fini à cinq heures. Et comme je l'ai déjà dit, mon stage m'a vraiment bien plu.*

Answers

1 F **2** V **3** V **4** V **5** F **6** V **7** F

2c Vous avez fait votre stage en entreprise chez Marks & Spencer. Regardez les images à côté et parlez de votre stage en entreprise.

Speaking. Working in pairs, students prepare a short talk about their work experience, based on the information given.

3 Je cherche un poste

(Student's Book pages 58–59)

Main topics and objectives

- Writing a letter of application and a CV
- Answering questions in a job interview

Grammar

- Present tense
- *Pouvoir* + inf.

Key language

Je voudrais un poste comme serveur(euse)/chef de cuisine/réceptionniste/ femme/homme de chambre.
Pendant mon stage en entreprise j'ai travaillé …
J'ai aussi un job. Je travaille …
Je peux commencer le … et continuer jusqu'au …
Je suis travailleur(euse)/sérieux(euse).
J'ai aussi un bon sens de l'humour.

Resources

Cassette B, side 1
CD 2, track 5
Cahier d'exercices, pages 26–33

Suggestion

Look at the job advertisement with your class, and get them to answer questions about where the hotel is, what kind of jobs are available, and what you have to do if you want to apply.

You could tell them about students who work abroad for their work experience, or who take holiday jobs in France. If you have older students who have done this, they may be willing to come and tell your class about their experiences.

1 Copiez la lettre de demande d'emploi dans cet hôtel, et remplissez les blancs avec les mots ci-dessous.

Reading. Students fill in the blanks in the letter using the words in the box. Encourage them to look at the words around the blanks, and to do the ones they can do first, coming back to the ones which are left.

Answers

chère, journal, poste, gens, travaillé, stage, job, sérieuse, humour, parle, CV, sentiments

R Students make up an advertisement similar to the one on page 58 of the Student's Book for another business that wants to hire staff.

2a Lisez le CV et indiquez si les phrases sont vraies ou fausses.

Reading. (1–7) Students read the CV and decide if the statements are true or false.

Answers

1 vrai **2** vrai **3** faux **4** faux **5** vrai **6** vrai **7** vrai

R Students write out in English all that they learn about Alice Smith from her letter and CV.

2b Copiez et complétez le CV de Luc.

Listening. Having copied out the CV, students listen to the recording and fill in the details in French.

Tapescript

– Eh bien, je dois vraiment faire ce CV ce soir.
– Bon, nom, c'est ROBERT … R–o–b–e–r–t … très bien, Robert. Et puis je n'ai qu'un prénom, Luc … L–u–c.
– Ok, mon adresse … numéro 5, avenue de Paris, Nice … N–i–c–e.
– Mon anniversaire c'est le 30 septembre 1986 … le trente septembre … mille neuf cent … quatre-vingt-six.
– Et le lieu de naissance? Ça c'est facile, c'est Paris.
– Bon, mes études … Ok, mon école, c'est le Lycée Racine … R–a–c–i–n–e. C'est bien ça? Oui, R–a–c–i–n–e.
– Et mes matières? Oh, j'en ai pas mal … disons le français et l'anglais, les maths, la chimie, la musique, euh…, le dessin et la géographie. Ça fait combien? 1… 2 … 3 … ça fait sept, oui c'est juste. Français, anglais, maths, chimie, musique, dessin, géo. Ok, très bien.
– Ben, est-ce que j'ai de l'expérience? Mettons babysitting. C'est tout ce que j'ai fait jusqu'à maintenant.
– Et mes loisirs? Le sport, surtout, j'adore ça … et puis le rock et mettons aussi … le cinéma.

Answers

Nom: Robert
Prénoms: Luc
Addresse: 5, av. de Paris, Nice
Date de naissance: 30, septembre, 1986
Lieu de naissance: Paris
École(s): Le Lycée Racine
Matières étudiées: le français, l'anglais, les maths, la chimie, la musique, le dessin, la géographie
Expérience: Babysitting
Loisirs: Le sport, le rock, le cinéma

2c Écrivez votre propre CV en français.

Writing. Students write their own CV in French.

3 À deux. Vous voulez un poste dans le nouvel hôtel. Préparez vos réponses à ces questions en français. Pratiquez la conversation avec un partenaire.

Speaking. In pairs, students work through the conversation, taking it in turns to ask the questions. Encourage them to use their imagination. For example, one could be the perfect candidate, the other a disastrous one with no relevant experience nor personal qualities.

➕ Students write out the whole conversation.

MODULE 4 AU BOULOT

4 La communication

(Student's Book pages 60–61)

Main topics and objectives

- Answering a phone call, and taking a message
- Understanding phone messages

Grammar

- Revision of verbs in the infinitive

Key language

C'est … à l'appareil.
Je peux vous aider?
Je voudrais parler à … s'il vous plaît.
C'est de la part de qui?
Est-ce que je peux laisser un message?
Votre nom, comment ça s'écrit?
Ça s'écrit …
Quel est votre message?
Quel est votre numéro de téléphone?
… peut vous rappeler à quelle heure?
À partir de …

Resources

Cassette B, side 1
CD 2, track 6
Cahier d'exercices, pages 26–33

Suggestion

Explain that answering the phone is an important skill, and point out that students may have to deal with a call from France while on work experience or doing a part-time job in this country.

1a Écoutez et pratiquez la conversation avec un partenaire.

Listening. Students listen to the recorded conversation reproduced in the book (page 60).

Tapescript

– *Good morning, Eau Naturelle, can I help you?*
– *Bonjour, monsieur, parlez-vous français?*
– *Ah oui, bonjour madame. C'est Matthew à l'appareil. Je peux vous aider?*
– *Je voudrais parler à Monsieur Foley, s'il vous plaît.*
– *C'est de la part de qui?*
– *Je suis Fabienne Alalain.*
– *Merci. Ne quittez pas ... Ah, euh … je regrette, mais il n'est pas là.*
– *Est–ce que je peux laisser un message?*
– *Bien sûr. Votre nom, comment ça s'écrit?*
– *Ça s'écrit A–L–A–L–A–I–N.*
– *Et quel est votre message?*
– *Dites–lui que je ne peux pas venir à la réunion demain.*
– *Merci beaucoup, c'est noté. Quel est votre numéro de téléphone, s'il vous plaît?*
– *C'est le 02-45-75-89-23.*
– *Et Monsieur Foley peut vous rappeler à quelle heure?*
– *Á partir de dix heures et demie.*
– *Merci, merci, madame. Au revoir!*

1b Trouvez le français dans la conversation pour …

Reading. Students find these key expressions in the text and note them.

Answers

C'est Matthew à l'appareil
Je voudrais parler à …
C'est de la part de qui?
Ne quittez pas
Il n'est pas là
Est-ce que je peux laisser un message?
Votre nom, comment ça s'écrit?
Quel est votre message?
Quel est votre numéro de téléphone?
Monsieur Foley peut vous rappeler à quelle heure?

1c Trouvez la fin de chaque message téléphonique.

Reading. (1–6) Students find the ending to each telephone message that makes sense. First, encourage them to look at the beginnings and work out exactly what they mean.

Answers

1 d **2** a **3** e **4** f **5** c **6** b

+ Students write out the messages in English.

1d À deux. Répétez la conversation **1a**, mais changez les détails soulignés.

Speaking. In pairs, students read the conversation at the start of the unit. They then practise reading it again but replace the highlighted words with other examples of their own. You might want to demonstrate this first. Encourage correct question intonation.

2a Écoutez les messages sur le répondeur téléphonique. Identifiez qui a téléphoné.

Listening. (1–6) Students listen to the recording and identify which picture goes with each speaker.

Tapescript

1 – *Allô ... je suis vraiment désolé, mais je ne peux pas vous voir aujourd'hui. J'ai dû aller en Amérique pour voir un autre client. C'est ...*
2 – *Allô, bonjour, je m'excuse mais j'avais oublié que j'ai une autre réunion aujourd'hui à 14 heures, je ne peux pas vous voir comme prévu. Est-ce qu'on peut prendre un rendez-vous pour demain? C'est ...*
3 – *Allô, allô, c'est ... écoutez, je vais être en retard parce que j'ai perdu les clefs de ma voiture.*
4 – *Bonjour, c'est ... J'ai manqué le train et il n'y a plus de trains aujourd'hui. Excusez-moi, mais je ne peux pas venir à la réunion.*
5 – *Allô? Allô? Écoutez, mon fils est malade, et je dois rester chez moi aujourd'hui pour m'occuper de lui. Je ne viens pas à la réunion, excusez-moi. C'est ...*
6 – *Bonjour, oui, écoutez, je regrette mais je me sens tellement malade que je ne peux pas vous voir aujourd'hui. Je suis vraiment désolé mais je vais rester au lit. C'est ...*

Answers

1 Monsieur Dubois
2 Madame Pinaud
3 Madame Chancel
4 Madame Jouve
5 Monsieur Flies
6 Monsieur Nouget

➕ Students write six messages giving strange excuses why they cannot attend a meeting. For example: *Je dois m'occuper de l'éléphant.*

2b Regardez les images **2a**. Déchiffrez les codes pour trouver les messages secrets. Qui a écrit chaque message?

Writing. Students work out the secret coded messages, and write out the message in French. They then match each message with one of the pictures used in activity 2a.

Answers

1 (alphabet numbered in order) je dois aller à une autre réunion = Mme Pinaud
2 ('a' placed between each letter) je suis malade = M. Nouget
3 (letter after used) je suis en route pour New York = M. Dubois
4 (words written backwards) j'ai perdu les clefs de ma voiture = Mme Chancel
5 (letter before used) j'ai manqué le train = Mme Jouve
6 (mixed up words) je dois m'occuper du bébé = M. Flies

2c À deux. Écrivez 3 messages téléphoniques français en code secret. Est-ce que votre partenaire peut les comprendre?

Writing. Students write their messages in French, then encode them in whichever way they want. They can give their coded messages to a partner to try to decipher. You could ask some students to put their coded messages on the board for the class to work out.

Suggestion

Write the alphabet on the board, and suggest a simple code (e.g. a number for each letter) for all to use.

5 Le monde du travail

(Student's Book pages 62–63)

Main topics and objectives

- Talking about issues in the world of work
- Giving opinions
- Taking a year out
- Discussing the advantages and disadvantages of different jobs

Grammar

- *Je voudrais*

Key language

Je voudrais travailler à l'étranger/perfectionner mon français/voyager/prendre une année sabbatique/visiter d'autres pays/gagner de l'argent.
C'est bien/mal payé/satisfaisant/stressant etc.
On peut voyager.
On aide les gens.
Il y a beaucoup de possibilités de ...
Les études sont longues.
Les heures sont irregulières.
Les conditions peuvent être dangereuses.

Resources

Cassette B, side 1
CD 2, track 7
Cahier d'exercices, pages 26–33

Suggestion

Introduce the phrase *une année sabbatique* and pick up the theme of the previous unit by asking students in turn:

Qu'est-ce que vous allez faire après l'école?

Those who are planning on taking a gap year can use the new phrase, and you can elicit further information by asking:

Qu'est-ce que vous allez faire pendant votre année sabbatique?

Ask students to come up with ideas of what people do during such a year, and assemble this list on the board for reference later on.

1a Lisez le texte et répondez aux questions en anglais.

Reading. (1–9) This newspaper article focuses on the benefits of working abroad, including taking a gap year, and is exploited by comprehension questions in English.

Answers

1 To go and see the world.
2 It is normal to work abroad.
3 In London.
4 To improve your command of a foreign language; to become familiar with another culture; to get experience of another country, which is good on your CV.
5 He wants to earn a lot of money and work with others.
6 He hopes to travel and improve his English.
7 A gap year.
8 They travel around the world, or work in Africa or India.
9 It widens your horizons.

1b Notez si ces jeunes sont pour (✓) ou contre (✗) une année sabbatique.

Listening. (1–6) Students decide whether each speaker is for or against a gap year. As an extension, they could listen again and note the reasons why.

Transcript

1 *Je pense qu'une année sabbatique est une très bonne idée parce qu'on peut visiter d'autres pays et voyager.*
2 *Je n'aimerais pas prendre une année sabbatique parce que j'ai un petit ami et je ne voudrais pas le quitter pendant une année entière.*
3 *J'ai envie de faire mes études au Canada, et j'aurai besoin d'argent. Pour moi, une année sabbatique me permettra de gagner de l'argent. Je travaillerai dans un magasin pour en gagner assez.*
4 *Une année sabbatique, ça élargit les horizons.*
5 *Je dois commencer à travailler immédiatement après avoir passé mes examens, parce que ma famille n'a pas beaucoup d'argent. Une année sabbatique, ce n'est pas pour moi.*
6 *J'aimerais perfectionner mon espagnol. Une année sabbatique passée en Espagne, ça serait super.*

Answers

1 ✓ 2 ✗ 3 ✓ 4 ✓ 5 ✗ 6 ✓

1c À deux. En français.

Speaking. Students now have the opportunity to answer for themselves, and two options are given, but the activity can easily be extended by choosing different options from the list of ideas assembled at the beginning of the unit.

2a Regardez le texte et lisez les phrases 1–7. C'est 'ingénieur', 'infirmier' ou 'les deux'?

Reading. An introduction to the advantages and disadvantages of various jobs. Students read the statements which follow and decide which job is being referred to. Point out the usefulness of *on* here.

Answers

1 infirmier	**2** les deux	**3** les deux	**4** ingénieur
5 ingénieur	**6** infirmier	**7** infirmier	

2b Copiez et complétez la grille.

Listening. (1–5) Students fill in the grid with details of the job and its merits and disadvantages.

Transcript

1 – *Excusez-moi, mademoiselle, mais quel est votre métier?*
– *Je suis agent de police.*
– *Donnez-moi un avantage et un inconvénient de votre métier, s'il vous plaît.*
– *Je dirais que c'est assez bien payé, mais les heures sont irrégulières.*

2 – *Excusez-moi, monsieur, qu'est-ce que vous faites dans la vie?*
– *Je suis médecin. Je travaille dans un hôpital.*
– *Pouvez-vous me donner un avantage et un inconvénient de votre métier?*
– *Un avantage, c'est qu'il y a beaucoup de possibilités pour développer sa carrière. Mais les études sont longues pour devenir médecin, vous savez.*

3 – *Pardon, monsieur, quel est votre métier?*
– *Je suis steward – je travaille pour Air France.*
– *Donnez-moi un avantage et un inconvénient de votre métier, s'il vous plaît.*
– *Dans mon métier, on a l'occasion de voyager, bien sûr, et ça, c'est vraiment quelque chose d'agréable. Pourtant, c'est un travail fatigant et stressant, parce qu'on n'est jamais assis.*

4 – *Bonjour, madame, qu'est-ce que vous faites dans la vie?*
– *Je suis coiffeuse.*
– *Vous pouvez me donner un avantage et un inconvénient de votre métier?*
– *Malheureusement, c'est un métier qui est mal payé, mais c'est amusant.*

5 – *Bonjour, mademoiselle, qu'est-ce que vous faites dans la vie?*
– *Je suis professeur, professeur de sciences.*
– *Vous pouvez me donner un avantage et un inconvénient de votre métier?*
– *C'est bien parce qu'on aide les gens, et j'aime le contact avec les jeunes. Mais les heures sont très longues parce qu'il faut faire beaucoup de travail à la maison.*

Answers

métier	+	–
1 agent de police	assez bien payé	heures irrégulières
2 médecin	possibilité de développer sa carrière	études longues
3 steward	aime voyager	stressant
4 coiffeuse	amusant	mal payé
5 prof. de sciences	contact avec les jeunes	beaucoup de travail à la maison

2c Préparez une grille sur les avantages et les inconvénients de deux métiers de votre choix.

Writing. Students follow up the previous activity by filling in a similar grid with jobs of their choosing. You could extend this by giving pairs the name of a job, for which they should think of advantages and disadvantages.

3 Faites correspondre le français et l'anglais.

Reading. A brief introduction to the problem of unemployment, and how it affects society as a whole as well as individuals. No detailed exploitation is intended here – recognition of the vocabulary is tested by matching the French headline with its English equivalent.

Answers

1 c	**2** g	**3** f	**4** d	**5** a	**6** e	**7** b

➕ Students follow up Activity **1c** (future plans) by conducting a survey amongst their group as follows:

Qu'est-ce que tu vas faire à dix-huit ans?

Aller à l'université ☐
Trouver un emploi ☐
Voyager / travailler à l'étranger ☐
Prendre une année sabbatique ☐
Autre chose ☐

Students analyse their results to find out which is the most popular choice.

➕ Students repeat Activity **2c**, this time in relation to the job they hope to do in the future.

➕ Students make Activity **2c** into a guessing game. They write the advantages and disadvantages of a particular job, and ask their partner or group to work out which job it is. They will need to include enough details to give them some clues!

Entraînez-vous

(Student's Book pages 64–65)

Speaking practice and coursework

À l'oral

Topics revised

- Making a phone call
- Arranging a holiday job in France
- Talking about your ideal job
- Describing your work experience

1 You are in France and decide to phone your penfriend, but he/she is out.

Role-play. In pairs, students perform each role-play. They can take it in turns to be the 'parent', doing the role-play twice.

2 You telephone a campsite owner because you would like a holiday job in the campsite restaurant.

Role-play. In pairs, students perform each role-play. They can take it in turns to be the 'campsite owner', doing the role-play twice.

3 Talk for one minute on the subject of your work experience. Make yourself a cue card.

Presentation. Students give a short talk about their work experience. This can be:

- prepared in the classroom or at home;
- recorded on tape;
- students can give their talk to a small group of other students; *or*
- certain students can be chosen to give their talk to the whole class.

The main thing is that students become used to speaking from notes, not reading a speech.

Questions générales

Speaking. These are key questions to practise for the oral exam, taken from the module as a whole. Students can practise asking and answering the questions in pairs. They should be encouraged to add as much detail as possible. It is often a good idea to write model answers together in class.

Tell students never to answer with just OUI or NON, but always to give a reason.

À l'écrit

Topics revised

- Describing your character
- Writing a job application letter
- Describing your ideal job
- Describing your likes, dislikes, strengths and weaknesses
- Opinions

1 Describing your ideal job.

An AQA Specification A coursework-style task (Theme 4.4), requiring students to write 70–100 words about their ideal future job. Suggestions and useful language and tips are provided for guidance. The task requires students to justify their choice of job on the basis of their own personality, likes, dislikes and work experience.

2 Your task is to write a letter of application for a part-time job.

An AQA Specification B modular coursework-style **b** task (Module 3, topic C), for which students write a letter of application for a part-time job, about 90 words in total. A variety of tenses is required to describe past experience and future plans.

MODULE 4 AU BOULOT

À toi!

(Student's Book pages 166–167)

Self-access reading and writing at two levels

1a Trouvez le bon métier.

Reading. (1–6) Students match the job summaries with the job titles.

Answers

1 E	**2** D	**3** A	**4** B	**5** F	**6** C

1b Match the English summary to the right paragraph.

Reading. (1–4) Having read the article, students choose the right summary for each of the four paragraphs. Remind students not to rely on the captions to convey the content of each paragraph – these may be 'myths' rather than 'reality'.

Answers

1 b	**2** d	**3** a	**4** c

1c Choisissez la bonne fin pour chaque phrase.

Reading. Students show their understanding of the text by selecting the correct sentence endings from multiple-choice alternatives, requiring understanding of future tense forms.

Answers

1 b	**2** c	**3** a	**4** a

2 Copiez et complétez la grille. Trouvez des métiers.

Writing. A further oppportunity to test knowledge of jobs vocabulary and to practise dictionary skills, should students wish to find the French for more unusual job titles, or for ones they do not already know.

3 Écrivez une lettre en français au directeur du 'Monde de la Musique'. Il faut mentionner:

Writing. Students write a letter of application for the job advertised in the book. They must be sure to cover all the points. You could go through the task orally as a class, ensuring your students have an idea of what to write for each prompt. Language support is provided.

Cahier d'exercices, page 26

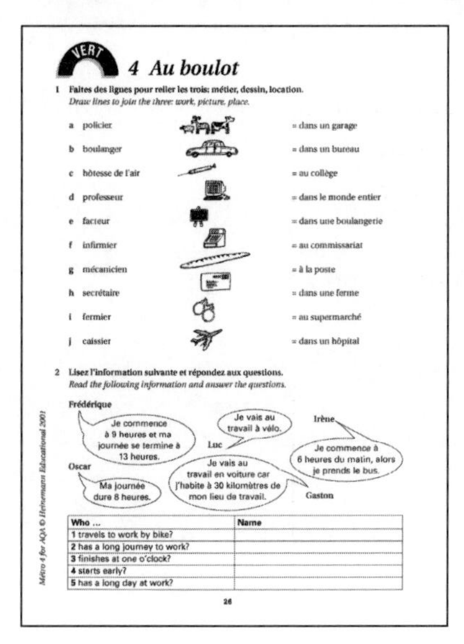

4 Au boulot

1 Faites des lignes pour relier les trois: métier, dessin, location.
Draw lines to join the three: work, picture, place.

a policier = dans un garage
b boulanger = dans un bureau
c hôtesse de l'air = au collège
d professeur = dans le monde entier
e facteur = dans une boulangerie
f infirmier = au commissariat
g mécanicien = à la poste
h secrétaire = dans une ferme
i fermier = au supermarché
j caissier = dans un hôpital

2 Lisez l'information suivante et répondez aux questions.
Read the following information and answer the questions.

Frédérique: Je commence à 9 heures et ma journée se termine à 13 heures.
Luc: Je vais au travail à vélo.
Irène: Je commence à 6 heures du matin, alors je prends le bus.
Oscar: Ma journée dure 8 heures.
Gaston: Je vais au travail en voiture car j'habite à 30 kilomètres de mon lieu de travail.

Who ...	Name
1 travels to work by bike?	
2 has a long journey to work?	
3 finishes at one o'clock?	
4 starts early?	
5 has a long day at work?	

26

1
Answers

a policier/handcuffs/au commissariat
b boulanger/bread/dans une boulangerie
c hôtesse de l'air/plane/dans le monde entier
d professeur/blackboard/au collège
e facteur/letter/à la poste
f infirmier/syringe/dans un hôpital
g mécanicien/car/dans un garage
h secrétaire/computer/dans un bureau
i fermier/animals/dans une ferme
j caissier/till/au supermarché

2
Answers

1 Luc; **2** Gaston; **3** Frédérique; **4** Irène; **5** Oscar

Cahier d'exercices, page 27

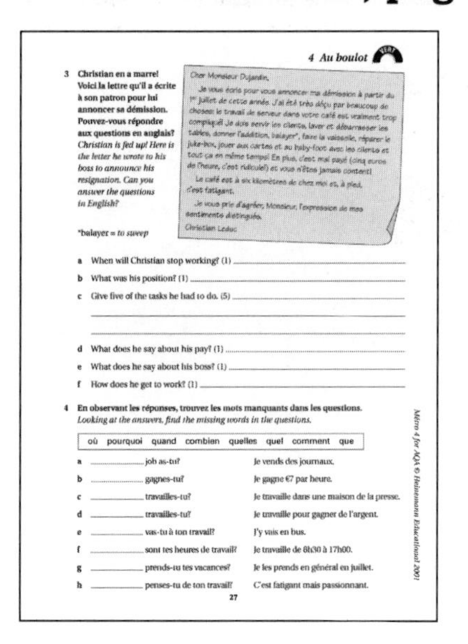

4 Au boulot

3 Christian en a marre! Voici la lettre qu'il a écrite à son patron pour lui annoncer sa démission. Pouvez-vous répondre aux questions en anglais?
Christian is fed up! Here is the letter he wrote to his boss to announce his resignation. Can you answer the questions in English?

Cher Monsieur Dujardin,

Je vous écris pour vous annoncer ma démission à partir du 1er juillet de cette année. J'ai été très déçu par beaucoup de choses: le travail de serveur dans votre café est vraiment trop compliqué! Je dois servir les clients, laver et débarrasser les tables, donner l'addition, balayer*, faire la vaisselle, réparer le juke-box, jouer aux cartes et au baby-foot avec les clients et tout ça en même temps! En plus, c'est mal payé (cinq euros de l'heure, c'est ridicule!) et vous n'êtes jamais content!

Le café est à six kilomètres de chez moi et, à pied, c'est fatigant.

Je vous prie d'agréer, Monsieur, l'expression de mes sentiments distingués.

Christian Leduc

*balayer = *to sweep*

a When will Christian stop working? (1)
b What was his position? (1)
c Give five of the tasks he had to do. (5)
d What does he say about his pay? (1)
e What does he say about his boss? (1)
f How does he get to work? (1)

4 En observant les réponses, trouvez les mots manquants dans les questions.
Looking at the answers, find the missing words in the questions.

où pourquoi quand combien quelles quel comment que

a .... job as-tu? Je vends des journaux.
b .... gagnes-tu? Je gagne €7 par heure.
c .... travailles-tu? Je travaille dans une maison de la presse.
d .... travailles-tu? Je travaille pour gagner de l'argent.
e .... vas-tu à ton travail? J'y vais en bus.
f .... sont tes heures de travail? Je travaille de 8h30 à 17h00.
g .... prends-tu tes vacances? Je les prends en général en juillet.
h .... penses-tu de ton travail? C'est fatigant mais passionnant.

27

3
Answers

a from July 1st; **b** waiter; **c** any 5 from: serve the customers/clean and clear the tables/give the bills/sweep the floor/wash-up/mend the juke-box/play cards and table-football with the customers; **d** not enough/ridiculous; **e** never satisfied; **f** He walks.

4
Answers

a Quel; **b** Combien; **c** Où; **d** Pourquoi; **e** Comment; **f** Quelles; **g** Quand; **h** Que

Cahier d'exercices, page 28

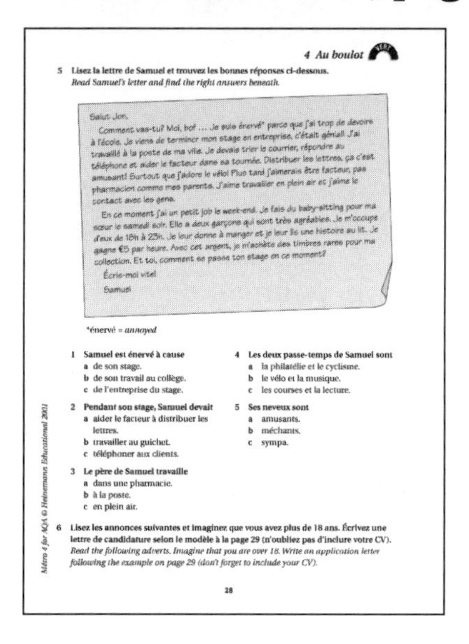

4 Au boulot

5 Lisez la lettre de Samuel et trouvez les bonnes réponses ci-dessous.
Read Samuel's letter and find the right answers beneath.

Salut Jon,

Comment vas-tu? Moi, bof ... Je suis énervé* parce que j'ai trop de devoirs à l'école. Je viens de terminer mon stage en entreprise, c'était génial! J'ai travaillé à la poste de ma ville. Je devais trier le courrier, répondre au téléphone et aider le facteur dans sa tournée. Distribuer les lettres, ça c'est amusant! Surtout que j'adore le vélo! Plus tard j'aimerais être facteur, pas pharmacien comme mes parents. J'aime travailler en plein air et j'aime le contact avec les gens.

En ce moment j'ai un petit job le week-end. Je fais du baby-sitting pour ma sœur le samedi soir. Elle a deux garçons qui sont très agréables. Je m'occupe d'eux de 18h à 23h. Je leur donne à manger et je leur lis une histoire au lit. Je gagne €5 par heure. Avec cet argent, je m'achète des timbres rares pour ma collection. Et toi, comment se passe ton stage en ce moment?

Écris-moi vite!

Samuel

*énervé = *annoyed*

1 Samuel est énervé à cause
a de son stage.
b de son travail au collège.
c de l'entreprise du stage.

2 Pendant son stage, Samuel devait
a aider le facteur à distribuer les lettres.
b travailler au guichet.
c téléphoner aux clients.

3 Le père de Samuel travaille
a dans une pharmacie.
b à la poste.
c en plein air.

4 Les deux passe-temps de Samuel sont
a la philatélie et le cyclisme.
b le vélo et la musique.
c les courses et la lecture.

5 Ses neveux sont
a amusants.
b méchants.
c sympa.

6 Lisez les annonces suivantes et imaginez que vous avez plus de 18 ans. Écrivez une lettre de candidature selon le modèle à la page 29 (n'oubliez pas d'inclure votre CV).
Read the following adverts. Imagine that you are over 18. Write an application letter following the example on page 29 (don't forget to include your CV).

28

5
Answers

1 b; **2** a; **3** a; **4** a; **5** c

Cahier d'exercices, page 29

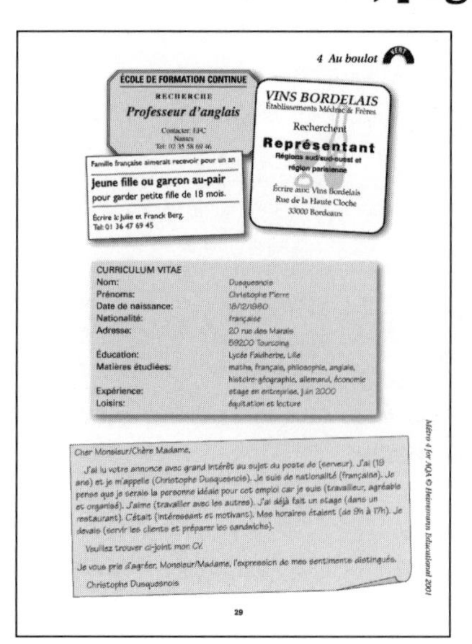

4 Au boulot

ÉCOLE DE FORMATION CONTINUE
RECHERCHE
Professeur d'anglais
Contacter: EFC
Nancy
Tél: 02 35 58 69 46

VINS BORDELAIS
Établissements Médrac & Frères
Recherchent
Représentant
Régions sud/sud-ouest et région parisienne
Écrire aux Vins Bordelais
Rue de la Haute Cloche
33000 Bordeaux

Famille française aimerait recevoir pour un an
Jeune fille ou garçon au-pair
pour garder petite fille de 18 mois.
Écrire à: Julie et Franck Berg
Tél: 01 36 47 69 45

CURRICULUM VITAE

Nom:	Dusquesnois
Prénoms:	Christophe Pierre
Date de naissance:	18/12/1980
Nationalité:	française
Adresse:	20 rue des Marais 59200 Tourcoing
Éducation:	Lycée Faidherbe, Lille
Matières étudiées:	maths, français, philosophie, anglais, histoire-géographie, allemand, économie
Expérience:	stage en entreprise, juin 2000
Loisirs:	équitation et lecture

Cher Monsieur/Chère Madame,

J'ai lu votre annonce avec grand intérêt au sujet du poste de (serveur). J'ai (19 ans) et je m'appelle (Christophe Dusquesnois). Je suis de nationalité (française). Je pense que je serais la personne idéale pour cet emploi car je suis (travailleur, agréable et organisé). J'aime (travailler avec les autres). J'ai déjà fait un stage (dans un restaurant). C'était (intéressant et motivant). Mes horaires étaient (de 9h à 17h). Je devais (servir les clients et préparer les sandwichs).

Veuillez trouver ci-joint mon CV.

Je vous prie d'agréer, Monsieur/Madame, l'expression de mes sentiments distingués.

Christophe Dusquesnois

29

Cahier d'exercices, page 30

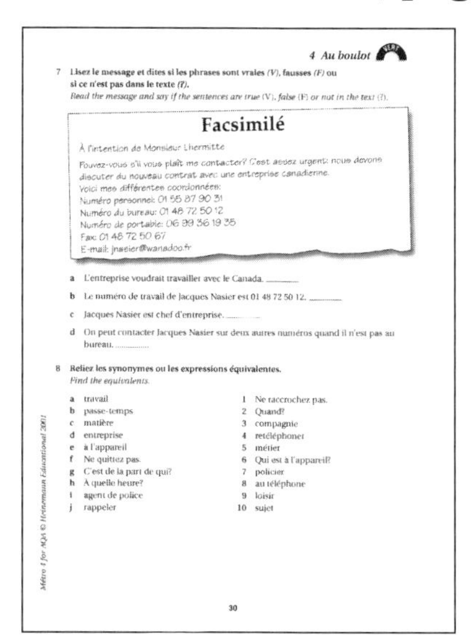

4 Au boulot

7 **Lisez le message et dites si les phrases sont vraies *(V)*, fausses *(F)* ou si ce n'est pas dans le texte *(?)*.**
Read the message and say if the sentences are true (V), false (F) or not in the text (?).

Facsimilé

À l'intention de Monsieur Lhermitte

Pouvez-vous s'il vous plaît me contacter? C'est assez urgent: nous devons discuter du nouveau contrat avec une entreprise canadienne.
Voici mes différentes coordonnées:
Numéro personnel: 01 55 87 90 31
Numéro du bureau: 01 48 72 50 12
Numéro de portable: 06 99 36 19 35
Fax: 01 48 72 50 67
E-mail: jnasier@wanadoo.fr

a L'entreprise voudrait travailler avec le Canada. ______
b Le numéro de travail de Jacques Nasier est 01 48 72 50 12. ______
c Jacques Nasier est chef d'entreprise. ______
d On peut contacter Jacques Nasier sur deux autres numéros quand il n'est pas au bureau. ______

8 **Reliez les synonymes ou les expressions équivalentes.**
Find the equivalents.

a	travail	1	Ne raccrochez pas.
b	passe-temps	2	Quand?
c	matière	3	compagnie
d	entreprise	4	retéléphoner
e	à l'appareil	5	métier
f	Ne quittez pas.	6	Qui est à l'appareil?
g	C'est de la part de qui?	7	policier
h	À quelle heure?	8	au téléphone
i	agent de police	9	loisir
j	rappeler	10	sujet

30

7
Answers

a V; **b** V; **c** ?; **d** V

8
Answers

a 5; **b** 9; **c** 10; **d** 3; **e** 8; **f** 1; **g** 6; **h** 2; **i** 7; **j** 4

Cahier d'exercices, page 31

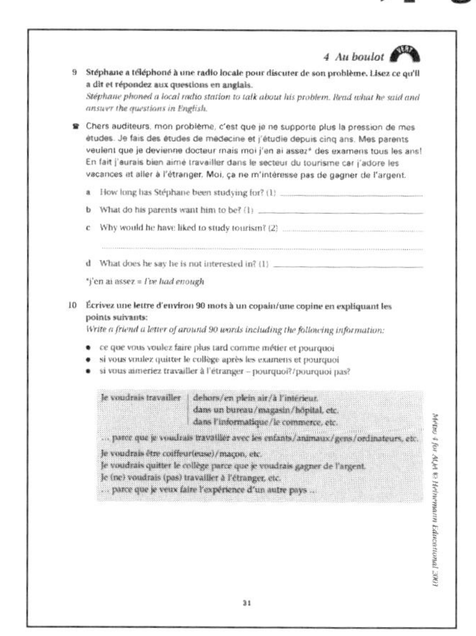

4 Au boulot

9 **Stéphane a téléphoné à une radio locale pour discuter de son problème. Lisez ce qu'il a dit et répondez aux questions en anglais.**
Stéphane phoned a local radio station to talk about his problem. Read what he said and answer the questions in English.

Chers auditeurs, mon problème, c'est que je ne supporte plus la pression de mes études. Je fais des études de médecine et j'étudie depuis cinq ans. Mes parents veulent que je devienne docteur mais moi j'en ai assez* des examens tous les ans! En fait j'aurais bien aimé travailler dans le secteur du tourisme car j'adore les vacances et aller à l'étranger. Moi, ça ne m'intéresse pas de gagner de l'argent.

a How long has Stéphane been studying for? (1) ______
b What do his parents want him to be? (1) ______
c Why would he have liked to study tourism? (2) ______
d What does he say he is not interested in? (1) ______

*j'en ai assez = *I've had enough*

10 **Écrivez une lettre d'environ 90 mots à un copain/une copine en expliquant les points suivants:**
Write a friend a letter of around 90 words including the following information:

- ce que vous voulez faire plus tard comme métier et pourquoi
- si vous voulez quitter le collège après les examens et pourquoi
- si vous aimeriez travailler à l'étranger – pourquoi?/pourquoi pas?

Je voudrais travailler | dehors/en plein air/à l'intérieur,
dans un bureau/magasin/hôpital, etc.
dans l'informatique/le commerce, etc.
... parce que je voudrais travailler avec les enfants/animaux/gens/ordinateurs, etc.
Je voudrais être coiffeur(euse)/maçon, etc.
Je voudrais quitter le collège parce que je voudrais gagner de l'argent.
Je (ne) voudrais (pas) travailler à l'étranger, etc.
... parce que je veux faire l'expérience d'un autre pays ...

31

9
Answers

a 5 years; **b** a doctor; **c** because he loves holidays and going abroad; **d** earning money

Cahier d'exercices, page 32

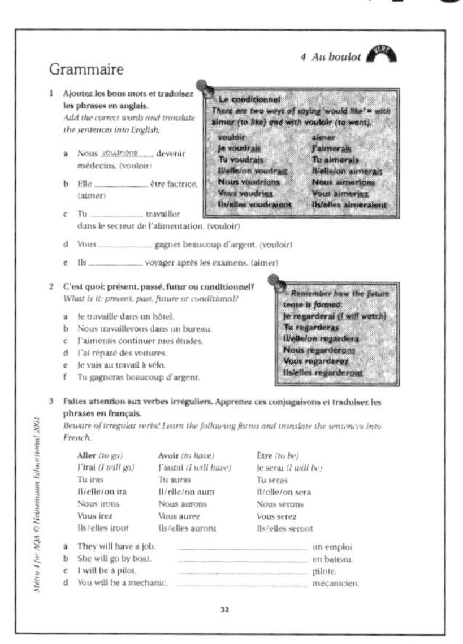

4 Au boulot

Grammaire

1 **Ajoutez les bons mots et traduisez les phrases en anglais.**
Add the correct words and translate the sentences into English.

Le conditionnel
There are two ways of saying 'would like' = with aimer (to like) and with vouloir (to want).

vouloir	aimer
Je voudrais	J'aimerais
Tu voudrais	Tu aimerais
Il/elle/on voudrait	Il/elle/on aimerait
Nous voudrions	Nous aimerions
Vous voudriez	Vous aimeriez
Ils/elles voudraient	Ils/elles aimeraient

a Nous *voudrions* devenir médecins. (vouloir)
b Elle ______ être factrice. (aimer)
c Tu ______ travailler dans le secteur de l'alimentation. (vouloir)
d Vous ______ gagner beaucoup d'argent. (vouloir)
e Ils ______ voyager après les examens. (aimer)

2 **C'est quoi: présent, passé, futur ou conditionnel?**
What is it: present, past, future or conditional?

a Je travaille dans un hôtel.
b Nous travaillerons dans un bureau.
c J'aimerais continuer mes études.
d J'ai réparé des voitures.
e Je vais au travail à vélo.
f Tu gagneras beaucoup d'argent.

Remember how the future tense is formed:
Je regarderai (I will watch)
Tu regarderas
Il/elle/on regardera
Nous regarderons
Vous regarderez
Ils/elles regarderont

3 **Faites attention aux verbes irréguliers. Apprenez ces conjugaisons et traduisez les phrases en français.**
Beware of irregular verbs! Learn the following forms and translate the sentences into French.

Aller *(to go)*	**Avoir** *(to have)*	**Être** *(to be)*
J'irai *(I will go)*	J'aurai *(I will have)*	Je serai *(I will be)*
Tu iras	Tu auras	Tu seras
Il/elle/on ira	Il/elle/on aura	Il/elle/on sera
Nous irons	Nous aurons	Nous serons
Vous irez	Vous aurez	Vous serez
Ils/elles iront	Ils/elles auront	Ils/elles seront

a They will have a job. ______ un emploi
b She will go by boat. ______ en bateau.
c I will be a pilot. ______ pilote.
d You will be a mechanic. ______ mécanicien.

32

Grammaire

1
Answers

a Nous voudrions devenir médecins.
b Elle aimerait être factrice.
c Tu voudrais travailler dans le secteur de l'alimentation.
d Vous voudriez gagner beaucoup d'argent.
e Ils aimeraient voyager après les examens.

2
Answers

a présent; **b** futur; **c** conditionnel; **d** passé; **e** présent; **f** futur

3
Answers

a Ils/Elles auront un emploi. **b** Elle ira en bateau.
c Je serai pilote. **d** Tu seras/Vous serez mécanicien.

Cahier d'exercices, page 33

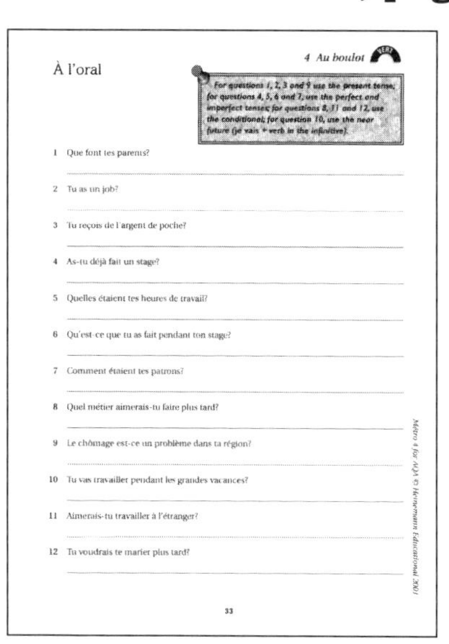

4 Au boulot

À l'oral

For questions 1, 2, 3 and 9 use the present tense; for questions 4, 5, 6 and 7, use the perfect and imperfect tenses; for questions 8, 11 and 12, use the conditional; for question 10, use the near future (je vais + verb in the infinitive).

1 Que font tes parents?
2 Tu as un job?
3 Tu reçois de l'argent de poche?
4 As-tu déjà fait un stage?
5 Quelles étaient tes heures de travail?
6 Qu'est-ce que tu as fait pendant ton stage?
7 Comment étaient tes patrons?
8 Quel métier aimerais-tu faire plus tard?
9 Le chômage est-ce un problème dans ta région?
10 Tu vas travailler pendant les grandes vacances?
11 Aimerais-tu travailler à l'étranger?
12 Tu voudrais te marier plus tard?

33

Module 5: Ma ville

(Student's Book pages 68–81)

Unit	Main topics and objectives	Grammar	Key language
Déjà vu (pp. 68–71)	Saying where your town is situated Saying where in the UK/Ireland you live Saying what there is in your town	*Y – il y a/il n'y a pas de …*	*Mon village/ma ville est situé(e) (dans le nord) (de la France).* *Le château/le stade/le musée/le parc/le magasin/ le collège/le syndicat d'initiative/la piscine/ l'hôtel de ville/l'hôpital/l'église* *Dans ma ville il y a (un stade).* *Il n'y a pas de (gare).* *J'habite à …*
1 Voici ma ville (pp. 72–73)	Talking about different kinds of town Saying where a town is Saying what a town is like Saying what kinds of housing are in a town	Position of adjectives	*Dans (mon village) il y a beaucoup de/plein de/pas mal de (maisons individuelles).* *Il n'y a pas d'HLM.*
2 Qu'est-ce que c'est qu'une ville typique? (pp. 74–75)	Saying what there is in a town Describing a local festival	The pronoun *on* Intonation in a list	*(Surgères) est (une ville) qui se trouve dans le (sud-ouest) de (la France).* *C'est (joli).* *Il y a (un centre commercial).* *Nous, on fête … le (date).* *Le matin/l'après-midi/le soir il y a (un défilé).* *et on (danse).*
3 Nos environs (pp. 76–77)	Making comparisons Explaining pros and cons Saying if you prefer the town or the country, and why; finding out how environmentally friendly you are	Comparative adjectives	*J'habite en ville/à la campagne.* *Je préfère habiter …* *La campagne est (moins sale) que la ville.* *La ville est (plus animée) que la campagne.* *Il y a moins de bruit.* *L'environnement est plus propre.* *Il n'y a aucun (cinéma).* *Il n'y a pas assez de magasins/il y a trop de pollution.* *L'avantage, c'est que …/L'inconvénient, c'est que…* *D'un côté …/d'un autre côté …* *Mais/Pourtant/Par contre …*
Entraînez-vous (pp. 78–79)	Speaking practice and coursework	Revision of: *Y – il y a …* Position of adjectives Past, present and future tenses *Depuis* + present tense	
À toi! (pp. 168–169)	Self-access reading and writing Simple ideas for protecting the environment Describing a large town you know well Describing your own town and where you would like to live	Position of adjectives Adjectival agreement *Pouvoir/vouloir* + inf. *Il y a/il n'y a pas …* The pronoun *on* Comparative adjectives Past, imperfect, present and future tenses. *Au/à la/ à l'/aux*	

MODULE 5 MA VILLE

Déjà vu

(Student's Book pages 68–71)

Main topics and objectives

- Saying where your town is situated
- Saying where in the UK/Ireland you live
- Saying what there is in your town

Grammar

- *Il y a/il n'y a pas de …*

Key language

Mon village/ma ville est situé(e) …
… dans le nord/le sud/l'est/l'ouest/le centre de la France/de l'Angleterre/de l'Écosse/de l'Irlande/du pays de Galles.
Le château/le stade/le musée/le parc/le magasin/le collège/le syndicat d'initiative/la piscine/l'hôtel de ville/l'hôpital/l'église
Dans ma ville il y a un stade/une gare/des magasins.
Il n'y a pas de stade/gare/magasins.
J'habite à …

Resources

Cassette B, side 1
CD 2, track 8
Cahier d'exercices, pages 34–40

Suggestion

Use the map on page 69 or an OHT map of France to present the key geographical features. You could make an overlay with the names of the main towns, rivers and mountain ranges marked in. Practise locating the various places with the overlay in position, then take it away and get students to locate the places on the map.

Introduce the compass points and *dans le centre* as you are doing this.

1a Copiez la boussole et placez les villes au bon endroit.

Listening. (1–5) Students copy the diagram. As they listen to the recording, they write the name of the five towns given in the correct place on the diagram.

Tapescript

- *Toulon se trouve dans le sud de la France.*
- *Cognac est une petite ville située dans l'ouest de la France.*
- *Nancy est dans l'est, près de la frontière allemande.*
- *Arras est dans le nord de la France.*
- *Et Clermont-Ferrand, c'est une grande ville qui se trouve au centre de la France.*

Answers

Toulon – south	Cognac – west	Nancy – east
Arras – north	Clermont-Ferrand – centre	

Suggestion

Use the map of the UK and Ireland on page 68 of the Student's Book to recap the home nations before students do Activity **1b**.

1b Indiquez si les phrases sont vraies ou fausses, et corrigez les phrases fausses.

Reading. (1–8) Students read the statements and decide if they are true or false. They correct the false ones by putting in the correct location.

Answers

1 F (sud-est de l'Angleterre) **2** V **3** V
4 F (sud de l'Écosse) **5** V **6** F (nord-est de l'Angleterre)
7 F (sud-est de l'Angleterre)
8 F (sud-ouest de l'Angleterre)

1c À deux. Copiez la boussole. EN SECRET, placez ces prénoms. Ensuite trouvez qui habite où.

Speaking. Students create their own answer-gap activity.

Suggestion

Demonstrate the activity at the front, with yourself and a student partner, before getting your students to work in pairs.

Each student prepares a diagram and puts each of the names given into a location

For example:

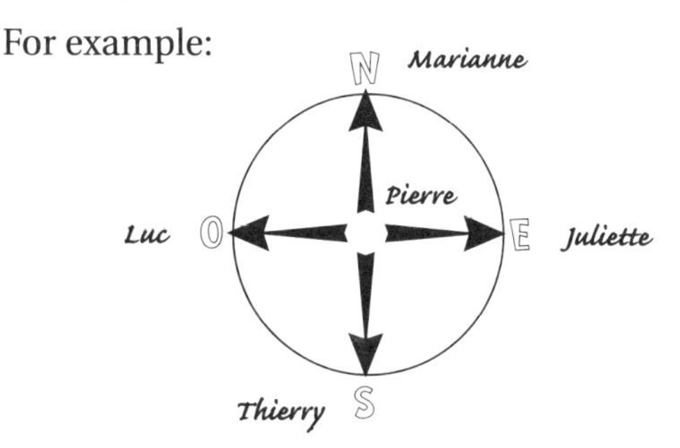

In pairs, students take turns to try to find out where the five names are placed.

The first partner says, for example: *Juliette habite dans l'ouest?*

The second partner looks at the diagram they have drawn and answers OUI or NON.

Then the second partner makes a guess about the first partner's diagram. (Similar to 'Battleships').

The partner who locates all five of his/her partner's names first is the winner.

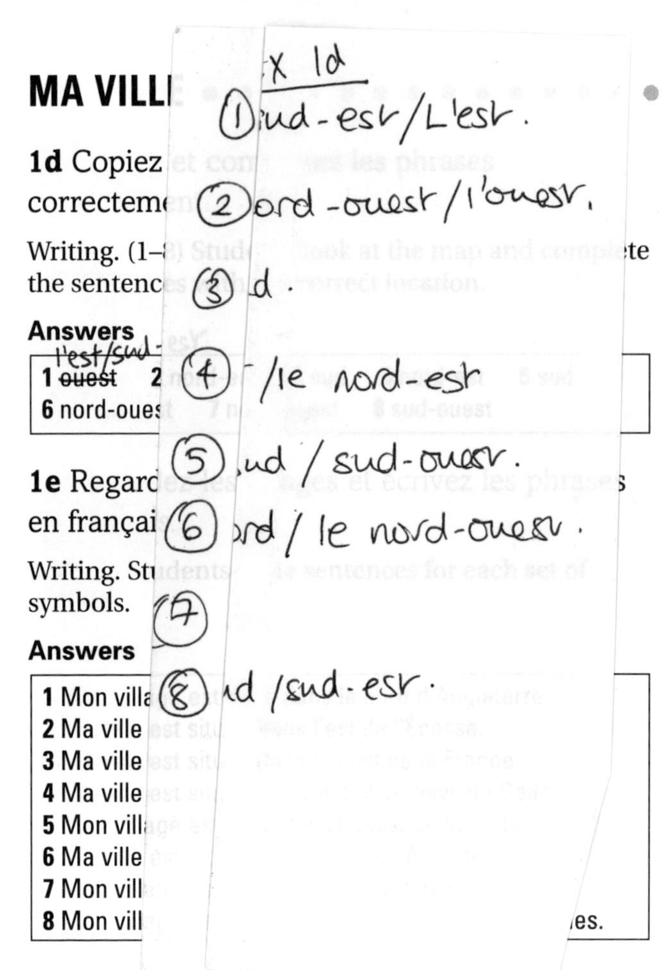

Ex 1d
① sud-est / L'est.
② nord-ouest / l'ouest.
③ d.
④ / le nord-est
⑤ sud / sud-ouest.
⑥ nord / le nord-ouest.
⑦
⑧ sud / sud-est.
l'est/sud-est

1d Copiez ... correcteme...

Writing. (1–8) Stud... look at the map and complete the sentenc... correct location.

Answers

1 ouest **2** ... **5** sud
6 nord-oue... **7** ... **8** sud-ouest

1e Regard... et écrivez les phrases en françai...

Writing. St... sentences for each set of symbols.

Answers

1 Mon villa...
2 Ma ville est sit...
3 Ma ville est sit...
4 Ma ville est ...
5 Mon villa...
6 Ma ville ...
7 Mon vill...
8 Mon vill... ...es.

Suggestion

Use pictures a–l on page 70 or an OHT of them to present the places in the town. Introduce them in gender groups.

2a Identifiez les symboles.

Reading. (a–l) Students match up each symbol with the correct word from the Key vocabulary box.

Answers

a le château **b** l'église **c** l'école **d** l'hôtel de ville
e le magasin **f** le stade **g** la gare **h** le musée
i le parc **j** la piscine **k** le syndicat d'initiative
l l'hôpital

2b Mettez les symboles dans le bon ordre.

Listening. Students listen to the recording and write down the letters of the symbols in the order in which they are mentioned.

Tapescript

– *Bonjour, messieurs-dames, aujourd'hui on va faire le tour de notre belle ville.*
– *D'abord, vous voyez le syndicat d'initiative, qui est situé à côté de l'hôtel de ville, un très joli bâtiment, n'est-ce pas? Ensuite, on passe par l'hôpital, et vous voyez le stade de foot et de rugby.*
– *Là-bas, vous verrez notre rue piétonne, où se trouve la plupart de nos magasins et nos commerces. Les magasins, à droite.*
– *Nous passons maintenant par la gare, en route pour la piscine. Cette belle piscine est toute neuve, vous savez. Et voilà le très joli parc. Dans le parc, vous voyez le château, c'est vraiment un très beau château. À l'intérieur, il y a le musée de la ville.*
– *Et voilà, notre tour est terminé. Bonne journée!*

Answers

k d l f e g j i a h

3a Faites une liste en français de ce qui existe dans ces villes/villages.

Reading. Students write down in French which amenities each place has. The aim is to get them to look for *il n'y a pas …*, and not to jump to conclusions because they see a word listed.

Answers

a une piscine, des magasins, un hôpital, une gare, des églises
b un magasin
c un hôpital, un stade, un musée, une cathédrale
d un parc, des magasins, une église, une école
e un hôtel de ville, un syndicat d'initiative, un château, des magasins

3b À deux. En français:

Speaking. In pairs, students work through the conversation four times, taking turns to ask the questions. The first time through, they use the first set of pictures. The second time through, they use the second set of pictures. Then each partner should have a turn in giving his/her own personal answers to the questions (as indicated by the question mark). Ask your students to keep repeating the conversations, so they become increasingly fluent and faster.

3c Écrivez 2 paragraphes.

Writing. Students write two paragraphs, one on what there is in their town, and one on what there is not. Remind them about the Key vocabulary box.

MODULE 5 MA VILLE

1 Voici ma ville

(Student's Book pages 72–73)

Main topics and objectives

- Talking about different kinds of town
- Saying where a town is
- Saying what a town is like
- Saying what kinds of housing are in a town

Grammar

- Position of adjectives
  Une ville industrielle/un village historique
  Un petit village/une jolie ville

Key language

Dans mon village/ma ville/mon quartier/ ma région ...
il y a beaucoup de/plein de/pas mal de maisons individuelles/jumelées/mitoyennes.
Il n'y a pas d'HLM.

Resources

Cassette B, side 1
CD 2, track 9
Cahier d'exercices, pages 34–40
Grammaire 6.4, page 189

Suggestion

Read the texts together before starting 1a.

1a Qui (Alicia, Pierre ou Sébastien) ...?

Reading. (1–7) Students read the text and write down the name of the person to whom each statement applies.

Answers

1 Alicia **2** Sébastien **3** Sébastien **4** Alicia
5 Pierre **6** Alicia **7** Alicia

1b Copiez la grille, puis catégorisez les mots en caractères gras dans les textes. Catégorisez aussi ...

Reading. This exercise helps students to generate and record key vocabulary. They categorise the words and phrases in bold in the text, and also those in the box.

Answers

Sorte de lieu	Situation	Description
une grande ville	dans le sud-ouest	historique
la capitale	à 730 kilomètres de ...	industrielle
la banlieue	sur la côte	agréable
un petit village	près de	joli
une île	dans le sud-est	touristique
une région	à la campagne	animée
une ville moyenne	au bord de la mer	calme
un quartier	à la montagne	moderne
		vieux
		magnifique
		beau
		important
		ancien
		typique
		tranquille

➕ Students make up eight statements about the towns featured, some true and some false and get their partner to identify the false statements.

➕ Students find six more adjectives in the dictionary that they could use to describe a town.

1c Où habitent-ils?

Listening. (1–5) Students listen to the recording and match each speaker with the correct photo.

Tapescript

1 J'habite à la Baule. C'est une station balnéaire, c'est à dire que c'est une ville touristique située au bord de la mer.
2 J'habite à Vandré, c'est un petit village très pittoresque qui se trouve à la campagne.
3 J'aime bien habiter à Genève. Genève se trouve près des Alpes et pas loin des stations de ski. J'adore faire du ski, c'est génial.
4 J'habite à Montréal au Canada. Montréal est une grande ville industrielle mais aussi une très belle ville historique.
5 J'habite à Annecy. C'est une très jolie ville située au bord d'un lac.

Answers

1 a **2** b **3** e **4** c **5** d

1d Copiez et complétez les descriptions.

Writing. Students copy out the descriptions and fill in the blanks using the words at the side. Draw their attention to the Top Tip box to ensure that they look for grammatical markers to help fill in the blanks.

Answers

1 ville nord historique habitants **2** petit trouve Écosse Stirling **3** montagne moyenne est kilomètres **4** côte, Atlantique, jolie

2a Identifiez les sortes de logement.

Reading. Students match up captions and photos.

Answers

a 4 **b** 2 **c** 1 **d** 3

2b Écrivez 2 phrases sur les sortes de maisons qu'il y a dans votre village/ville.

Writing. Students use the Key language box to write sentences about housing in their town. You could go over the meaning of *pas mal de, plein de* and *beaucoup de.*

2 Qu'est-ce que c'est qu'une ville typique? (Student's Book pages 74–75)

Main topics and objectives

- Saying what there is in a town
- Describing a local festival

Grammar

- The pronoun *on*
- Intonation in a list

Key language

(Surgères) est une ville qui se trouve dans le sud-ouest de la France.
C'est joli/touristique/tranquille.
Il y a un centre commercial/une place/une gare/ des parcs/un camping/un château/une belle église/ une mairie/un monument historique/un pont/ un port/une gare routière/une cité/ un commissariat/un théâtre/un centre sportif/ une patinoire/un centre de recyclage/un marché.
Nous, on fête … le (date).
Le matin/l'après-midi/le soir il y a …
un défilé/un marché/un bal/un concours/ un concert/des feux d'artifice/un match de foot/ un spectacle
et on danse/chante/mange/boit/s'amuse/se déguise (en …)/joue (à…)/va (à …)

Resources

Cassette B, side 1
CD 2, track 10
Cahier d'exercices, pages 34–40

1a Faites correspondre les mots et les photos.

Reading. (1–14) Students match the words with the symbols.

Answers

1 e **2** f **3** c **4** i **5** g **6** m **7** a **8** h **9** j **10** d **11** k **12** l **13** n **14** b

1b Qu'est-ce qu'il y a dans ces villes? Notez en français.

Listening. (1–6) Students listen to the recording and write down in French the places mentioned. You may want to warn students to listen out for *il n'y a pas de …*

Tapescript

1 *Il y a plein de distractions dans ma ville, y compris un théâtre, une patinoire et un cinéma.*
2 *Il n'y a pas de centre sportif dans mon village, il y a seulement la mairie et un café.*
3 *Dans ma ville, il faut visiter le pont sur la Seine. C'est la seule chose qui vaut une visite.*
4 *Il n'y a pas de grand centre commercial dans ma ville, mais il y a beaucoup de magasins, et un marché le mardi.*
5 *Ce qui est bien dans mon village, c'est le centre de recyclage, où on peut tout recycler.*
6 *Dans ma ville, il faut visiter les monuments historiques, et la grande place.*

Answers

1 un théâtre, une patinoire, un cinéma **2** la mairie, un café **3** le pont, la Seine **4** magasins, un marché **5** le centre de recyclage **6** les monuments historiques, la grande place

Suggestion

Using the framework from activity 2, page 74 on OHT, build up a description of several places near the school with your class. After you have done an example, students themselves can come to the OHP and build up the description by asking questions and getting suggestions from the class. Use a blank overlay for each place.

2 Préparez une description de votre ville/village, et de 2 autres villes/villages dans votre région en changeant les mots colorés.

Speaking. Using the speech bubble as a model, students prepare a description of their town and two other towns. You can ask students to say their description to their partner or group. Draw your students' attention to the advice on intonation given in the Top Tip box. They can have fun practising this.

+ Write out the descriptions.

3a Lisez le texte, puis identifiez la fête: le 14 juillet, Noël, ou Carnaval?

Reading. (1–8) Having read the main text, students identify the festival referred to in each small text.

Answers

1 Noël **2** Carnaval **3** Noël **4** le 14 juillet **5** Carnaval **6** Noël **7** le 14 juillet **8** Noël

R Students write out in English as much as they can understand about the three festivals.

+ Students imagine they took part in one of the festivals in activity 3a. They write a paragraph in French describing what they did, and what it was like.

3b Qu'est ce que vous faites chez vous pour faire la fête? Décrivez une fête qui existe dans votre région.

Writing. Students use the sentence-generating boxes to write about a festival in their own area.

MODULE 5 MA VILLE

3 Nos environs

(Student's Book pages 76–77)

Main topics and objectives

- Making comparisons
- Explaining pros and cons
- Saying if you prefer the town or the country, and why
- Finding out how environmentally friendly you are

Grammar

- Comparative adjectives
  Plus/moins que ...

Key language

J'habite en ville/à la campagne.
Je préfère habiter ...
La campagne est moins sale/plus calme/ tranquille que la ville.
La ville est plus animée/dynamique que la campagne.
Il y a moins de bruit.
L'environnement est plus propre.
Il n'y a aucun cinéma.
Il n'y a pas assez de magasins/il y a trop de pollution.
L'avantage, c'est que .../L'inconvénient, c'est que...
D'un côté .../d'un autre côté ...
Mais/Pourtant/Par contre ...

Resources

Cassette B, side 1
CD 2, track 11
Cahier d'exercices, pages 34–40
Grammaire 6.5, page 189 and 5.2, page 188

Suggestion

Read through the two paragraphs at the top with your students, and get them to work out who prefers the country and who the town. Write *plus ... que* and *moins ... que* on the board. Ask students to generate sentences using one of these expressions with two items and an adjective which you give them.
For example:
Londres Bolton grand
EastEnders Brookside amusant
le français la géographie intéressant
and so on.

1a Notez s'ils préfèrent la ville ou la campagne, et pourquoi.

Listening. (1–6). Having copied the grid, students fill in whether each speaker prefers the town or the country, and why.

Tapescript

1 Je pense que la campagne est plus tranquille que la ville.
2 À mon avis, la ville est moins intéressante que la campagne.
3 Je pense que la ville est plus animée que la campagne.
4 À mon avis, la campagne est moins sale que la ville.
5 Je crois que la ville est plus ennuyeuse que la campagne.
6 Je trouve que la ville est plus industrielle que la campagne.

Answers

1 la campagne/plus tranquille
2 la campagne/plus intéressante
3 la ville/plus animée
4 la ville/moins sale
5 la campagne/moins ennuyeuse
6 la ville/plus industrielle

1b Pour ou contre la vie à la campagne? Catégorisez les phrases: P (positif) ou N (négatif)

Reading. (1–10) Students read the speech bubbles and decide whether each one is positive or negative about life in the country.

Answers

a P **b** N **c** P **d** N **e** P **f** P **g** N **h** N **i** N **j** N

1c Quelle est votre opinion? Écrivez où vous habitez (en ville ou à la campagne). Faites une liste en français de 3 avantages (+) et 3 inconvénients (–) d'y habiter.

Writing. Using what they have learned, students write a sentence to say where they live (town or country). They then write three good points and three bad points about living there. Encourage them to adapt the language from page 77 of the Student's Book.

➕ Students make up ten sentences (on any topic) comparing one thing to another.

1d Faites le Jeu-Test!

Reading. Students do the multiple choice quiz and find out how eco-friendly they are. You could ask a few members of the class to report back to the group on their result.

➕ Students make up some more questions for the *Es-tu écolo?* quiz, giving three alternative answers for each one.

➕ Students design a poster about litter, recycling or noise pollution.

MODULE 5 MA VILLE

Entraînez-vous

(Student's Book pages 78–79)

Speaking practice and coursework

À l'oral

Topics revised

- Describing a town/area and its location
- Showing a French tourist around your town
- Talking about your favourite town

1 You are on holiday in Marmande in France and you phone your French penfriend to talk about the town.

Role-play. In pairs, students take turns to be the 'penfriend', doing the role-play twice.

2 You are showing a French tourist around your town.

Role-play. In pairs, students take turns to be the 'visitor', doing the role-play twice.

3 Talk for one minute about your favourite town. Make yourself a cue card.

Presentation. Students give a short talk about their favourite town, using the structure provided for help.

This can be:
- prepared in the classroom or at home;
- recorded on tape;
- students can give their talk to a small group of other students; *or*
- certain students can be chosen to give their talk to the whole class.

The main thing is that students become used to speaking from notes, not reading a speech.

Questions générales

Speaking. These are key questions to practise for the oral exam, taken from the module as a whole. Students can practise asking and answering the questions in pairs. They should be encouraged to add as much detail as possible. It is often a good idea to write model answers together in class.

Remind students to use phrases for pros and cons where necessary.

À l'écrit

Topics revised

- Describing your home town or village, what there is to do there and why you like/don't like living there
- Describing your local area
- Giving opinions and expressing pros and cons

1 For and against living in the town or country.

An AQA Specification A coursework-style task (For and against – Theme 1), in which students present the case for living in the town or the country (70–100 words). They should set out the arguments for and against, with examples, and conclude with their own opinion on where they would prefer to live. They are encouraged to include plenty of opinion phrases.

The Top Tip on this page urges students to check their work thoroughly, with pointers to what they should check particularly carefully.

MODULE 5 MA VILLE

À toi!

(Student's Book pages 168–169)

Self-access reading and writing at two levels

1 Copiez et complétez les blancs.

Reading. Students select the correct words to fill the gaps in the text.

Answers

ville, nord, historique, banlieue, maison, habiter, c'est

2a Faites correspondre le paragraphe et l'image.

Reading. Having read the article, students match each paragraph with one of the pictures.

Answers

1 d	**2** a	**3** b	**4** c

2b Trouvez la bonne fin pour chaque phrase.

Reading. Basing their answers on the article, students match up the start of each sentence given with the appropriate ending.

Answers

1 b	**2** a	**3** d	**4** c

2c Copiez et complétez les blancs.

Writing. Students use the words in the box to complete this paragraph which is a fifth idea for saving the environment.

Answers

protéger, partout, lunettes, tout, énergie, naturelles, vides, jamais

2 Choisissez une ville que vous connaissez bien. Copiez et complétez la fiche.

Writing. Having copied the form, students fill in the required information in French.

3 Écrivez une lettre sur votre ville/village pour ce magazine.

Writing. Students follow the prompts to write a magazine article about their home town. Go through the prompts with your class before they attempt the task.

Cahier d'exercices, page 34

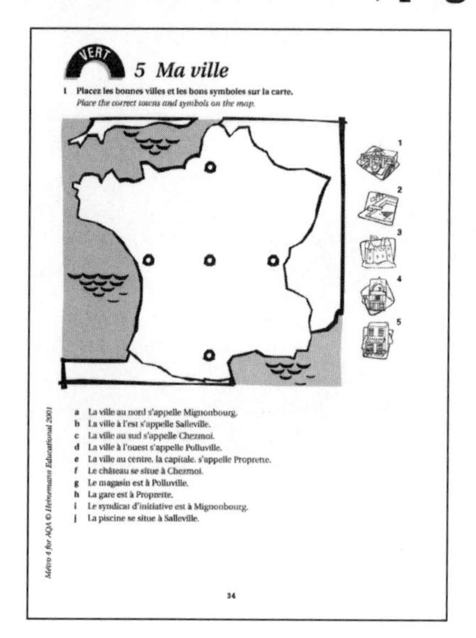

5 Ma ville

1 **Placez les bonnes villes et les bons symboles sur la carte.**
Place the correct towns and symbols on the map.

a La ville au nord s'appelle Mignonbourg.
b La ville à l'est s'appelle Salleville.
c La ville au sud s'appelle Chezmoi.
d La ville à l'ouest s'appelle Polluville.
e La ville au centre, la capitale, s'appelle Proprette.
f Le château se situe à Chezmoi.
g Le magasin est à Polluville.
h La gare est à Proprette.
i Le syndicat d'initiative est à Mignonbourg.
j La piscine se situe à Salleville.

34

1
Answers

North: Mignonbourg, 4
East: Salleville, 2
South: Chezmoi, 3
West: Polluville, 5
Centre: Proprette, 1

Cahier d'exercices, page 35

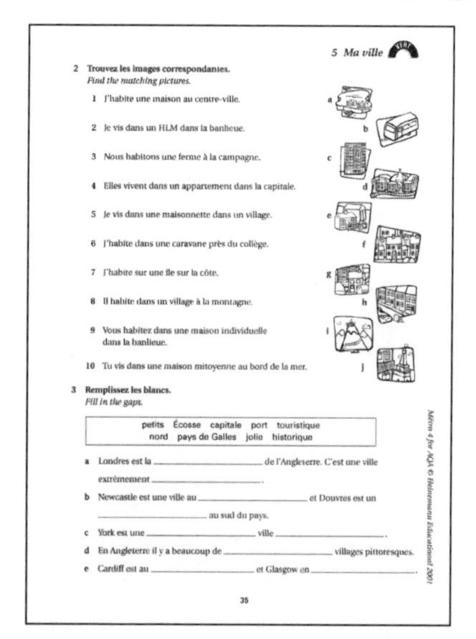

5 *Ma ville*

2 **Trouvez les images correspondantes.**
Find the matching pictures.

1 J'habite une maison au centre-ville.
2 Je vis dans un HLM dans la banlieue.
3 Nous habitons une ferme à la campagne.
4 Elles vivent dans un appartement dans la capitale.
5 Je vis dans une maisonnette dans un village.
6 J'habite dans une caravane près du collège.
7 J'habite sur une île sur la côte.
8 Il habite dans un village à la montagne.
9 Vous habitez dans une maison individuelle dans la banlieue.
10 Tu vis dans une maison mitoyenne au bord de la mer.

3 **Remplissez les blancs.**
Fill in the gaps.

petits Écosse capitale port touristique
nord pays de Galles jolie historique

a Londres est la ____________ de l'Angleterre. C'est une ville extrêmement ____________.
b Newcastle est une ville au ____________ et Douvres est un ____________ au sud du pays.
c York est une ____________ ville ____________.
d En Angleterre il y a beaucoup de ____________ villages pittoresques.
e Cardiff est au ____________ et Glasgow en ____________.

35

2
Answers

1 f; **2** c; **3** e; **4** j; **5** d; **6** b; **7** a; **8** i; **9** g; **10** h

3
Answers

a capitale/touristique; **b** nord/port; **c** jolie/historique; **d** petits; **e** pays de Galles/Écosse

Cahier d'exercices, page 36

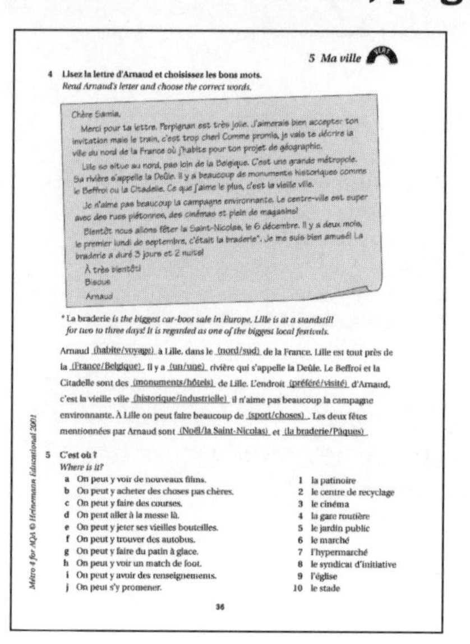

5 *Ma ville*

4 **Lisez la lettre d'Arnaud et choisissez les bons mots.**
Read Arnaud's letter and choose the correct words.

Chère Samia,

Merci pour ta lettre. Perpignan est très jolie. J'aimerais bien accepter ton invitation mais le train, c'est trop cher! Comme promis, je vais te décrire la ville au nord de la France où j'habite pour ton projet de géographie.

Lille se situe au nord, pas loin de la Belgique. C'est une grande métropole. Sa rivière s'appelle la Deûle. Il y a beaucoup de monuments historiques comme le Beffroi ou la Citadelle. Ce que j'aime le plus, c'est la vieille ville.

Je n'aime pas beaucoup la campagne environnante. Le centre-ville est super avec des rues piétonnes, des cinémas et plein de magasins!

Bientôt nous allons fêter la Saint-Nicolas, le 6 décembre. Il y a deux mois, le premier lundi de septembre, c'était la braderie*. Je me suis bien amusé! La braderie a duré 3 jours et 2 nuits!

À très bientôt!
Bisous
Arnaud

* La braderie *is the biggest car-boot sale in Europe. Lille is at a standstill for two to three days! It is regarded as one of the biggest local festivals.*

Arnaud (habite/voyage) à Lille, dans le (nord/sud) de la France. Lille est tout près de la (France/Belgique). Il y a (un/une) rivière qui s'appelle la Deûle. Le Beffroi et la Citadelle sont des (monuments/hôtels) de Lille. L'endroit (préféré/visité) d'Arnaud, c'est la vieille ville (historique/industrielle). Il n'aime pas beaucoup la campagne environnante. À Lille on peut faire beaucoup de (sport/choses). Les deux fêtes mentionnées par Arnaud sont (Noël/la Saint-Nicolas) et (la braderie/Pâques).

5 **C'est où ?**
Where is it?

a On peut y voir de nouveaux films.
b On peut y acheter des choses pas chères.
c On peut y faire des courses.
d On peut aller à la messe là.
e On peut y jeter ses vieilles bouteilles.
f On peut y trouver des autobus.
g On peut y faire du patin à glace.
h On peut y voir un match de foot.
i On peut y avoir des renseignements.
j On peut s'y promener.

1 la patinoire
2 le centre de recyclage
3 le cinéma
4 la gare routière
5 le jardin public
6 le marché
7 l'hypermarché
8 le syndicat d'initiative
9 l'église
10 le stade

36

4
Answers

habite/nord/Belgique/une/monuments/préféré/historique/choses/la Saint-Nicolas/la braderie

5
Answers

a 3; **b** 6; **c** 7; **d** 9; **e** 2; **f** 4; **g** 1; **h** 10; **i** 8; **j** 5

Cahier d'exercices, page 37

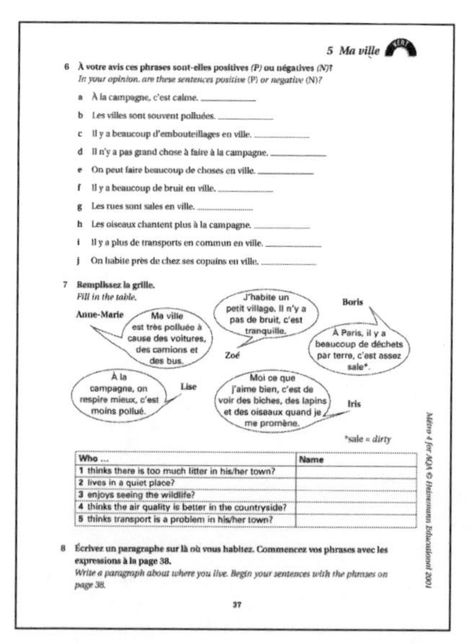

5 *Ma ville*

6 **À votre avis ces phrases sont-elles positives *(P)* ou négatives *(N)*?**
In your opinion, are these sentences positive (P) *or negative* (N)?

a À la campagne, c'est calme. ____________
b Les villes sont souvent polluées. ____________
c Il y a beaucoup d'embouteillages en ville. ____________
d Il n'y a pas grand chose à faire à la campagne. ____________
e On peut faire beaucoup de choses en ville. ____________
f Il y a beaucoup de bruit en ville. ____________
g Les rues sont sales en ville. ____________
h Les oiseaux chantent plus à la campagne. ____________
i Il y a plus de transports en commun en ville. ____________
j On habite près de chez ses copains en ville. ____________

7 **Remplissez la grille.**
Fill in the table.

*sale = *dirty*

Who ...	Name
1 thinks there is too much litter in his/her town?	
2 lives in a quiet place?	
3 enjoys seeing the wildlife?	
4 thinks the air quality is better in the countryside?	
5 thinks transport is a problem in his/her town?	

8 **Écrivez un paragraphe sur là où vous habitez. Commencez vos phrases avec les expressions à la page 38.**
Write a paragraph about where you live. Begin your sentences with the phrases on page 38.

37

6
Answers

a P; **b** N; **c** N; **d** N; **e** P; **f** N; **g** N; **h** P; **i** P/N; **j** P

7
Answers

1 Boris; **2** Zoé; **3** Iris; **4** Lise; **5** Anne-Marie

Cahier d'exercices, page 38

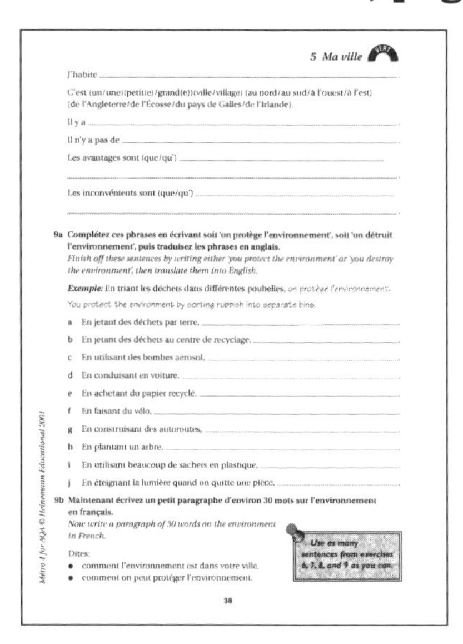

5 Ma ville

J'habite ___.

C'est (un/une)(petit(e)/grand(e))(ville/village) (au nord/au sud/à l'ouest/à l'est) (de l'Angleterre/de l'Écosse/du pays de Galles/de l'Irlande).

Il y a ___.

Il n'y a pas de ___.

Les avantages sont (que/qu') ___.

Les inconvénients sont (que/qu') ___.

9a Complétez ces phrases en écrivant soit 'on protège l'environnement', soit 'on détruit l'environnement', puis traduisez les phrases en anglais.
Finish off these sentences by writing either 'you protect the environment' or 'you destroy the environment', then translate them into English.

Exemple: En triant les déchets dans différentes poubelles, on protège l'environnement.
You protect the environment by sorting rubbish into separate bins.

a En jetant des déchets par terre, ___.
b En jetant des déchets au centre de recyclage, ___.
c En utilisant des bombes aérosol, ___.
d En conduisant en voiture, ___.
e En achetant du papier recyclé, ___.
f En faisant du vélo, ___.
g En construisant des autoroutes, ___.
h En plantant un arbre, ___.
i En utilisant beaucoup de sachets en plastique, ___.
j En éteignant la lumière quand on quitte une pièce, ___.

9b Maintenant écrivez un petit paragraphe d'environ 30 mots sur l'environnement en français.
Now write a paragraph of 30 words on the environment in French.

Dites:
- comment l'environnement est dans votre ville.
- comment on peut protéger l'environnement.

Use as many sentences from exercises 6, 7, 8, and 9 as you can.

Métro 4 for AQA © Heinemann Educational 2001

38

9a
Answers

Protège: b, e, f, h, j
Détruit: a, c, d, g, i
a ... by throwing rubbish on the ground.
b ... by throwing rubbish away at the recycling centre.
c ... by using aerosols.
d ... by driving a car.
e ... by buying recycled paper.
f ... by cycling.
g ... by building motorways.
h ... by planting a tree.
i ... by using lots of plastic bags.
j ... by switching off the light when you leave a room.

Cahier d'exercices, page 39

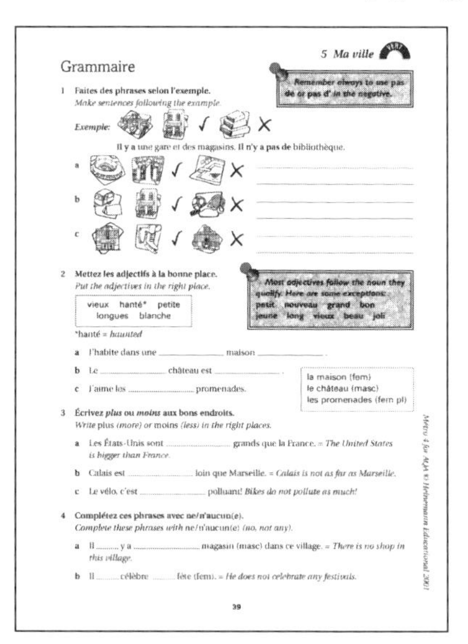

5 Ma ville

Grammaire

Remember always to use pas de or pas d' in the negative.

1 **Faites des phrases selon l'exemple.**
Make sentences following the example.

Exemple: Il y a une gare et des magasins. Il n'y a pas de bibliothèque.

a ___
b ___
c ___

2 **Mettez les adjectifs à la bonne place.**
Put the adjectives in the right place.

vieux hanté* petite longues blanche

*hanté = *haunted*

Most adjectives follow the noun they qualify. Here are some exceptions: petit nouveau grand bon jeune long vieux beau joli

a J'habite dans une ___ maison ___.
b Le ___ château est ___.
c J'aime les ___ promenades.

la maison (fem)
le château (masc)
les promenades (fem pl)

3 **Écrivez *plus* ou *moins* aux bons endroits.**
Write plus *(more) or* moins *(less) in the right places.*

a Les États-Unis sont ___ grands que la France. = *The United States is bigger than France.*
b Calais est ___ loin que Marseille. = *Calais is not as far as Marseille.*
c Le vélo, c'est ___ polluant! *Bikes do not pollute as much!*

4 **Complétez ces phrases avec ne/n'aucun(e).**
Complete these phrases with ne/n'aucun(e) *(no, not any).*

a Il ___ y a ___ magasin (masc) dans ce village. = *There is no shop in this village.*
b Il ___ célèbre ___ fête (fem). = *He does not celebrate any festivals.*

Métro 4 for AQA © Heinemann Educational 2001

39

Grammaire

1
Answers

a Il y a un stade et un jardin public. Il n'y a pas de piscine.
b Il y a un camping et des magasins. Il n'y a pas de centre sportif.
c Il y a un cinéma et une patinoire. Il n'y a pas d'hôpital.

2
Answers

a petite/blanche; **b** vieux/hanté; **c** longues

3
Answers

a plus; **b** moins; **c** moins

4
Answers

a n'/aucun; **b** ne/aucune

Cahier d'exercices, page 40

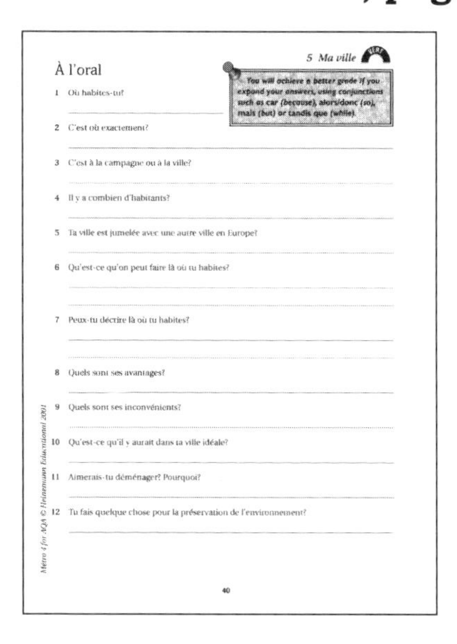

5 Ma ville

À l'oral

You will achieve a better grade if you expand your answers, using conjunctions such as car (because), alors/donc (so), mais (but) or tandis que (while).

1 Où habites-tu?
2 C'est où exactement?
3 C'est à la campagne ou à la ville?
4 Il y a combien d'habitants?
5 Ta ville est jumelée avec une autre ville en Europe?
6 Qu'est-ce qu'on peut faire là où tu habites?
7 Peux-tu décrire là où tu habites?
8 Quels sont ses avantages?
9 Quels sont ses inconvénients?
10 Qu'est-ce qu'il y aurait dans ta ville idéale?
11 Aimerais-tu déménager? Pourquoi?
12 Tu fais quelque chose pour la préservation de l'environnement?

Métro 4 for AQA © Heinemann Educational 2001

40

Module 6: Aux magasins

(Student's Book pages 82–97)

Unit	Main topics and objectives	Grammar	Key language
Déjà vu (pp. 82–83)	Understanding prices Understanding names of shops Describing what people are wearing Buying things	Revision of adjectival agreement	*La pharmacie/la boulangerie/la pâtisserie/ le tabac/la charcuterie/le supermarché/ la confiserie/l'épicerie/la parfumerie/la poste* *Il/Elle porte (un anorak),* *Je voudrais …/Avez-vous …?* *Je cherche …* *En (vert).* *C'est combien?* *C'est tout?* *Il n'y a plus de …* *Taille 36/40*
1 On fait un pique-nique (pp. 84–85)	Buying quantities of food	Use of *de* after quantities	*Une boîte de/une bouteille de/une douzaine de/d'/200 grammes de/2 kilos de/un litre de/ un paquet de/un pot de/un sac de …* *œufs/bananes/mousse au chocolat/jus d'orange/pommes de terre/soupe/ fromage/ vin/biscuits/chips/pommes/pain/pâté/raisin/ eau minérale/jambon/ pêches/croissants/ chocolat/coca.* *Vous désirez? Avez-vous des …?* *Combien en voulez-vous?* *Donnez-moi ... s'il vous plaît.* *Et avec ça?* *Je voudrais … de …. s'il vous plaît.* *Voulez-vous autre chose?* *C'est combien? Ça fait ...*
2 Les fringues (pp. 86–87)	Buying clothes	Colours with *clair/ foncé* This and that *ce/cet/cette/ces*	*Je peux vous aider?* *Je cherche (un jean).* *Quelle taille? Taille …* *Quelle couleur?* *(Vert clair)* *Est-ce que je peux l'essayer?* *Malheureusement, il est trop (petit).* *Avez-vous quelque chose de plus (grand)?* *Ce jean est en taille 40.* *Vous payez à la caisse.* *la pointure*
3 Au grand magasin (pp. 88–89)	Understanding information about a department store Talking about your pocket money	Revision of the conditional tense + inf.	*C'est au (sous-sol).* *Je reçois … par semaine de(mes parents).* *J'achète …* *Je fais des économies pour …* *J'ai assez d'argent/Ça ne suffit pas.* *Mes parents me paient ...*

Unit	Main topics and objectives	Grammar	Key language
4 À la poste et à la banque (pp. 90–91)	Posting items and buying stamps at the Post Office Phoning from a phone box Changing money and travellers' cheques	*Vouloir/pouvoir* + inf.	*Je peux vous aider?* *Je voudrais envoyer (une lettre) (en Écosse).* *C'est combien? Ça fait …* *C'est tout?* *Non, je voudrais … un timbre à … euros.* *Où est (la cabine téléphonique)?* *Décrochez, introduisez votre télécarte/pièce/attendez la tonalité/ composez le numéro/ parlez à votre correspondant(e)/ retirez la télécarte/raccrochez.* *Je voudrais changer des chèques de voyage, s'il vous plaît.* *Avez-vous une pièce d'identité?* *Voici mon passeport.* *Donnez-moi des billets de €50 et quelques pièces d'un cent.*
5 Êtes-vous fanatique du shopping? (pp. 92–93)	Giving information and opinions about shops and shopping Returning things you have bought Making a complaint	Superlative adjectives *il y a* (ago)	*Dans ma ville il y a /il n'y a pas …* *Il y a quelques/beaucoup de/ plein de/assez de …* *Je préfère les (magasins de vêtements) car/parce que …* *… le service est bon/il y a beaucoup de choix/c'est moins cher/il y a souvent des soldes.* *Cette montre ne marche pas/est cassée.* *Ce T-shirt est sale/trop grand/trop cher/n'est pas la bonne taille.* *Je voudrais me plaindre.* *Je peux l'échanger?* *Vous pouvez me rembourser?* *Voilà le reçu.*
Entraînez-vous (pp. 94–95)	Speaking practice and coursework	The conditional tense Revision of: Past, present and future tenses Adjectival agreement Use of *de* after quantities Colours with *clair/foncé*	
À toi! (pp. 170–171)	Self-access reading and writing Understanding signs and notices in shops Understanding information about special offers Talking about what you can buy in different shops Describing a recent visit to town Talking about the shops in your town Talking about weekend plans	*Il y a …* Use of *de* after quantities Comparative adjectives Past, present and future tenses	

MODULE 6 AUX MAGASINS

Déjà vu

(Student's Book pages 82–83)

Main topics and objectives

- Understanding prices
- Understanding names of shops
- Describing what people are wearing
- Buying things

Grammar

- Revision of adjectival agreement

Key language

La pharmacie/la boulangerie/la pâtisserie/le tabac/ la charcuterie/le supermarché/la confiserie/l'épicerie/ la parfumerie/la poste
Il/Elle porte un anorak/un chapeau/des chaussettes/ des chaussures/une chemise/une cravate/ un imperméable/une jupe/un pantalon/un pull/ une robe/une veste/un manteau.
Je voudrais .../Avez-vous ...?
Je cherche ...
En vert/rouge/bleu/noir/blanc.
C'est combien?
C'est tout?
Il n'y a plus de ...
Taille 36/40

Resources

Cassette B, side 2
CD 2, track 12
Cahier d'exercices, pages 41–48

1 Identifiez le prix dans l'annonce.

Listening. (1–8) Students listen to the advertisement and write down the price they hear from the ones given. Several prices are distractors.

Tapescript

1 *Offre spéciale, une paire de baskets pour enfants, €22,90, oui €22,90 seulement, rayon sports.*
2 *Aujourd'hui dans notre rayon d'alimentation, nos oranges sont à 0,50 cents le kilo. C'est donné aujourd'hui messieurs-dames, 0,50 cents pour un kilo d'oranges.*
3 *Chaussettes de dames, €4,90 la paire ce matin. Il n'y en a pas beaucoup, allez donc les chercher immédiatement, €4,90 la paire pour de jolies chaussettes.*
4 *Un téléphone portable pour €76? Je rigole, non? Offre spéciale, aujourd'hui seulement, le téléphone Chatline à €76.*
5 *Vous aimez le chocolat? Nouveauté de Chocolat Poulain, 0,80 cents aujourd'hui le rayon confiserie. Essayez ce nouveau produit pour 0,80 cents.*
6 *Oh le beau bébé! Casquettes pour les petits, €4,60! En rouge, vert, bleu, ou rose, ces petites casquettes à €4,60 sont fantastiques!*
7 *Vous aimez la musique? Tous nos CD de musique française sont aujourd'hui à €15,20, mais pour une heure seulement. Dépêchez-vous, tous nos CD sont à €15,20.*
8 *Vous cherchez une carte d'anniversaire? Toutes nos cartes sont à €1,60. Cartes d'anniversaires, €1,60.*

Answers

1 g **2** d **3** n **4** e **5** b **6** f **7** a **8** h

Suggestion

Use pictures a–j on page 82 or an OHT of these to present the shops and shopping language. To ensure comprehension of the symbols, ask students to provide names of local shops of that type.

2a Identifiez les symboles pour les magasins.

Reading. Students write down the kind of shop shown in the symbol from those listed in the Key vocabulary box.

Answers

a la parfumerie **b** le supermarché **c** la charcuterie
d la pharmacie **e** la pâtisserie **f** la confiserie
g la boulangerie **h** la poste **i** le tabac **j** l'épicerie

2b Notez la lettre du bon symbole.

Listening. (1–10) Write down the letter of the symbol representing the shop names in the recording.

Tapescript

1 *Pardon, où est la pâtisserie, s'il vous plaît?*
2 *Est-ce qu'il y a une pharmacie près d'ici?*
3 *Pour aller à la poste, s'il vous plaît?*
4 *Où est l'épicerie, s'il vous plaît?*
5 *Excusez–moi, je cherche une boulangerie. Est-ce qu'il y en a une près d'ici?*
6 *Où est le tabac le plus proche, s'il vous plaît?*
7 *Où est le supermarché?*
8 *Est-ce qu'il y a une parfumerie dans cette ville?*
9 *Excusez-moi. Où est la charcuterie?*
10 *Je voudrais aller à la confiserie. C'est où exactement?*

Answers

1 e **2** d **3** h **4** j **5** g **6** i **7** b **8** a **9** c **10** f

2c Trouvez un exemple de chaque sorte de magasin dans votre ville la plus proche.

Writing. Students write one sentence for each type of shop given, naming a local shop of each type.

For example: *Boots est une pharmacie.*

Remind your students that *le* changes to *un* and *la* changes to *une*.

Suggestion

Use the pictures on page 83 or pictures from magazines to present the items of clothing. You could present items according to gender. Alternatively, fill a black bag with one of each item of clothing, and present clothing by drawing things out of the bag.

3a Regardez les photos. Faites une liste des vêtements de chaque personne. Commencez par: *Il/elle porte …*

Answers

1. Elle porte une robe et des chaussures.
2. Elle porte un pull, une veste, une jupe et des bottes.
3. Il porte une veste, un pantalon, une chemise, une cravate, des chaussettes et des chaussures.
4. Il porte un imperméable, une chemise, une cravate, un pantalon et un chapeau.

Writing. Students describe the clothes worn, starting with *il/elle porte …*

Students can add colours to their description.

3b Qu'est-ce qu'ils veulent acheter? Notez le vêtement, la couleur, et s'ils l'ont dans le magasin (✓), ou pas (✗).

Listening. (1–6) Recap *il n'y a plus de …* before starting the activity. Students listen to the recording and write down in French the item and colour requested by each speaker. They tick or cross to show whether or not the item is in stock.

Tapescript

1 – Bonjour, je voudrais une jupe.
– Quelle couleur?
– Bleu.
– Voilà une jolie jupe bleue.

2 – Salut, je cherche un pantalon.
– Quelle couleur voulez-vous?
– Noir.
– Voici un pantalon noir.

3 – Bonjour, avez-vous des vestes?
– De quelle couleur?
– Vert.
– Je regrette, il n'y en a plus.

4 – Bonjour, je voudrais des chaussures.
– Quelle couleur cherchez-vous?
– Rouge.
– Ah, excusez-moi, mais il n'y a pas de chaussures rouges.

5 – Salut, avez-vous une paire de chaussettes?
– Quelle couleur?
– Jaune.
– Oui, voilà.

6 – Bonjour, je cherche une robe.
– De quelle couleur?
– Blanc.
– Mmm … il n'y a plus de robes blanches dans ce magasin.

Answers

1 une jupe, bleu, ✓ **2** un pantalon, noir, ✓
3 des vestes, vert, ✗ **4** des chaussures, rouge, ✗
5 des chaussettes, jaune, ✓ **6** une robe, blanc, ✗

3c À deux. En français:

Speaking. Students work with a partner. Ask them to work through the conversation four times, taking it in turns to ask the questions. The first time through, they use the first set of pictures. The second time through, they use the second set of pictures. Then each partner should have a turn in giving their own personal answers to the questions (as indicated by the question mark). Ask your students to keep repeating the conversations, so they become increasingly fluent and faster.

3d Faites une liste de 4 vêtements (+ couleur) pour chaque événement.

Writing. Students write down what they would wear on the five occasions given. Draw their attention to the *Rappel* box about adjectival agreement, and also remind them to put the colour after the noun.

1 On fait un pique-nique

(Student's Book pages 84–85)

Main topics and objectives

- Buying quantities of food

Grammar

- Use of *de* after quantities
  Une boîte de chocolats/beaucoup de magasins

Key language

Une boîte de/une bouteille de/une douzaine de/d'/ 200 grammes de/2 kilos de/un litre de/un paquet de/ un pot de/un sac de ...
œufs/bananes/mousse au chocolat/jus d'orange/ pommes de terre/soupe/ fromage/vin/biscuits/chips/ pommes/pain/pâté/raisin/eau minérale/jambon/ pêches/croissants/chocolat/coca.

Vous désirez?
Avez-vous des ...?
Combien en voulez-vous?
Donnez-moi ... s'il vous plaît.
Et avec ça?
Je voudrais ... de .... s'il vous plaît.
Voulez-vous autre chose?
C'est combien?
Ça fait ...

Resources

Cassette B, side 2
CD 2, track 13
Cahier d'exercices, pages 41–48
Grammaire 2.3, page 181

Suggestion

If possible, bring in some foodstuffs and present the quantities with what you have available. Alternatively, look at the *Chez Super M* leaflet together and ask a few questions about goods, prices and quantities before the students tackle activity 1a.

1a Ils paient combien? Notez le prix.

Listening.(1–8) Students listen to the recording. They find out the price each speaker would pay by looking at the *Chez Super M* leaflet, and note it down. Make sure students are clear beforehand about the unit for each item listed, and allow them to give their answers as ... ×2, etc.

Tapescript

1 *Bonjour, madame. Je voudrais un paquet de chips, s'il vous plaît.*
2 *Bonjour, monsieur. Donnez-moi un kilo de raisins blancs, s'il vous plaît.*
3 *Il me faut des baguettes, s'il vous plaît. J'en voudrais deux – deux baguettes.*
4 *Six yaourts, s'il vous plaît monsieur.*
5 *Trois boîtes de coca, s'il vous plaît. On a soif, vous savez.*
6 *Et avec ça, trois bouteilles d'eau minérale aussi, s'il vous plaît.*
7 *Je voudrais du lait, s'il vous plaît. Deux litres, s'il vous plaît.*
8 *Bonjour, madame. Je voudrais deux camemberts, s'il vous plaît.*

Answers

1 €0,85 **2** €1,40 **3** €1,00 **4** €1,60 **5** €1,95 (or €0,65×3)
6 €2,30 **7** €1,30 **8** €3,60

1b Regardez la publicité Chez Super M. Complétez ces phrases avec une quantité.

Reading. (1–7) Students complete each phrase by finding the quantity on the *Chez Super M* leaflet. These quantities are key vocabulary and should be learned.

Answers

1 paquet **2** pot **3** litre **4** grammes **5** boîte
6 kilo **7** bouteille

+ Students produce a leaflet like the *Chez Super M* one for their local supermarket, featuring different foods.

1c Formez des phrases logiques.

Reading. (1–9) Students choose an ending which makes sense for each quantity shown. Each ending is used only once. Several variations are possible – accept any logical answers.

Answers

1 soupe **2** vin **3** œufs **4** fromage
5 bananes/(pommes de terre) **6** jus d'orange/vin
7 biscuits **8** mousse au chocolat **9** pommes de terre

+ Students use the dictionary to find nine different items to go with the quantities.

2a Écoutez ces conversations à l'épicerie. Notez les détails qui manquent.

Listening. (1–4) Before starting this activity, ask the students to write out the numbers as follows:

1 a	2 a	3 a	4 a ....
b	b	b	b ....
c	c	c	c ....
d	d	d	d ....
e	e	e	e ....

Students listen to the recording, and write down in French the missing answers for each of the four conversations.

You might like to go through the conversation first of all with your class, anticipating the type of answer they will hear in each gap.

Tapescript

1 *Vend:* *Bonjour, monsieur. Vous désirez?*
Cl: *Avez-vous des bananes?*
Vend: *Oui, combien en voulez-vous?*
Cl: *Donnez-moi 2 kilos, s'il vous plaît.*
Vend: *Voilà. Et avec ça?*
Cl: *Je voudrais une bouteille de vin rouge, s'il vous plaît.*
Vend: *Une bouteille de vin rouge, voilà. Voulez-vous autre chose?*
Cl: *Euh… non, c'est tout. Ça fait combien?*
Vend: *Ça fait €4,90.*

2 *Vend:* *Bonjour, madame. Vous désirez?*
Cl: *Avez-vous des tomates?*
Vend: *Oui, combien en voulez-vous?*
Cl: *Donnez-moi 500 grammes, s'il vous plaît.*
Vend: *Voilà. Et avec ça?*
Cl: *Je voudrais un paquet de biscuits au chocolat, s'il vous plaît.*
Vend: *Un paquet de biscuits au chocolat, voilà. Voulez-vous autre chose?*
Cl: *Non, c'est tout. Ça fait combien?*
Vend: *Ça fait €2,55.*

3 *Vend:* *Bonjour, monsieur. Vous désirez?*
Cl: *Avez-vous des œufs?*
Vend: *Oui, combien en voulez-vous?*
Cl: *Donnez–moi une demi-douzaine, s'il vous plaît.*
Vend: *Voilà. Et avec ça?*
Cl: *Je voudrais 2 litres de lait, s'il vous plaît.*
Vend: *2 litres de lait, voilà. Voulez-vous autre chose?*
Cl: *Non, c'est tout. Ça fait combien?*
Vend: *Ça fait €2,75.*

4 *Vend:* *Bonjour, madame. Vous désirez?*
Cl: *Avez-vous des carottes?*
Vend: *Oui, combien en voulez-vous?*
Cl: *Donnez-moi 3 kilos, s'il vous plaît.*
Vend: *Voilà. Et avec ça?*
Cl: *Je voudrais un pot de yaourt, s'il vous plaît.*
Vend: *Un pot de yaourt. Voilà. Voulez-vous autre chose?*
Cl: *Non, c'est tout. Ça fait combien?*
Vend: *Ça fait €1,95.*

Answers

1a bananes	**2a** tomatoes	**3a** œufs	**4a** carottes
b 2 kilos	**b** 500g	**b** une demi-douzaine	**b** 3 kilos
c une bouteille	**c** un paquet	**c** 2 litres	**c** un pot
d vin rouge	**d** biscuits	**d** lait	**d** yaourt
e €4,90	**e** €2,55	**e** €2,75	**e** €1,95

2b À deux. Répétez la conversation en utilisant les détails ci-dessous.

Speaking. Working in pairs, students use the same conversation framework as in activity 2a. They take it in turns to be the customer, and use the information given for the answers.

➕ Students write out the two conversations which ensue. They then write a third similar conversation of their own.

3a On fait un pique-nique. C'est la liste de qui?

Reading. A simple matching exercise in which students look at the contents of the supermarket baskets and work out whose basket matches each list.

Answers

1 Juliette **2** Boris **3** Thomas **4** Yann **5** Anna **6** Marie-Claire

3b Préparez une liste pour un pique-nique pour votre classe entière.

Writing. Students write down the food they would need for a picnic for the whole class. Encourage them to write a quantity beside each item.

MODULE 6 AUX MAGASINS

2 Les fringues

(Student's Book pages 86–87)

Main topics and objectives

- Buying clothes

Grammar

- Colours with *clair/foncé*
- This and that
  Ce/cette/cet/ces

Key language

Je peux vous aider?
Je cherche un jean/un pull/un anorak.
Quelle taille? Taille …
Quelle couleur?
Vert clair/vert foncé/noir/bleu.
Est-ce que je peux l'essayer?
Malheureusement, il est trop petit/grand.
Avez-vous quelque chose de plus petit/grand?
Ce jean est en taille 40.
Vous payez à la caisse.
la pointure

Resources

Cassette B, side 2
CD 2, track 14
Cahier d'exercices, pages 41–48
Grammaire 6.2, page 188 and 6.6, page 190

Suggestion

Read through the conversation on page 86 together before doing activity 1a.

1a Lisez la conversation. Qu'est-ce qu'elle achète?

Reading. Students follow the conversation in the book. They then decide which of the four pairs of jeans shown is the one the speaker buys.

Answer

c

1b Choisissez les bonnes lettres pour chaque conversation.

Listening. (1–5) Students listen to the recording and write down four letters, in order, for each conversation: the item, the size, the colour and the problem.

R Go through the alternatives given before playing the recording.

Tapescript

1 – *Bonjour, mademoiselle. Vous désirez?*
– *Je cherche* ***une jupe****.*
– *Quelle taille?*
– *Taille* ***44****.*
– *Et quelle couleur?*
– ***Bleu clair****, s'il vous plaît.*
– *D'accord, … un moment … voilà.*
– *Est-ce que je peux l'essayer?*
– *Bien sûr.*
– *Malheureusement elle est* ***trop courte****. Avez-vous quelque chose de plus long?*
– *Oui, cette jupe est plus longue, regardez.*
– *Merci, je la prends.*
– *Très bien, pouvez-vous payer à la caisse?*

2 – *Bonjour, monsieur. Est-ce que je peux vous aider?*
– *Oui, avez-vous des* ***vestes****?*
– *Mais bien sûr, vous faites quelle taille?*
– *Taille* ***40****.*
– *Et quelle couleur?*
– *Je préfère le vert,* ***vert foncé****, s'il vous plaît.*
– *D'accord, un moment … voilà.*
– *Est–ce que je peux l'essayer?*
– *Bien sûr.*
– *C'est* ***trop long*** *pour moi. Avez-vous quelque chose de plus court?*
– *Oui, cette veste est moins longue, regardez.*
– *D'accord, je la prends.*
– *Très bien, vous pouvez payer à la caisse s'il vous plaît.*

3 – *Bonjour monsieur, qu'est-ce que vous cherchez?*
– *Je cherche* ***un short*** *parce que je pars en vacances.*
– *Quelle taille voulez-vous?*
– *Taille* ***42****, je crois.*
– *Et quelle couleur?*
– ***Bleu foncé****, s'il vous plaît.*
– *D'accord, un moment … voilà un joli petit short en 42.*
– *Est-ce que je peux l'essayer?*
– *Bien sûr.*
– *Malheureusement ce short est* ***trop étroit****. Avez-vous quelque chose de plus large?*
– *Oui, ce short est un peu plus large, mais pas trop.*
– *Merci, je le prends.*
– *Très bien, vous payez là-bas à la caisse.*

4 – *Bonjour, madame. Vous désirez?*
– *Je voudrais une paire de* ***chaussures****.*
– *Quelle pointure?*
– *Je fais du* ***38****.*
– *Et quelle couleur?*
– ***Noir****, s'il vous plaît.*
– *D'accord, un moment … voilà. essayez–les … . Ça va?*
– *Non, elles sont* ***trop petites****. Quel dommage. Est-ce que vous les avez dans une autre couleur?*
– *Mais non madame, je suis désolé.*

5 – *Bonjour, monsieur. Qu'est-ce que vous cherchez?*
– *Je cherche un* ***pullover*** *pour l'anniversaire de ma mère …*
– *Et votre mère, elle fait quelle taille?*
– *Elle fait du* ***46****.*
– *Et quelle couleur est-ce que vous voulez?*
– *Elle adore le vert. Qu'est-ce que vous avez en* ***vert clair****?*
– *Un moment … ce pullover est en vert clair en laine pure, à €68,60.*
– *Oh, il est très joli, mais* ***trop cher****.*

Answers

1 d, d, b, d 2 c, b, c, a 3 b, c, a, e 4 e, a, e, b 5 a, e, d, c

➕ Using their answers for activity 1b, students try to reconstruct two of the conversations they heard on tape.

1c À deux. Répétez la conversation **1a** en utilisant les détails ci-dessous.

Speaking. Students read through the conversation in activity 1a, changing it as required for the details given.

2 Faites correspondre la phrase et l'image.

Speaking. Students match up the statements with the pictures.

Answers

1 e 2 d 3 c 4 b 5 a 6 f

3 Répondez à ces questions en anglais.

Reading. Students answer the questions in English. Remind them that the number of marks shows how many details they should have in their answer.

Answers

1 light green, light blue, dark blue
2 leather
3 €18,30
4 one size more than your usual size
5 pure wool
6 white, beige, grey or black
7 2 coloured, jacket has zipped pockets, trousers have side pockets, 100% polyester
8 yes

➕ Students write their opinion of each of the items in the catalogue and say why they like or dislike them.

3 Au grand magasin

(Student's Book pages 88–89)

Main topics and objectives

- Understanding information about a department store
- Talking about your pocket money

Grammar

- Revision of the conditional tense + inf.

Key language

C'est au sous-sol/au premier/deuxième/troisième étage.
Je reçois ... par semaine de mes parents/de ma mère.
J'achète ...
Je fais des économies pour ...
J'ai assez d'argent/Ça ne suffit pas.
Mes parents me paient ...

Resources

Cassette B, side 2
CD 2, track 15
Cahier d'exercices, pages 41–48

Suggestion

Look at the *Galeries Lafayette* floor plan leaflet together and ask a few questions about where various departments are, to introduce students to the word *rayon*, before they tackle activity 1a.

1a À tour de rôle. C'est à quel étage?

Speaking. (1–8) Students read the queries and look at the *Galeries Lafayette* leaflet. They tell each other the floor to go to in each case.

Answers

1 1er **2** 3ème **3** rez-de-chaussée **4** rez-de-chaussée
5 3ème **6** 3ème **7** sous-sol **8** 3ème

+ Students make up eight more statements and get a partner to find the right floor for each.

1b Identifiez le rayon du magasin.

Listening. (1–8) Students listen to the recording and look at the *Galeries Lafayette* leaflet. They write down, in French, the department each speaker needs.

Tapescript

1 Bonjour madame, je cherche un maillot de bain pour ma fille. Elle a 5 ans.
2 Avez-vous le nouvel album de Quick Nick sur cassette, s'il vous plaît?
3 Je voudrais un radio-réveil, s'il vous plaît.
4 Bonjour monsieur, je cherche un cadeau de mariage.
5 Je voudrais un jeu de société, avez-vous un Scrabble ou Cluédo, s'il vous plaît?
6 Bonjour madame, je cherche un imperméable pour mon mari. Il n'aime que le noir.
7 Avez-vous un journal anglais, mademoiselle?
8 Bonjour, où est-ce que je peux trouver des sandales, s'il vous plaît?

Answers

1 vêtements pour enfants **2** musique **3** électroménager
4 maison des cadeaux **5** jouets
6 vêtements pour homme **7** librairie **8** chaussures

2a Qui ...?

Reading. Students read the pocket money survey and then identify the person, or people, to whom each statement applies. Draw your students' attention to the Top Tip box and get them to work out which statements apply to more than one person before they start the task.

Answers

1 Angélique **2** Audrey **3** Olivier **4** Angélique
5 Olivier, Angélique, Audrey **6** Angélique, Yann
7 Olivier, Audrey, Angélique **8** Angélique, Yann

2b Dans la lettre d'Olivier, trouvez le français pour ...

Reading. Students find these key phrases in the first of the letters.

Answers

1 je reçois de l'argent de poche de ...
2 j'ai ... par semaine
3 avec mon argent j'achète ...
4 je fais des économies parce que ...
5 j'ai assez d'argent de poche
6 mes parents me paient ...

2c Copiez et complétez la grille en français.

Listening. (1–5) Having copied the grid, students listen to the recording and write down the relevant information in French.

Tapescript

1 Je suis Jacques. Je reçois €6,85 par semaine de mes parents. Avec mon argent de poche, j'achète des jeux électroniques et des billets de cinéma. J'ai assez d'argent, moi.

2 Je m'appelle Feyrouze. Toutes les semaines, je reçois €9,15 de mon père. C'est généreux, n'est-ce pas? Mais je dois acheter tous mes vêtements et mes affaires pour le collège – cahiers, stylos, crayons – avec cet argent.

3 Je suis Luc. Je ne reçois pas d'argent de poche, mais je travaille dans le jardin de mon grand-père, et il me donne €15,20 par mois. Je n'achète pas grand-chose: du chewing-gum, des magazines de temps en temps. Il me reste assez pour faire des économies pour une mobylette.

4 Je suis Louise, et j'ai €4,60 par semaine, mais je dois les gagner en aidant à la maison. C'est mon père qui me les donne. J'achète de la bijouterie et des cadeaux. J'aimerais avoir un peu plus d'argent à moi, pour être un peu plus libre.

5 Je m'appelle Boris. Je ne reçois pas d'argent de poche. Mes parents m'achètent ce dont j'ai besoin, et c'est tout. Ça va très bien comme ça.

Answers

	Prénom	combien?	quand?	de qui?	achète?
1	Jacques	€6,85	par semaine	parents	jeux électroniques, ...
2	Feyrouze	€9,15	Totes les semaines	père	vêtements, affaires pour le collège
3	Luc	€15,20	par mois	grand-père	chewing gum magazines
4	Louise	€4,60	par semaine	père	bijouterie, cadeaux
5	Boris	—	—	—	—

R Students complete the grid for each of the young people in the *Galeries Lafayette* survey.

2d Préparez un paragraphe sur votre argent de poche (réel ou imaginaire).

Writing. Using the key phrases they have picked out in activity 2c, students write a paragraph about their own pocket money. Remind them they do not have to tell the truth.

Encourage students to use other expressions from the texts.

R Students imagine they have unlimited pocket money. They use the dictionary to make a list of ten things they would buy.

4 À la poste et à la banque

(Student's Book pages 90–91)

Main topics and objectives

- Posting items and buying stamps at the Post Office
- Phoning from a phone box
- Changing money and travellers' cheques at the bank

Grammar

- *Vouloir/pouvoir* + inf.

Key language

Je peux vous aider?
Je voudrais envoyer ...
une lettre/une carte postale/un paquet
en Écosse/en Angleterre/en Irlande/au pays de Galles.
C'est combien? Ça fait ...
C'est tout?
Non, je voudrais ... un timbre à ... euros.
Où est la cabine téléphonique/la boîte aux lettres?
Décrochez, introduisez votre télécarte/pièce/ attendez la tonalité/composez le numéro/ parlez à votre correspondant(e)/retirez la télécarte/ raccrochez.
Je voudrais changer des chèques de voyage, s'il vous plaît.
Avez-vous une pièce d'identité?
Voici mon passeport.
Donnez-moi des billets de €50 et quelques pièces d'un cent.

Resources

Cassette B, side 2
CD 2, track 16
Cahier d'exercices, pages 41–48

Suggestion

Work on activity 1a together first of all, and introduce the students to the different options. You can take one of the roles and different students can then provide the options.

1a Qui parle?

Listening. (1–6) Students listen to the recording and identify the speaker by using the pictures.

Suggestion

Go through the pictures with your class and anticipate what they will hear for each speaker.

Tapescript

1 Est-ce qu'il y a une cabine téléphonique près d'ici, s'il vous plaît?
2 J'aimerais envoyer ce paquet en Écosse, s'il vous plaît.
3 Je voudrais envoyer cette lettre en Irlande.
4 C'est combien pour envoyer ces cartes postales au pays de Galles, s'il vous plaît?
5 Donnez-moi cinq timbres à €0,46, s'il vous plaît.
6 Où est la boîte aux lettres?

Answers

1 Boris **2** Thomas **3** Marie-Claire **4** Juliette **5** Anna **6** Yann

1b À deux. Répétez cette conversation.

Speaking. Working in pairs, students go through the conversation several times, using the symbols given to vary their answers.

+ Students write out two different conversations at the Post Office.

2 Mettez les instructions dans le bon ordre. Puis écoutez pour vérifier vos réponses.

Reading. Students read the instructions from inside a phone box and put them in the order required to make a call.

Tapescript (Answers)

Décrochez.
Introduisez votre télecarte ou votre pièce.
Attendez la tonalité.
Composez le numéro.
Parlez à votre corespondant(e).
Raccrochez.
Retirez la télécarte.

3a Écoutez la conversation à la banque et trouvez les bonnes réponses.

Listening. (1–4) Students listen to the conversation and write down the letter of the answer for each question.

Tapescript

– Je peux vous aider?
– Je voudrais changer des chèques de voyage, s'il vous plaît.
– Avez-vous une pièce d'identité?
– Oui, voici mon passeport.
– Quelle sorte de billets voulez-vous?
– Donnez-moi des billets de €100, s'il vous plaît.
– Voulez-vous de la monnaie aussi?
– Je veux bien, est-ce que je peux avoir quelques pièces d'un cent?

Answers

1 c **2** d **3** b **4** a

3b Identifiez l'argent reçu par chaque client.

Listening. (1–5) Students listen to the recording and match one of the sums of money shown with each speaker.

R Before you listen to the recording, go through the sums of money with your class so they are able to recognise the amounts.

Tapescript

1 – Quelle sorte de billets voulez-vous?
– Donnez-moi trois billets de E200, et quelques pièces d'un cent, s'il vous plaît.
2 – Qu'est-ce que vous voulez comme argent?
– 5 billets de E100, si possible.
3 – Quelles sortes de billets voulez-vous, mademoiselle?
– Je voudrais 3 billets de E500, et 5 billets de E100 s'il vous plaît.
4 – Comment voulez-vous l'argent?
– Mmm voyons ... donnez-moi 3 billets de E100, et un billet de E200, s'il vous plaît.
5 – Qu'est-ce que vous voulez comme argent?
– Est-ce que je peux avoir 10 billets de E100, et quelques pièces de 10 cents, s'il vous plaît?

Answers

1 d **2** a **3** c **4** e **5** b

3c À deux. En français.

Speaking. In pairs, students practise the conversations, putting the English into French.

4 Copiez et complétez la grille en anglais.

Listening. (1–6) Having copied the grid, students listen to the recording and note in English the two pieces of information for each speaker.

R Write the six requests and the six problems on the board, but not in the right order. Students must then match each speaker with the correct request and problem.

Tapescript

1 – Je voudrais changer des chèques de voyage, s'il vous plaît.
– Avez-vous une pièce d'identité?
– Ah zut, j'ai laissé mon passeport à la maison.
2 – Bonjour, madame. Je voudrais des timbres, s'il vous plaît.
– Je suis désolée, mais on ne vend pas de timbres ici. Il faut aller dans un bureau de tabac.
3 – Est-ce qu'il y a un téléphone ici?
– Oui, il y a une cabine téléphonique, mais ça marche pas en ce moment. Le téléphone est cassé.
4 – Bonjour mademoiselle. Je voudrais envoyer ce paquet en Angleterre, s'il vous plaît.
– Oui. Ça fait €6,50.
– Ah non, je n'ai pas assez d'argent.
5 – Je veux téléphoner en Angleterre, mais le téléphone n'accepte pas mes pièces.
– Il faut une télécarte pour téléphoner de cette cabine, mademoiselle.
6 – Bonjour, monsieur. Je voudrais 10 timbres, s'il vous plaît.
– Excusez-moi, mais je n'ai pas de timbres ici. Il faut aller à la caisse numéro 4.

Answers

	Wants?	Problem?
1	change traveller's cheques	passport at home
2	stamps	don't sell stamps
3	telephone	telephone is broken
4	send a parcel to England	not enough money
5	phone England	phone won't accept her coins/needs a phonecard
6	10 stamps	no stamps here/have to go to the till no.4

5 Êtes-vous fanatique du shopping?

(Student's Book pages 92–93)

Main topics and objectives

- Giving information and opinions about shops and shopping
- Returning things you have bought
- Making a complaint

Grammar

- Superlative adjectives
- *il y a* (ago)

Key language

Dans ma ville il y a /il n'y a pas …
Il y a quelques/beaucoup de/ plein de/assez de …
Je préfère les (magasins de vêtements) car/parce que …
… le service est bon/il y a beaucoup de choix/c'est moins cher/il y a souvent des soldes.
Je vais le/la/les prendre.
Cette montre ne marche pas/est cassée.
Ce T-shirt/pullover/parapluie/porte-monnaie est sale/trop grand/trop cher.
Cette robe n'est pas la bonne taille.
Je voudrais me plaindre.
Je peux l'échanger?
Vous pouvez me rembourser?
Voilà le reçu.
Passez à la caisse.
Il y a …(un jour, etc).

Resources

Cassette B, side 2
CD 2, track 17
Cahier d'exercices, pages 41–48

Suggestion

Continuing the theme of the previous unit, conduct a chain game with your group. One person begins:

Je suis allé(e) aux Galéries Lafayette, et j'ai acheté (+ one item).

Students in turn repeat the sentence, each adding an item.

Alternatively, place the names of various consumer shops you would find in a shopping mall in a bag and ask pairs of students to take one. They have a few minutes to prepare a minute's presentation for a radio advert, and then they 'present' their shop, with as much hype as possible. Write helpful phrases on the board.

1a Lisez ce message et complétez les phrases.

Reading. Sammy's e-mail regarding the shopping potential of Surgères is exploited by way of unfinished sentences, which students complete. They could draw up a table comparing Surgères and La Rochelle. Refer to the *Le détective* box, which illustrates the use of the superlative.

Answers

1 magasins	**2** rue piétonne	**3** fast-food
4 assez chers	**5** marché	**6** légumes/viande
7 La Rochelle	**8** centres commerciaux	
9 centre-ville	**10** chers	

1b Écoutez, copiez et trouvez la bonne lettre.

Listening. Students fill in details of shops and reasons why they are liked or disliked. A menu of vocabulary is provided.

Transcript

1 – Salut, Philippe. Qu'est-ce que tu penses des magasins dans ta ville?
– Je trouve qu'ils sont chouettes, surtout les magasins de sports, parce qu'il y a beaucoup de choix.
2 – Bonjour, Sahlia. Quel est ton avis sur les magasins près de chez toi?
– Les magasins de vêtements sont très démodés; ça plaît à ma grand-mère, quoi!
3 – Bonjour, Arnaud. Quelles sortes de magasins est-ce que tu préfères?
– Moi, j'aime bien les confiseries, surtout à Pâques, parce que j'adore le chocolat.
4 – Salut, Mimi. Donne-moi ton opinion sur les magasins près de chez toi, s'il te plaît.
– Les magasins près de chez moi? Il n'y en a pas beaucoup! Nous, on préfère aller au supermarché en ville parce que c'est moins cher.

Answers

1 Philippe préfère (C) les magasins de sports, parce qu' (H) il y a beaucoup de choix.
2 Sahlia n'aime pas (D) les magasins de vêtements, parce qu' (E) ils sont très démodés.
3 Arnaud aime (A) les confiseries, parce qu' (F) il adore le chocolat.
4 Mimi préfère (B) le supermarché en ville, parce que (G) c'est moins cher.

1c Préparez votre opinion sur les magasins dans votre ville.

Speaking. Students in pairs practise exchanging information about the shops in their own town, using the flow chart for support. They can, of course, include extra phrases, if they wish.

1d Écrivez un paragraphe sur les magasins dans votre ville.

Writing. Consolidation in writing of the previous activity.

2a Lisez le problème et identifiez l'image correcte.

Reading. A straightforward activity, matching text and pictures, and introducing vocabulary relating to problems with consumer goods. Extend the activity by giving out pictures from consumer catalogues, or flashcards, for which students invent a problem with the item depicted. Pictures can be swapped round several times.

Answers

1 e	**2** a	**3** d	**4** b	**5** f	**6** c

2b Copiez et complétez la grille en français. (1–5)

Listening. Students note the name of each item and the problem.

Transcript

1 – *Bonjour, monsieur. Je peux vous aider?*
– *Oui, j'ai acheté ce pantalon il y a trois jours, mais il est sale. Je peux l'échanger?*
– *Avez-vous le reçu?*
– *Oui, voilà.*
– *Bon, d'accord. Prenez un autre pantalon et passez à la caisse.*

2 – *Bonjour, madame. Qu'y a-t-il pour votre service?*
– *Je voudrais me plaindre. J'ai acheté ce Walkman ici hier, mais il ne marche pas.*
– *Excusez-nous, madame, je vous en prie. Attendez, je vais vous en chercher un autre.*

3 – *Bonjour, monsieur. Il y a un problème?*
– *Je viens d'acheter cette robe pour ma femme, mais ce n'est pas la bonne taille. Ma femme fait taille 44, mais la robe est un 40.*
– *Avez-vous le reçu, s'il vous plaît? On peut vous rembourser.*

4 – *Bonjour, mademoiselle. Je peux vous aider?*
– *Mais oui, regardez ce miroir que j'ai acheté chez vous hier! En ouvrant la boîte, j'ai vu qu'il était tout cassé! Regardez, monsieur!*
– *Calmez-vous, mademoiselle, je vous en prie. Je peux vous rembourser immédiatement.*

5 – *Bonjour, madame. Qu'est-ce qui ne va pas?*
– *Bonjour, monsieur. J'ai acheté ce short pour ma fille, mais elle n'aime pas la couleur. Est-ce que je peux l'échanger?*
– *Mais bien sûr, madame. Suivez-moi.*

Answers

	article	**problème**
1	pantalon	sale
2	Walkman	ne marche pas
3	robe	trop petite
4	miroir	cassé
5	short	n'aime pas la couleur

Play the recording from 2b again. Students listen again for whether the item is reimbursed or changed. Warn them not to listen for the exact words, as these are not always present.

Answers

Solution

1 échangé	**2** échangé	**3** remboursé
4 remboursé	**5** échangé	

2c À deux. Vous voulez vous plaindre. Lisez cette conversation, puis regardez les images a–d et changez les détails en caractères gras.

Speaking. Students read the model dialogue and invent similar ones of their own based on the visuals. Draw their attention to the Key language box at the bottom of the page, and to the *Rappel* box for the use of *il y a*.

+ Students make up several sentences using the superlative.

+ Students invent further dialogues of their own based on Activity **2d**.

+ Which shops do you prefer and why? Students write a paragraph saying where they shop, what they buy there and why they like those shops.

MODULE 6 AUX MAGASINS

Entraînez-vous

(Student's Book pages 94–95)

Speaking practice and coursework

À l'oral

Topics revised

- Buying food/clothing
- Talking about your money and how you spend it
- Talking about clothes

1 You are at a market in France.

Role-play. Ask students to work in pairs. They can take it in turns to be the 'stallholder', doing the role-play twice.

2 You are in a clothing boutique in France.

Role-play. Ask students to work in pairs. They can take it in turns to be the 'shop assistant', doing the role-play twice.

3 Talk for one minute about money. Make yourself a cue card.

Presentation. Students give a short talk about pocket money. You will probably want to spend some time in class going through the prompts.

This can be:
- prepared in the classroom or at home;
- recorded on tape;
- students can give their talk to a small group of other students; *or*
- certain students can be chosen to give their talk to the whole class.

The main thing is that students become used to speaking from notes, not reading a speech.

Questions générales

Speaking. These are key questions to practise for the oral exam, taken from the module as a whole. Students can practise asking and answering the questions in pairs. They should be encouraged to add as much detail as possible. It is often a good idea to write model answers together in class.

Encourage them to use the delaying tactics in the Top Tip box when appropriate.

À l'écrit

Topics revised

- Talking about school uniform
- Giving opinions
- Talking about pocket money

1 Your task is to write about your ideal school uniform.

An AQA Specification A coursework-style task (Theme 1.6), for which students write 70–100 words describing their ideal school uniform. Suggestions for structure and helpful language and tips are provided. Students may choose to include labelled pictures for this task, but remind them once again that it is the quality and accuracy of their written French which will gain them marks, rather than the overall presentation.

2 Your task is to write about how you spend your pocket money.

An AQA Specification B modular coursework-style a task (Module 3, topic E), for which students write about their pocket money and what they do with it. Encourage students to give as much information as possible – the account does not have to be strictly truthful. There is scope to use the perfect tense to describe what they have bought recently. They should write about 40 words.

MODULE 6 AUX MAGASINS

À toi!

(Student's Book pages 170–171)

Self-access reading and writing at two levels

1 Answer these questions in English.

Reading. Students read the signs and notices and answer the questions in English.

Answers

1 closed
2 until 8pm
3 the lift
4 50% off cassettes
5 pull
6 one melon
7 sale from 1st August
8 leather trousers
9 don't wash in hot water
10 push

2 Copiez et complétez la grille.

Writing. Students fill in two items for each shop. Remind them not to repeat items.

3 Corrigez les erreurs.

Reading. Students demonstrate comprehension of the text by correcting a list of eight false statements. They then correct the inaccuracies, either in English or in French.

Answers

1 C'est une sorte de céréales.
2 C'est pour un mini sac à dos.
3 Tu peux garder tes billets de bus, ta carte d'identité et ton mouchoir.
4 Il est tout petit et en plastique.
5 On peut l'acheter en 3 couleurs.
6 Il coûte €6,40 aussi que trois bons.
7 Il faut envoyer trois timbres à €4,60.
8 Il finit le 31 décembre.

4 Le week-end dernier, vous êtes allé(e) en ville. Écrivez un e-mail à votre correspondant(e) et mentionnez:

Writing. An opportunity for students to write an account in the past of a shopping trip, including details about which shops there are in their town, which ones they prefer, what they bought, etc. The future and conditional tenses are required.

They should also include a question asking their penfriend what he/she would like for their birthday.

Posez-lui aussi une question sur le shopping. Demandez-lui ce qu'il (elle) voudrait comme cadeau d'anniversaire.

Cahier d'exercices, page 41

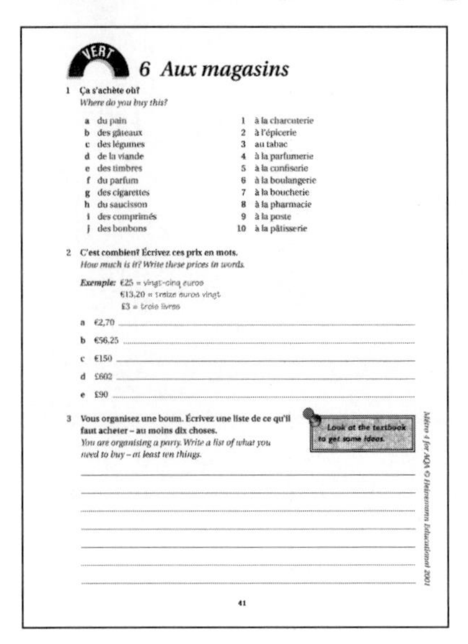

6 *Aux magasins*

1 **Ça s'achète où?**
Where do you buy this?

a	du pain	1	à la charcuterie
b	des gâteaux	2	à l'épicerie
c	des légumes	3	au tabac
d	de la viande	4	à la parfumerie
e	des timbres	5	à la confiserie
f	du parfum	6	à la boulangerie
g	des cigarettes	7	à la boucherie
h	du saucisson	8	à la pharmacie
i	des comprimés	9	à la poste
j	des bonbons	10	à la pâtisserie

2 **C'est combien? Écrivez ces prix en mots.**
How much is it? Write these prices in words.

Exemple: €25 = vingt-cinq euros
€13,20 = treize euros vingt
£3 = trois livres

a €2,70 ....
b €56.25 ....
c €150 ....
d £602 ....
e £90 ....

3 **Vous organisez une boum. Écrivez une liste de ce qu'il faut acheter – au moins dix choses.**
You are organising a party. Write a list of what you need to buy – at least ten things.

Look at the textbook to get some ideas.

Métro 4 for AQA © Heinemann Educational 2001

41

1
Answers

a 6; **b** 10; **c** 2; **d** 7; **e** 9; **f** 4; **g** 3; **h** 1; **i** 8; **j** 5

2
Answers

a deux euros soixante-dix; **b** cinquante-six euros vingt-cinq; **c** cent cinquante euros; **d** six cent deux livres; **e** quatre-vingt-dix livres

Cahier d'exercices, page 42

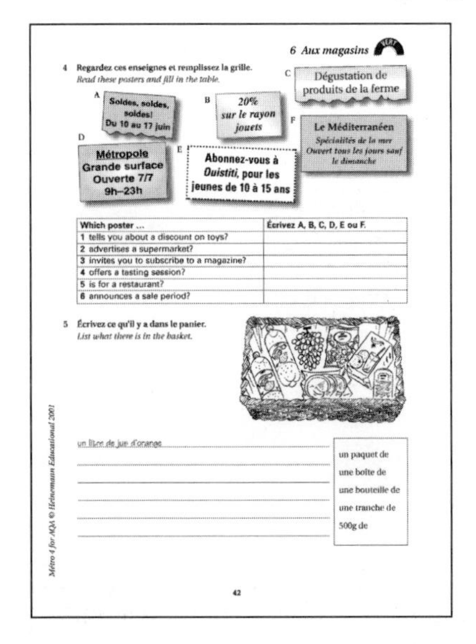

6 *Aux magasins*

4 **Regardez ces enseignes et remplissez la grille.**
Read these posters and fill in the table.

A Soldes, soldes, soldes! Du 10 au 17 juin
B 20% sur le rayon jouets
C Dégustation de produits de la ferme
D Métropole Grande surface Ouverte 7/7 9h–23h
E Abonnez-vous à *Ouistiti*, pour les jeunes de 10 à 15 ans
F Le Méditerranéen *Spécialités de la mer Ouvert tous les jours sauf le dimanche*

Which poster ...	Écrivez A, B, C, D, E ou F.
1 tells you about a discount on toys?	
2 advertises a supermarket?	
3 invites you to subscribe to a magazine?	
4 offers a tasting session?	
5 is for a restaurant?	
6 announces a sale period?	

5 **Écrivez ce qu'il y a dans le panier.**
List what there is in the basket.

un litre de jus d'orange

un paquet de
une boîte de
une bouteille de
une tranche de
500g de

Métro 4 for AQA © Heinemann Educational 2001

42

4
Answers

1 B; **2** D; **3** E; **4** C; **5** F; **6** A

5
Answers

a deux bouteilles de limonade
b 500g de raisin
c un paquet de bonbons
d trois tranches de jambon
e une boîte de haricots verts

Cahier d'exercices, page 43

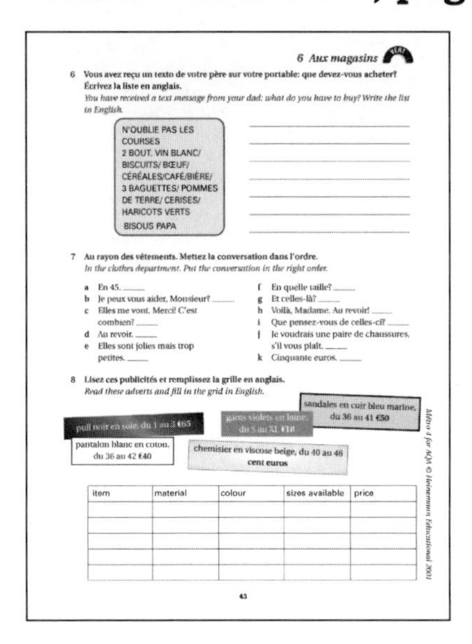

6 *Aux magasins*

6 **Vous avez reçu un texto de votre père sur votre portable: que devez-vous acheter? Écrivez la liste en anglais.**
You have received a text message from your dad: what do you have to buy? Write the list in English.

N'OUBLIE PAS LES COURSES
2 BOUT. VIN BLANC/ BISCUITS/ BŒUF/ CÉRÉALES/CAFÉ/BIÈRE/ 3 BAGUETTES/ POMMES DE TERRE/ CERISES/ HARICOTS VERTS
BISOUS PAPA

7 **Au rayon des vêtements. Mettez la conversation dans l'ordre.**
In the clothes department. Put the conversation in the right order.

a En 45. ____
b Je peux vous aider, Monsieur? ____
c Elles me vont. Merci! C'est combien? ____
d Au revoir. ____
e Elles sont jolies mais trop petites. ____
f En quelle taille? ____
g Et celles-là? ____
h Voilà, Madame. Au revoir! ____
i Que pensez-vous de celles-ci? ____
j Je voudrais une paire de chaussures, s'il vous plaît. ____
k Cinquante euros. ____

8 **Lisez ces publicités et remplissez la grille en anglais.**
Read these adverts and fill in the grid in English.

sandales en cuir bleu marine, du 36 au 41 €50
pull noir en soie, du 1 au 3 €65
gants violets en laine, du S au XL €18
pantalon blanc en coton, du 36 au 42 €40
chemisier en viscose beige, du 40 au 46 cent euros

item	material	colour	sizes available	price

Métro 4 for AQA © Heinemann Educational 2001

43

6
Answers

2 bottles of white wine/biscuits/beef/cereals/coffee/beer/3 French sticks/potatoes/cherries/French beans

7
Answers

a 4; **b** 1; **c** 8; **d** 11; **e** 6; **f** 3; **g** 7; **h** 10; **i** 5; **j** 2; **k** 9

8
Answers

item	material	colour	sizes available	price
jumper	silk	black	1 to 3	€65
trousers	cotton	white	36 to 42	€40
gloves	wool	purple	S to XL	€18
blouse	viscose	beige	40 to 46	€100
sandals	leather	navy blue	36 to 41	€50

Cahier d'exercices, page 44

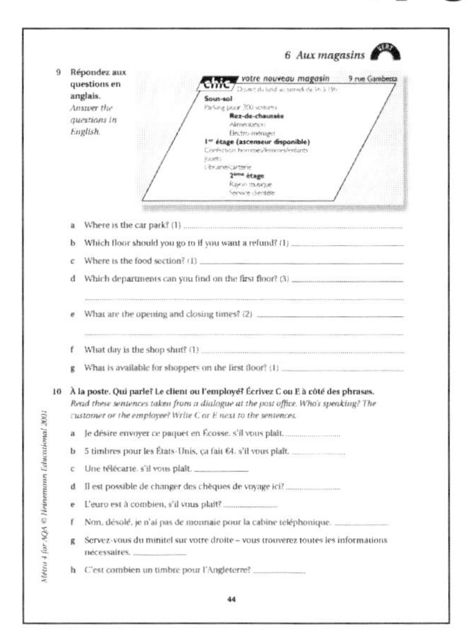

6 Aux magasins

9 **Répondez aux questions en anglais.**
Answer the questions in English.

Chic votre nouveau magasin 9 rue Gambetta
Ouvert du lundi au samedi de 9h à 19h
Sous-sol
Parking pour 300 voitures
Rez-de-chaussée
Alimentation
Électro-ménager
1er étage (ascenseur disponible)
Confection hommes/femmes/enfants
Jouets
Librairie/carterie
2ème étage
Rayon musique
Service clientèle

a Where is the car park? (1) ________
b Which floor should you go to if you want a refund? (1) ________
c Where is the food section? (1) ________
d Which departments can you find on the first floor? (3) ________
e What are the opening and closing times? (2) ________
f What day is the shop shut? (1) ________
g What is available for shoppers on the first floor? (1) ________

10 **À la poste. Qui parle? Le client ou l'employé? Écrivez C ou E à côté des phrases.**
Read these sentences taken from a dialogue at the post office. Who's speaking? The customer or the employee? Write C or E next to the sentences.

a Je désire envoyer ce paquet en Écosse, s'il vous plaît. ________
b 5 timbres pour les États-Unis, ça fait €4, s'il vous plaît. ________
c Une télécarte, s'il vous plaît. ________
d Il est possible de changer des chèques de voyage ici? ________
e L'euro est à combien, s'il vous plaît? ________
f Non, désolé, je n'ai pas de monnaie pour la cabine téléphonique. ________
g Servez-vous du minitel sur votre droite – vous trouverez toutes les informations nécessaires. ________
h C'est combien un timbre pour l'Angleterre? ________

44

9
Answers

a underground; **b** 2nd floor; **c** on the ground floor; **d** clothing for men, women and children, toys, books and stationery; **e** 9am to 7pm; **f** Sunday; **g** a lift

10
Answers

a C; **b** E; **c** C; **d** C; **e** C; **f** E; **g** E; **h** C

Cahier d'exercices, page 45

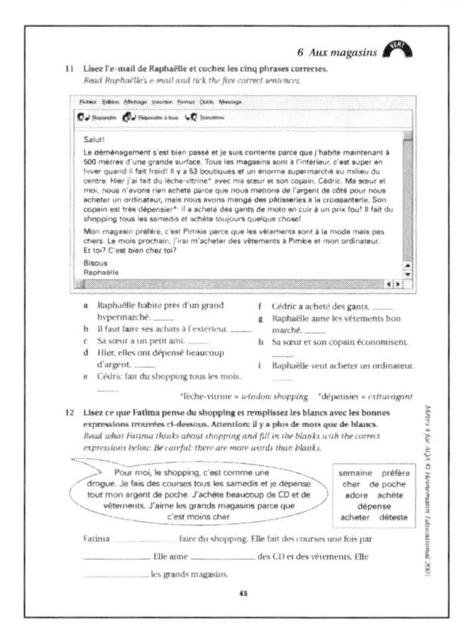

6 Aux magasins

11 **Lisez l'e-mail de Raphaëlle et cochez les cinq phrases correctes.**
Read Raphaëlle's e-mail and tick the five correct sentences.

Salut!

Le déménagement s'est bien passé et je suis contente parce que j'habite maintenant à 500 mètres d'une grande surface. Tous les magasins sont à l'intérieur, c'est super en hiver quand il fait froid! Il y a 53 boutiques et un énorme supermarché au milieu du centre. Hier j'ai fait du lèche-vitrine* avec ma sœur et son copain, Cédric. Ma sœur et moi, nous n'avons rien acheté parce que nous mettons de l'argent de côté pour nous acheter un ordinateur, mais nous avons mangé des pâtisseries à la croissanterie. Son copain est très dépensier*: il a acheté des gants de moto en cuir à un prix fou! Il fait du shopping tous les samedis et achète toujours quelque chose!

Mon magasin préféré, c'est Pimkie parce que les vêtements sont à la mode mais pas chers. Le mois prochain, j'irai m'acheter des vêtements à Pimkie et mon ordinateur. Et toi? C'est bien chez toi?

Bisous
Raphaëlle

a Raphaëlle habite près d'un grand hypermarché. ________
b Il faut faire ses achats à l'extérieur. ________
c Sa sœur a un petit ami. ________
d Hier, elles ont dépensé beaucoup d'argent. ________
e Cédric fait du shopping tous les mois. ________
f Cédric a acheté des gants. ________
g Raphaëlle aime les vêtements bon marché. ________
h Sa sœur et son copain économisent. ________
i Raphaëlle veut acheter un ordinateur. ________

*lèche-vitrine = *window shopping* *dépensier = *extravagant*

12 **Lisez ce que Fatima pense du shopping et remplissez les blancs avec les bonnes expressions trouvées ci-dessous. Attention: il y a plus de mots que de blancs.**
Read what Fatima thinks about shopping and fill in the blanks with the correct expressions below. Be careful: there are more words than blanks.

Pour moi, le shopping, c'est comme une drogue. Je fais des courses tous les samedis et je dépense tout mon argent de poche. J'achète beaucoup de CD et de vêtements. J'aime les grands magasins parce que c'est moins cher.

semaine préfère cher de poche adore achète dépense acheter déteste

Fatima ________ faire du shopping. Elle fait des courses une fois par ________. Elle aime ________ des CD et des vêtements. Elle ________ les grands magasins.

45

11
Answers

The correct sentences are a, c, f, g and i.

12
Answers

adore; semaine; acheter; préfère

Cahier d'exercices, page 46

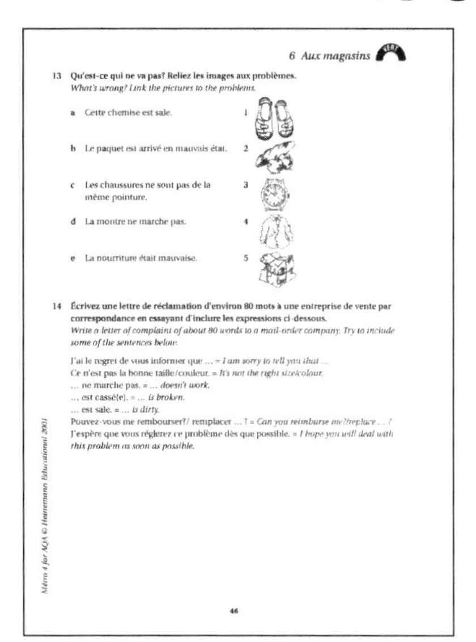

6 Aux magasins

13 **Qu'est-ce qui ne va pas? Reliez les images aux problèmes.**
What's wrong? Link the pictures to the problems.

a Cette chemise est sale. 1
b Le paquet est arrivé en mauvais état. 2
c Les chaussures ne sont pas de la même pointure. 3
d La montre ne marche pas. 4
e La nourriture était mauvaise. 5

14 **Écrivez une lettre de réclamation d'environ 80 mots à une entreprise de vente par correspondance en essayant d'inclure les expressions ci-dessous.**
Write a letter of complaint of about 80 words to a mail-order company. Try to include some of the sentences below.

J'ai le regret de vous informer que ... = *I am sorry to tell you that ...*
Ce n'est pas la bonne taille/couleur. = *It's not the right size/colour.*
... ne marche pas. = *... doesn't work.*
... est cassé(e). = *... is broken.*
... est sale. = *... is dirty.*
Pouvez-vous me rembourser?/ remplacer ... ? = *Can you reimburse me?/replace ... ?*
J'espère que vous réglerez ce problème dès que possible. = *I hope you will deal with this problem as soon as possible.*

46

13
Answers

a 4; **b** 5; **c** 1; **d** 3; **e** 2

Cahier d'exercices, page 47

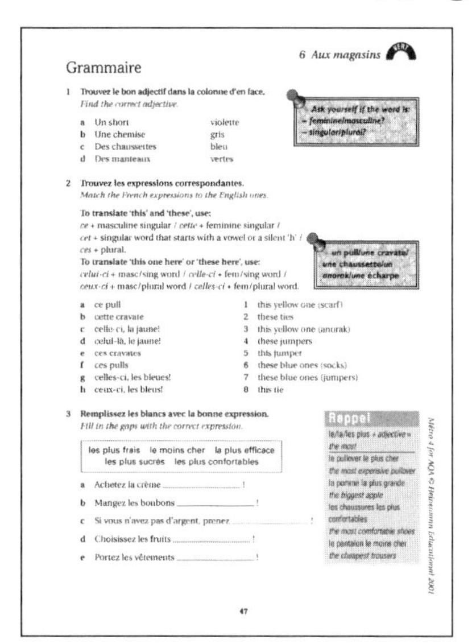

6 Aux magasins

Grammaire

1 **Trouvez le bon adjectif dans la colonne d'en face.**
Find the correct adjective.

a Un short — violette
b Une chemise — gris
c Des chaussettes — bleu
d Des manteaux — vertes

Ask yourself if the word is:
– feminine/masculine?
– singular/plural?

2 **Trouvez les expressions correspondantes.**
Match the French expressions to the English ones.

To translate 'this' and 'these', use:
ce + masculine singular / *cette* + feminine singular / *cet* + singular word that starts with a vowel or a silent 'h' / *ces* + plural.
To translate 'this one here' or 'these here', use:
celui-ci + masc/sing word / *celle-ci* + fem/sing word / *ceux-ci* + masc/plural word / *celles-ci* + fem/plural word.

un pull/une cravate/ une chaussette/un anorak/une écharpe

a ce pull — 1 this yellow one (scarf)
b cette cravate — 2 these ties
c celle-ci, la jaune! — 3 this yellow one (anorak)
d celui-là, le jaune! — 4 these jumpers
e ces cravates — 5 this jumper
f ces pulls — 6 these blue ones (socks)
g celles-ci, les bleues! — 7 these blue ones (jumpers)
h ceux-ci, les bleus! — 8 this tie

3 **Remplissez les blancs avec la bonne expression.**
Fill in the gaps with the correct expression.

les plus frais le moins cher la plus efficace les plus sucrés les plus confortables

a Achetez la crème ________ !
b Mangez les bonbons ________ !
c Si vous n'avez pas d'argent, prenez ________ !
d Choisissez les fruits ________ !
e Portez les vêtements ________ !

Rappel
le/la/les plus + adjective = *the most*
le pullover le plus cher *the most expensive pullover*
la pomme la plus grande *the biggest apple*
les chaussures les plus confortables *the most comfortable shoes*
le pantalon le moins cher *the cheapest trousers*

47

Grammaire

1
Answers

a un short bleu; **b** une chemise violette; **c** des chaussures vertes; **d** des manteaux gris

2
Answers

a 5; **b** 8; **c** 1; **d** 3; **e** 2; **f** 4; **g** 6; **h** 7

3

Answers

a la plus efficace; **b** les plus sucrés; **c** le moins cher; **d** les plus frais; **e** les plus confortables

Cahier d'exercices, page 48

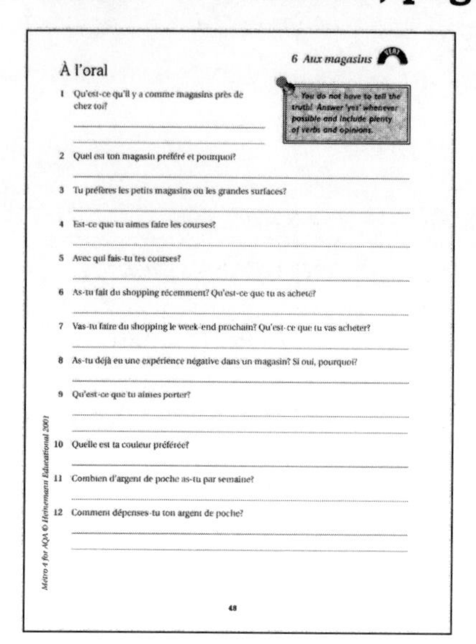

6 *Aux magasins*

À l'oral

You do not have to tell the truth! Answer 'yes' whenever possible and include plenty of verbs and opinions.

1 Qu'est-ce qu'il y a comme magasins près de chez toi?

2 Quel est ton magasin préféré et pourquoi?

3 Tu préfères les petits magasins ou les grandes surfaces?

4 Est-ce que tu aimes faire les courses?

5 Avec qui fais-tu tes courses?

6 As-tu fait du shopping récemment? Qu'est-ce que tu as acheté?

7 Vas-tu faire du shopping le week-end prochain? Qu'est-ce que tu vas acheter?

8 As-tu déjà eu une expérience négative dans un magasin? Si oui, pourquoi?

9 Qu'est-ce que tu aimes porter?

10 Quelle est ta couleur préférée?

11 Combien d'argent de poche as-tu par semaine?

12 Comment dépenses-tu ton argent de poche?

48

Module 7: En vacances

(Student's Book pages 98–111)

Unit	Main topics and objectives	Grammar	Key language
Déjà vu (pp. 98–101)	Understanding names of countries and nationalities Talking about the weather and the seasons Understanding a weather forecast	In + name of a country In + name of a town	*L'Europe/la Grande-Bretagne/l'Allemagne/la France/ la Grèce/l'Italie/la Belgique/la Hollande/la Suisse* *Où est-ce que tu passes tes vacances?* *Je passe mes vacances (en Espagne).* *allemand(e)/américain(e)/espagnol(e)/français(e)/ grec(que)/hollandais(e)/ italien(ne)/portugais(e)/suisse/britannique/belge* *(En été) il fait (beau).* *Il pleut/Il neige.* *Il y a du brouillard.* *Dans le (nord) (il va faire beau/il fera beau).*
1 L'année dernière … (pp. 102–103)	Talking about what you did on holiday last year	The imperfect tense *C'était/il y avait/ il faisait* + weather	*D'habitude/Normalement, je passe mes vacances avec ma famille.* *L'année dernière, j'ai passé mes vacances avec mes amis.* *Je vais/je suis allé(e) avec …* *Je loue/j'ai loué …* *Je joue/j'ai joué au foot.* *Je fais/j'ai fait (de la planche à voile).* *Je suis resté(e)/J 'ai visité …* *Je suis allé(e) (en Belgique).* *On est resté dans (une auberge de jeunesse).* *C'était (barbant).* *Il y avait un grand jardin.* *Il faisait (beau).*
2 Au syndicat d'initiative (pp. 104–105)	Saying what you can do in a town Asking for information at the tourist information centre Understanding a leaflet about a town	*Pouvoir* + inf.	*On peut jouer (au volley).* *On peut aller (à la plage).* *On peut faire (du camping).* *On peut louer (un vélo).* *On peut visiter (un château).* *Je voudrais (un plan de la ville) s'il vous plaît.* *Est-ce qu'on peut (louer un canoë-kayak)?*
3 À l'hôtel (pp. 106–107)	Booking a hotel	Asking questions	*Avez-vous une chambre de libre?* *Je voudrais réserver une chambre (pour une personne) avec (une salle de bain).* *C'est pour … nuits.* *C'est combien par chambre et par nuit?* *Est-ce qu'il y a (un restaurant)?* *Le petit déjeuner est à quelle heure?* *Le petit déjeuner est servi au restaurant à partir de … heures.*
4 On a des problèmes (pp. 108–109)	Talking about accommodation problems Making complaints	Imperfect tense: *était / étaient / avait*	*Je voudrais me plaindre.* *Je suis dans la chambre (21).* *Il y a trop de bruit/un problème avec …* *Il n'y a pas de (savon).* *(La douche) ne marche pas.* *La chambre est sale/donne sur la rue.* *Quelqu'un a cassé (la lampe).* *Le mini-bar est vide.* *La chambre était …* *Les serveurs étaient …* *Il n'y avait pas de …* *… ne marchait pas.*

Unit	Main topics and objectives	Grammar	Key language
Entraînez-vous (pp. 110–111)	Speaking practice and coursework	Revision of: Past present, future and imperfect tenses *Vouloir* + inf. In + name of a country/town Adjectives Indefinite/ possessive articles Asking questions	
À toi! (pp. 172–173)	Self-access reading and writing Understanding notices, rules and regulations in a hotel Understanding information about a holiday village Describing a current holiday Describing a past holiday and saying what you will do next year	*Au/à la/à l'/aux* The partitive article *C'était/il y avait/il faisait* + weather Past tense with *avoir* and *être* Past, imperfect and future tenses	

MODULE 7 EN VACANCES

Déjà vu

(Student's Book pages 98–101)

Main topics and objectives

- Understanding names of countries and nationalities
- Talking about the weather and the seasons
- Understanding a weather forecast

Grammar

- In + name of a country
  En France
  Au Portugal
  Aux États-Unis
- In + name of a town
  À Paris
  À Calais

Key vocabulary

L'Europe/la Grande-Bretagne/l'Allemagne/la France/ la Grèce/l'Italie/la Belgique/la Hollande/la Suisse
Où est-ce que tu passes tes vacances?
Je passe mes vacances en Espagne/au Portugal/ aux États-Unis.
allemand(e)/américain(e)/espagnol(e)/français(e)/ grec(que)/hollandais(e)/ italien(ne)/portugais(e)/suisse/britannique/belge
En été/en automne/en hiver/au printemps …
il fait beau/mauvais/chaud/froid.
À (Calais) il fait du vent.
Il pleut/Il neige.
Il y a du brouillard.
Dans le nord/sud/est/ouest …
il va faire beau/il fera beau/il va pleuvoir/il pleuvra/ il va neiger/il neigera.

Resources

Cassette C, side 1
CD 2, track 18
Cahier d'exercices, pages 49–56
Grammaire 8.3, page 192

Suggestion

Present countries by making an OHT of a map of Europe or by using the map on page 98.

1a Complétez la phrase avec le bon pays. Ensuite faites correspondre les phrases avec les lettres sur la carte.

Reading. Students complete each sentence with the name of the right country drawn from the Key vocabulary box. They then match each sentence to a letter from the map of Europe.

Suggestion

You might want to have some atlases available.

Answers

1 Italie, i **2** Portugal, f **3** Suisse, h **4** Grande-Bretagne, a
5 Grèce, j **6** France, e **7** Allemagne, c **8** Espagne, g
9 Hollande, b **10** Belgique, d

1b À deux. Demandez à votre partenaire où est-ce qu'il/elle passe ses vacances.

Working in pairs, students use the example dialogue to ask and answer the questions given. They work out the holiday country by identifying the flag on the tee-shirt. Encourage students to take an educated guess!

Suggestion

A book about flags will help.

Answers

a aux États-Unis **b** en Irlande **c** en Grande-Bretagne
d en France **e** en Hollande **f** en Grèce **g** en Suisse
h en Allemagne **i** au Portugal

1c Notez le pays qu'ils préfèrent.

Listening. (1–8) Students listen to the recording and write down in French the name of the country each speaker prefers.

Tapescript

1 Je préfère passer mes vacances en Allemagne.
2 J'aime les États-Unis.
3 Je vais en Grèce. C'est mon pays préféré.
4 J'aime aller en Espagne.
5 Moi, j'adore la Suisse.
6 J'aime aller en Grande-Bretagne, car j'aime parler anglais.
7 Mon lieu de vacances préféré, c'est la Hollande.
8 J'aime passer mes vacances au Portugal.

Answers

1 l'Allemagne **2** les États-Unis **3** la Grèce **4** l'Espagne
5 la Suisse **6** la Grande-Bretagne **7** la Hollande
8 le Portugal

2 Identifiez le pays.

Reading. Students read the statements and work out the country to which each statement refers. The statements all include country adjectives, which are listed in the Key language box.

Answers

1 l'Italie **2** la Suisse **3** la France **4** les États-Unis
5 la Grèce **6** l'Allemagne **7** la Grande-Bretagne
8 la Hollande

Suggestion

Make an OHT of the key weather symbols. You could then cut them out and overlay them onto a map, to practise asking *quel temps fait-il … ?* + location.

3a Regardez les images et écrivez le temps.

Writing. Using the Key vocabulary box for help, students write down the weather for each picture.

Answers

a il pleut **b** il fait beau **c** il fait du brouillard
d il fait chaud **e** il neige **f** il fait du vent
g il fait mauvais **h** il fait froid

3b Notez le pays et le temps.

Listening. (1–8) Students listen to the recording and write down in French the country and the weather for each speaker.

R Instead of writing down the weather, students can use the lettered symbols from activity 3a.

Tapescript

1 En France, il y a du brouillard.
2 En Écosse, il fait froid.
3 En Espagne, il fait chaud.
4 En Italie, il pleut.
5 En Allemagne, il fait du vent.
6 Au pays de Galles, il fait mauvais.
7 Au Canada, il neige.
8 Aux États-Unis, il fait beau.

Answers

as tapescript

3c À deux. Écrivez un temps pour chaque ville EN SECRET. Demandez à votre partenaire le temps pour chaque ville.

Speaking. Students create their own answer-gap activity.

Suggestion

Demonstrate the activity at the front with yourself and a student partner first.

Ask your students to work in pairs. Each student writes down the five towns, with a weather written next to each town, keeping them hidden from his/her partner. The first partner starts by trying to guess what weather his/her partner has written next to Calais.

For example: *À Calais, il pleut?*

The partner must answer only *oui* or *non*. Students take it in turns to ask questions. It is a sort of 'Battleships' game, and the first person to find all five of his/her partner's weathers is the winner.

4 Écrivez 2 ou 3 temps pour chaque saison.

Writing. Using the Key vocabulary boxes, students write out a sentence for each season, saying what the weather is normally like.

For example: *En été, il fait beau et il fait chaud.*

5 Écoutez la météo et choisissez le bon symbole.

Listening. Students listen to the recording and make notes on the weather forecast for each region.

+ Ask students to jot down key words which helped them get their answer.

Tapescript

– Voici les prévisions météorologiques pour demain, vendredi.

Dans la région parisienne, et au centre de la France, il va pleuvoir pendant la plus grande partie de la journée, et les nuages resteront présents jusqu'au soir.

Dans le nord, en Bretagne et en Normandie, il fera assez beau, avec du soleil pendant la plus grande partie de la journée.

Dans la région des Alpes et le sud-est de la France, temps ensoleillé, avec des températures excellentes, entre 23 et 25 degrés.

Dans le sud de la France, le Midi et sur la Côte d'Azur, attention: vents forts et risques de temps pluvieux. Il ne fera pas beau aujourd'hui.

Cependant, dans le nord-est du pays, en Alsace, temps agréable, avec du soleil et un beau ciel bleu.

Et finalement, dans le sud-ouest et la région des Pyrénées, vous aurez aussi de la chance: il fera beau et chaud, attention aux coups de soleil!!

Answers

Dans le centre: il va pleuvoir (pic.1)
Dans le nord: il fera beau (pic.2)
Dans le sud-est: il fera du soleil (pic.3)
Dans le sud: il ne fera pas beau (pic.2)
Dans le nord-est: il fera beau (pic.1)
Dans le sud-ouest: il fera beau (pic.2)

6 À deux. À tour de rôle. Regardez la carte et présentez la météo.

Working in pairs, students take it in turns to say what the weather will be like in each area. They should use the Key language box for help. You could get your students to practise their presentations using a big map of France and home-made symbols, then video the result.

MODULE 7 EN VACANCES

1 L'année dernière ...

(Student's Book pages 102–103)

Main topics and objectives

- Talking about what you did on holiday last year
- Juxtaposing Present and Past tenses

Grammar

- The imperfect tense
  C'était/il y avait/il faisait + weather

Key language

D'habitude/Normalement, je passe mes vacances avec ma famille.
L'année dernière, j'ai passé mes vacances avec mes amis.
Je vais/je suis allé(e) avec mes copains/ ma famille/mes grands-parents/à la plage/au marché.
Je loue/j'ai loué ...
Je joue/j'ai joué au foot.
Je fais/j'ai fait de la planche à voile/de la natation.
Je suis resté(e)/J 'ai visité ...
Je suis allé(e) en Belgique/en Grande-Bretagne/ en France/...
On est resté dans une auberge de jeunesse/ dans un gîte loué/dans un camping/...
C'était ...
barbant/formidable/ennuyeux/super/fantastique/ extra/un peu ennuyeux.
Il y avait un grand jardin.
Il faisait beau/mauvais.

Resources

Cassette C, side 1
CD 2, track 19
Cahier d'exercices, pages 49–56
Grammaire 3.4, page 184

Suggestion

Use the text on page 102 to lead in to the topic of holidays. It presents some of the key language needed.

1a Choisissez la bonne réponse à chaque question.

Reading. Students read the information about Luc's holiday, and choose the right answer to each question. The vocabulary in the text and the alternative answers given are key vocabulary which should be learned.

Answers

1 c	**2** b	**3** b	**4** b	**5** a	**6** c	**7** c	**8** b

➕ Students write a description of another holiday Luc went on, basing their description on the questions and one set of incorrect answers.

1b Copiez et complétez la grille en français.

Listening. (1–6) Having copied the grid, students listen to the recording and fill in the answers for each speaker in French.

Tapescript

1 Je suis allée en Belgique, avec mes copains. On est resté dans un gîte pendant une semaine. Il faisait très beau, et c'était vraiment super.
2 L'année dernière, je suis allé en Italie, avec ma famille. On est resté dans un joli petit hôtel, pendant deux semaines. Il faisait très beau tous les jours, et c'était extra.
3 J'ai passé mes dernières vacances en Grande-Bretagne. J'y suis allée avec mes camarades de classe, parce que c'était un voyage scolaire. Je suis restée chez ma correspondante, elle s'appelle Joanne et elle était très gentille. On est resté 10 jours en Angleterre. Il n'a pas fait beau: on a eu de la pluie presque tous les jours, tant pis: c'était absolument fantastique quand même.
4 À Noël, on est allé dans un village à la montagne, dans les Pyrénées, pour des vacances au ski. J'y suis allé avec mon père et ma sœur, et on a passé une semaine là-bas, dans un appartement qu'on avait loué. Bien sûr, il y avait beaucoup de neige mais aussi il y avait du soleil. J'ai adoré mes vacances parce que le ski, c'est ma passion.
5 L'été dernier, ma famille et moi, nous sommes allées en Suisse. Nous sommes restées dans un camping, parce que nous avons une caravane. On a passé un mois en Suisse, mais le temps n'était pas extra: il faisait beaucoup de vent et un peu froid. C'était pas mal, mais un peu ennuyeux.
6 L'année dernière, je suis allé dans le midi de la France, au bord de la Méditerranée. J'y suis allé avec mon petit frère, parce qu'on est resté chez mes grands-parents, qui habitent sur la Côte d'Azur. On y est resté pendant tout le mois d'août. Il faisait super-beau, et on s'est très bien amusé.

Answers

	où?	avec qui?	resté où?	combien de temps?	temps?	opinion?
1	Belgique	copains	gîte	une semaine	beau	super
2	Italie	famille	hôtel	deux semaines	beau	extra
3	Grande-Bretagne	camarades	chez Joanne	dix jours	pluie	fantastique
4	Pyrénées	père, sœur	appartement	une semaine	neige, soleil	c'est sa passion
5	Suisse	famille	camping	un mois	pas extra	pas mal ennuyeux
6	France	frère	chez les grands-parents	un mois	super-beau	bien amusé

2a Dites des phrases complètes.

Speaking. Students say the sentences, completing them by using the pictures given. They have to provide more of the sentences in the latter examples. Before they start, draw students' attention to the way they say the verbs:

Present (normalement, d'habitude)
je reste (rhymes with **rest**)
je visite (sounds like **vee-zeet**)

Only in the **past tense** (l'année dernière) is there an **ay** sound on the end of the verb.

je suis resté (sounds like **rest-ay**)
j'ai visité (sounds like **vee-zee-tay**)

➕ Students write out the answers.

➕ Students make up another set of sentences with pictures in the gaps for their partner to complete.

2b Écrivez un paragraphe sur vos vacances de l'année dernière.

Writing. Students use what they have learned to write about their own holiday.

They can use the headings from the grid in activity 1b for guidance. A full description of their holiday is a possible coursework task, so just get them to write a paragraph at this stage.

2 Au syndicat d'initiative

(Student's Book pages 104-105)

Main topics and objectives

- Saying what you can do in a town
- Asking for information at the tourist information centre
- Understanding a leaflet about a town

Grammar

- Use of *pouvoir* + inf.

Key language

On peut jouer au volley/au ping-pong.
On peut aller à la plage/au théâtre/au bowling.
On peut faire du camping/du ski/du bateau.
On peut louer un vélo/un canoë-kayak/un pedalo.
On peut visiter un château/une cathédrale/un musée.
Je voudrais un plan de la ville/une liste des restaurants/ un dépliant s'il vous plaît.
Est-ce qu'on peut louer un canoë-kayak/ visiter un château/aller au bowling?

Resources

Cassette C, side 1
CD 2, track 20
Cahier d'exercices, pages 49–56

Suggestion

Go straight into the listening exercise to present the language.

1a Qu'est-ce qu'on peut faire dans ces villes? Notez les bonnes lettres.

Listening. (1–5) Students listen to the recording and look at the spider diagram. They write down the letters of the activities mentioned by each speaker.

Tapescript

1 *On peut louer des vélos et visiter le musée.*
2 *On peut jouer au volley et au ping-pong, et on peut louer des pédalos.*
3 *Si vous voulez aller au bowling, ou faire une promenade en bateau, vous pouvez!*
4 *Ici, on peut louer des canoës-kayaks et aller à la plage.*
5 *On peut faire du camping et visiter les monuments historiques, tels que le château et la cathédrale.*

Answers

1 j, m **2** a, c, l **3** f, i **4** k, d **5** g, n, o

1b Écrivez une phrase complète pour dix images.

Writing. Using the spider diagram, students write ten sentences of this sort. For example: **j** *On peut louer des vélos.*

Students will need to note the following vocabulary:

la cathédrale, le babyfoot, le ski nautique, le canoë-kayak

➕ Students make another spider diagram for their own region, but include words instead of pictures.

➕ Students write out ten sentences (some true, some false) for things they can do in their home town, then get a partner to work out which are the false ones.

2a Écoutez la conversation au syndicat d'initiative, et remplissez les blancs.

Listening. Students listen to the recording and select the missing words from those given, to complete the conversation.

Tapescript

Tour: *Bonjour, madame. Je voudrais un plan de la ville, s'il vous plaît.*
Empl: *Oui, voilà. C'est gratuit. Je vous donne aussi un dépliant sur notre ville, et une carte de la région.*
Tour: *Avez-vous une liste d'hôtels, madame?*
Empl: *Oui, voilà. Il y a une liste de restaurants là-dedans aussi.*
Tour: *Merci beaucoup, madame. Qu'est-ce qu'on peut faire ici?*
Empl: *Il y a une liste des distractions dans cette brochure.*
Tour: *Est-ce qu'on peut jouer au golf?*
Empl: *Oui, il y a un terrain de golf à 5 kilomètres. Bonnes vacances!*

Answers

a un plan de la ville **b** un dépliant **c** une carte
d une liste d'hôtels **e** une liste de restaurants
f une liste des distractions **g** Bonnes vacances!

2b À deux. En français:

Speaking. Students work with a partner. Ask them to work through the conversation several times, taking it in turns to ask the questions. The first time through, they use the first set of answers, and so on. Ask your students to keep repeating the conversations, so they become increasingly fluent and faster.

3a Répondez aux questions en anglais.

Reading. Students read the leaflet about Royan before answering the questions in English.

🅁 Make an OHT of the leaflet and questions, and underline the relevant parts as a class before students tackle the task.

Answers

1 On the Atlantic coast
2 A small fishing port
3 It was destroyed by Allied bombing
4 Mondays to Fridays from 2–6pm
5 Tennis, squash, swimming, golf, horseriding, diving, parachuting, flying and windsurfing
6 Sundays and bank holidays
7 Windsurfing
8 From 1st April to 30th September and from 9am–7pm

3b Écoutez les questions de ces touristes à Royan. Répondez Oui ou Non.

Listening. (1–8) Students listen to the recording and look at the leaflet about Royan. They write down *oui* or *non* to each speaker's question.

Tapescript

1 Est-ce que le musée est ouvert le lundi?
2 Est-ce qu'on peut jouer aux boules?
3 Est-ce qu'on peut faire des promenades en bateau?
4 Est-ce que le Centre Marin est ouvert le 14 juillet?
5 Est-ce que le zoo ferme à 19 heures?
6 Est-ce que je peux faire du cheval quelque part?
7 Est-ce que le musée est ouvert le matin?
8 Est-ce qu'on peut louer une planche à voile?

Answers

1 Non **2** Non **3** Non **4** Non **5** Oui **6** Oui **7** Non **8** Oui

➕ Students imagine they visited Royan on holiday. They then write a paragraph saying what they did and saw there.

MODULE 7 EN VACANCES

3 À l'hôtel

(Student's Book pages 106–107)

Main topics and objectives

- Booking a hotel

Grammar

- Asking questions

Key vocabulary

Avez-vous une chambre de libre?
Je voudrais réserver une chambre … pour une personne/pour deux personnes/avec deux petits lits/double/de famille
avec une salle de bains/une douche/des W-C /un balcon/une vue sur la mer.
C'est pour … nuits.
C'est combien par chambre et par nuit?
Est-ce qu'il y a un restaurant/une piscine/ un parking/un ascenseur?
Le petit déjeuner est à quelle heure?
Le petit déjeuner est servi au restaurant à partir de … heures.

Resources

Cassette C, side 1
CD 2, track 21
Cahier d'exercices, pages 49–56

Suggestion

Go straight into the listening exercise to present the key vocabulary.

1 Notez les détails pour chaque conversation.

a la sorte de chambre
b ce qu'il y a dans la chambre
c la durée du séjour
d ce qu'ils veulent à l'hôtel

Listening. (1–4) Students listen to the recording and note down the letters for four pieces of information for each speaker. The expressions are in the Student's Book (page 106).

Tapescript

1 Bonjour madame, je voudrais une chambre double avec une douche, pour … euh … trois nuits, s'il vous plaît. Est-ce qu'il y a un restaurant?
2 Bonjour, monsieur. J'ai réservé une chambre de famille, avec salle de bains dans la chambre et balcon . C'est réservé pour une semaine. Est-ce qu'il y a une piscine à l'hôtel?
3 Allô? Bonjour madame … oh … pardon, monsieur. Je téléphone pour réserver une chambre pour une personne avec W-C dans la chambre, et avec balcon si possible. Je voudrais rester pour deux nuits. Ah … est–ce qu'il y a un parking, s'il vous plaît?
4 Bonjour, mademoiselle. Avez-vous une chambre de libre pour une nuit? Je voudrais une chambre pour deux personnes avec deux petits lits, et vue sur la mer si possible. Est-ce qu'il y a un ascenseur, s'il vous plaît?

Answers

1 a 2 **b** 2 **c** 3 **d** 1 **2** a 4 **b** 1 & 4 **c** 2 **d** 4
3 a 1 **b** 3 & 4 **c** 2 **d** 2 **4** a 3 **b** 5 **c** 1 **d** 3

+ Students draw a poster for a hotel, advertising its amenities, rooms, and prices.

2a Lisez la lettre de Janet. Qu'est-ce qu'elle veut réserver?

Reading. Students read the reservation letter from Janet and decide which one of the sets of symbols corresponds to the rooms reserved.

Answer

C

2b Écrivez deux lettres en utilisant la lettre de Janet.

Writing. Using the letter from Janet in activity 2a as a model, students write two letters based on the information given. As an extension, they could write a third letter based upon the needs of the student's own family, with details and dates of his/her own choice.

3 À deux. Entraînez-vous.

Speaking. In pairs, students rehearse the conversation several times, taking turns to ask the questions. Draw students' attention to the fact that the words they need are on the facing page.

+ Students write out the conversation they would have for one of the sets of symbols in activity 2b.

4 Copiez et complétez la grille en anglais.

Listening. (1–5) Having copied the grid, students listen to the recording and fill in the required information in English.

Tapescript

1 Pendant les vacances, je préfère rester dans une auberge de jeunesse, car j'aime rencontrer des gens, et j'aime me faire des nouveaux amis.
2 Moi, je préfère rester dans un gîte parce qu'il y a souvent un grand jardin, et je n'ai pas besoin de partager une chambre avec ma sœur.
3 Ce que je préfère, c'est facile, c'est l'hôtel. C'est très confortable et je ne suis pas obligé d'aider à la maison ni de faire la vaisselle.
4 Moi, j'adore faire du camping parce que j'aime bien être en plein air, et quelquefois je dors dehors, à la belle étoile. En plus, le camping, ce n'est pas cher.

5 Pendant les vacances, je préfère rester à la maison car je n'aime pas aller à l'étranger, parce que je préfère la cuisine française. En plus, si je reste chez moi, je peux voir tous mes copains pendant les vacances.

Answers

	Accommodation	Reason(s)
1	Youth Hostel	Likes meeting new people/friends
2	Gîte	Big garden, doesn't have to share a room with her sister
3	Hotel	Comfortable, doesn't have to help around the house or do the washing up
4	Camping	Likes to be in the fresh air and it's cheap
5	Stay at home	Doesn't like going abroad, prefers French cooking and can see friends

➕ Students write a paragraph about their own favourite type of holiday, explaining why they enjoyed it.

4 On a des problèmes

(Student's Book pages 108–109)

Main topics and objectives

- Talking about accommodation problems
- Making complaints

Grammar

- Imperfect tense: *était / étaient / avait*

Key language

Je voudrais me plaindre.
Je suis dans la chambre (21).
Il y a trop de bruit/un problème avec ...
Il n'y a pas de (savon).
(La douche) ne marche pas.
La chambre est sale/donne sur la rue.
Quelqu'un a cassé (la lampe/le téléphone/l'ascenseur/la télévision).
Le mini-bar est vide.
La chambre était ...
Les serveurs étaient ...
Il n'y avait pas de ...
... ne marchait pas.

Resources

Cassette C, side 1
CD 2, track 22
Cahier d'exercices, pages 49–56

Suggestion

Establish whether anyone in the group has had problems with holiday accommodation in the past (any accommodation – not just at an hotel, and not limited to problems in a room, you could include the restaurant, the pool, etc.). Make a list of these problems (use the present tense for this). Later in the unit, students could list these again using the imperfect tense.

1a Identifiez les problèmes à l'Hôtel Horrible!

Reading. Students should work out which speech bubble matches which problem on the artwork.

Answers

1 c	**2** e	**3** a	**4** g	**5** i	**6** f	**7** b	**8** d	**9** h

1b Écoutez la réaction de ce client dans l'Hôtel Horrible. Notez les numéros dans le bon ordre.

Listening. An angry client complains about the nine problems in turn, and students must note the order.

Transcript

– *Écoutez, je ne suis pas du tout content de ma chambre, et vous allez entendre pourquoi, c'est sûr.*
– *D'abord, la vue. J'ai bien demandé une vue sur la mer, mais non, tout ce que je vois, ce sont les voitures, les gens qui passent, et vraiment c'est une rue pas du tout agréable.*
– *Et en plus, à cause de ça, il y a du bruit affreux dans la chambre, les moteurs, les klaxons, c'est insupportable.*
– *Bon ça déjà, c'est assez, mais moi, je n'ai pas encore commencé, je vous préviens. Cette chambre est sale. Elle est dégoûtante. Personne n'a passé l'aspirateur, personne n'a fait le ménage ... et en plus, la lampe, la seule lampe, elle est cassée. Ça fait joli, hein?*
– *Et si vous voyiez la salle de bains. Tout d'abord, j'ai cherché les serviettes. Et bien sûr, il n'y en a pas. Bon. Je cherche le savon. Même histoire: il n'y en a pas. J'essaie de faire fonctionner la douche. Pas d'eau. Pas d'eau dans la douche, vous m'entendez? C'est pratique, non? Et puis les toilettes, quelle surprise! Les toilettes ne marchent pas non plus.*
– *Vous savez madame, après avoir vu tout ça, j'ai été vraiment content, vous vous imaginez. Je me dis: <<Tiens, au moins, au moins, je vais prendre un verre avant d'aller me plaindre>>. J'ouvre le frigo: tiens, c'est vide. Même pas de coca. Ça, c'est le comble.*

Answers

4, 6, 5, 9, 1, 8, 3, 7, 2

1c À deux. En français.

Speaking. Two exam-style role-plays dealing with making complaints.

2a Lisez la lettre, puis choisissez la bonne réponse.

Reading. A multiple-choice task based on a letter of complaint. The imperfect tense is used here, as highlighted in the *Rappel* box.

Answers

1 b	**2** a	**3** b	**4** b	**5** b	**6** c

2b Vous avez eu des problèmes à l'hôtel aussi. Regardez la lettre modèle (2a) et les images et écrivez une lettre au directeur.

Writing. Students write a similar letter themselves, quoting the problems shown in the visuals.

➕ Students make up similar short role-plays in which they complain about the accommodation, based on those in Activity **1c**.

➕ Students write a list of ten things which were wrong with their holiday accommodation. They should use the imperfect tense (*était / étaient / avait / avaient*).

Entraînez-vous

(Student's Book pages 110–111)

Speaking practice and coursework

À l'oral

Topics revised

- Booking in to a hotel
- Asking for things at a tourist information centre
- Talking about your favourite type of holiday
- Talking about current and past holidays

1 You are at a hotel, booking accommodation.

Role-play. Ask students to work in pairs. They can take it in turns to be the 'receptionist', doing the role-play twice.

2 You are at the tourist information office in a French town.

Role-play. Ask students to work in pairs. They can take it in turns to be the 'assistant', doing the role-play twice.

3 Talk for one minute about your favourite kind of holiday. Make yourself a cue card.

Presentation. Students give a short talk about their favourite type of holiday. Remind them to watch their verb endings when speaking, as this presentation is in the present tense.

The talk can be:

- prepared in the classroom or at home;
- recorded on tape;
- students can give their talk to a small group of other students; *or*
- certain students can be chosen to give their talk to the whole class.

The main thing is that students become used to speaking from notes, not reading a speech.

Questions générales

Speaking. These are key questions to practise for the oral exam, taken from the module as a whole. Students can practise asking and answering the questions in pairs. They should be encouraged to add as much detail as possible. It is often a good idea to write model answers together in class.

À l'écrit

Topics revised

- Describing your holidays (past, present and future)
- The weather
- Activities
- Opinions

1 Account of a holiday.

An AQA Specification A coursework-style task (Theme 2.2), for which students write 70–100 words about a real or imaginary holiday. Different tenses will be required here. Ideas for structure, useful language and tips are given, and students are encouraged to include photos, pictures and brochure extracts in their work. There is scope for ICT skills here, but again, it should be emphasised that students need to concentrate mostly on the quality of their written French.

MODULE 7 EN VACANCES

À toi!

(Student's Book pages 172–173)

Self-access reading and writing at two levels

1 Regardez les panneaux. Indiquez si les phrases sont vraies ou fausses.

Reading. Students look at the signs from a hotel and write down *vrai* or *faux* for each statement.

Answers

1 vrai	**2** faux	**3** vrai	**4** faux	**5** vrai	**6** faux	**7** faux

2 Vous partez à la mer pendant les vacances. Copiez et complétez la grille. Proposez une activité pour chaque jour.

Writing. Practice of leisure activities and sports vocabulary. Students fill in names of activities they would enjoy doing during a holiday week.

3a Regardez la brochure et répondez aux questions en anglais.

Reading. Students look at the brochure about the holiday camp and answer the questions in English. Remind them to look at the number of marks available.

Answers

1 in the Garonne valley
2 no
3 surf boards, pedaloes, kayaks
4 two from: fishing, archery, mountain biking, surfing, canoeing, sailing
5 yes
6 4
7 no
8 one from: grilled rabbit, pizza
9 ice cream
10 yes

3b Vous avez passé vos vacances au village de vacances 'Le Blaireau'. Écrivez une lettre à votre correspondant(e) et mentionnez:

Writing. Students write an account of an imaginary holiday at 'Le Blaireau', in the form of a letter to a penfriend. They will need perfect, imperfect and future tenses here. They should include a question to their penfriend about his/her holidays.

Cahier d'exercices, page 49

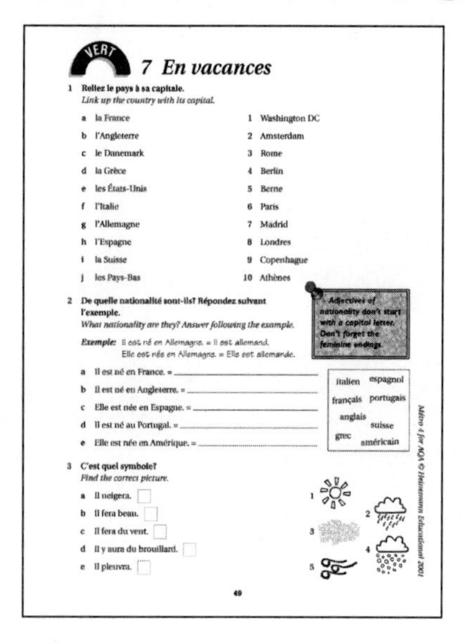

VERT **7 En vacances**

1 **Reliez le pays à sa capitale.**
Link up the country with its capital.

a	la France	1	Washington DC
b	l'Angleterre	2	Amsterdam
c	le Danemark	3	Rome
d	la Grèce	4	Berlin
e	les États-Unis	5	Berne
f	l'Italie	6	Paris
g	l'Allemagne	7	Madrid
h	l'Espagne	8	Londres
i	la Suisse	9	Copenhague
j	les Pays-Bas	10	Athènes

2 **De quelle nationalité sont-ils? Répondez suivant l'exemple.**
What nationality are they? Answer following the example.

Adjectives of nationality don't start with a capital letter. Don't forget the feminine endings.

Exemple: Il est né en Allemagne. = Il est allemand.
Elle est née en Allemagne. = Elle est allemande.

a Il est né en France. = ____
b Il est né en Angleterre. = ____
c Elle est née en Espagne. = ____
d Il est né au Portugal. = ____
e Elle est née en Amérique. = ____

italien espagnol français portugais anglais suisse grec américain

3 **C'est quel symbole?**
Find the correct picture.

a Il neigera. ☐
b Il fera beau. ☐
c Il fera du vent. ☐
d Il y aura du brouillard. ☐
e Il pleuvra. ☐

1 2 3 4 5

Métro 4 for AQA © Heinemann Educational 2001

49

1
Answers

a 6; **b** 8; **c** 9; **d** 10; **e** 1; **f** 3; **g** 4; **h** 7; **i** 5; **j** 2

2
Answers

a Il est français. **b** Il est anglais. **c** Elle est espagnole. **d** Il est portugais. **e** Elle est américaine.

3
Answers

a 4; **b** 1; **c** 5; **d** 3; **e** 2

Cahier d'exercices, page 50

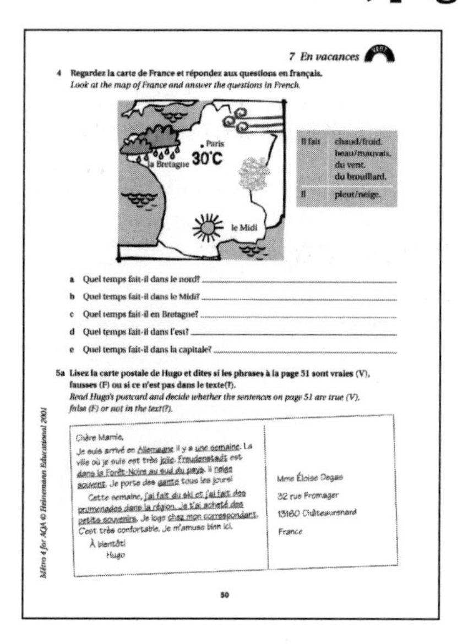

7 En vacances VERT

4 **Regardez la carte de France et répondez aux questions en français.**
Look at the map of France and answer the questions in French.

a Quel temps fait-il dans le nord? ____
b Quel temps fait-il dans le Midi? ____
c Quel temps fait-il en Bretagne? ____
d Quel temps fait-il dans l'est? ____
e Quel temps fait-il dans la capitale? ____

5a **Lisez la carte postale de Hugo et dites si les phrases à la page 51 sont vraies (V), fausses (F) ou si ce n'est pas dans le texte(?).**
Read Hugo's postcard and decide whether the sentences on page 51 are true (V), false (F) or not in the text(?).

Chère Mamie,
Je suis arrivé en Allemagne il y a une semaine. La ville où je suis est très jolie. Freudenstadt est dans la Forêt-Noire au sud du pays. Il neige souvent. Je porte des gants tous les jours!
Cette semaine, j'ai fait du ski et j'ai fait des promenades dans la région. Je t'ai acheté des petits souvenirs. Je loge chez mon correspondant. C'est très confortable. Je m'amuse bien ici.
À bientôt!
Hugo

Mme Éloise Degas
32 rue Fromager
13160 Châteaurenard
France

Métro 4 for AQA © Heinemann Educational 2001

50

4
Answers

a Il fait du vent. **b** Il fait du soleil. **c** Il y a des nuages./Il pleut. **d** Il y a du brouillard. **e** Il fait chaud.

5a
Answers

a V; **b** V; **c** F; **d** V; **e** ?; **f** F; **g** V; **h** ?

Cahier d'exercices, page 51

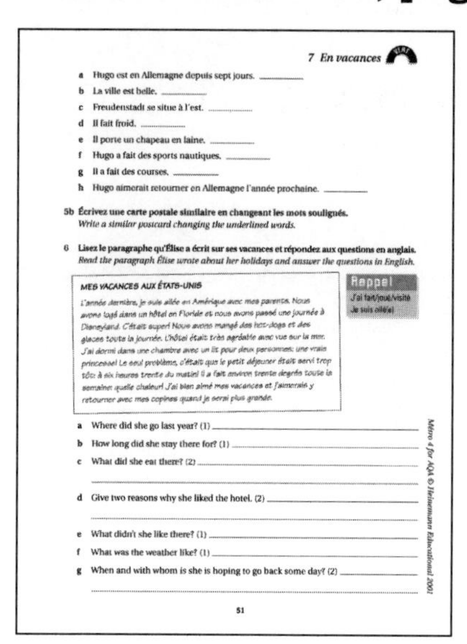

7 En vacances VERT

a Hugo est en Allemagne depuis sept jours. ____
b La ville est belle. ____
c Freudenstadt se situe à l'est. ____
d Il fait froid. ____
e Il porte un chapeau en laine. ____
f Hugo a fait des sports nautiques. ____
g Il a fait des courses. ____
h Hugo aimerait retourner en Allemagne l'année prochaine. ____

5b **Écrivez une carte postale similaire en changeant les mots soulignés.**
Write a similar postcard changing the underlined words.

6 **Lisez le paragraphe qu'Élise a écrit sur ses vacances et répondez aux questions en anglais.**
Read the paragraph Élise wrote about her holidays and answer the questions in English.

MES VACANCES AUX ÉTATS-UNIS

L'année dernière, je suis allée en Amérique avec mes parents. Nous avons logé dans un hôtel en Floride et nous avons passé une journée à Disneyland. C'était super! Nous avons mangé des hot-dogs et des glaces toute la journée. L'hôtel était très agréable avec vue sur la mer. J'ai dormi dans une chambre avec un lit pour deux personnes: une vraie princesse! Le seul problème, c'était que le petit déjeuner était servi trop tôt: à six heures trente du matin! Il a fait environ trente degrés toute la semaine: quelle chaleur! J'ai bien aimé mes vacances et j'aimerais y retourner avec mes copines quand je serai plus grande.

Rappel
J'ai fait/joué/visité
Je suis allé(e)

a Where did she go last year? (1) ____
b How long did she stay there for? (1) ____
c What did she eat there? (2) ____
d Give two reasons why she liked the hotel. (2) ____
e What didn't she like there? (1) ____
f What was the weather like? (1) ____
g When and with whom is she is hoping to go back some day? (2) ____

Métro 4 for AQA © Heinemann Educational 2001

51

6
Answers

a Disneyland, in America; **b** a day; **c** hot-dogs and ice-cream; **d** the sea-view and the double bed;
e Breakfast was served too early; **f** hot, about 30°C;
g with her friends when she is older

Cahier d'exercices, page 52

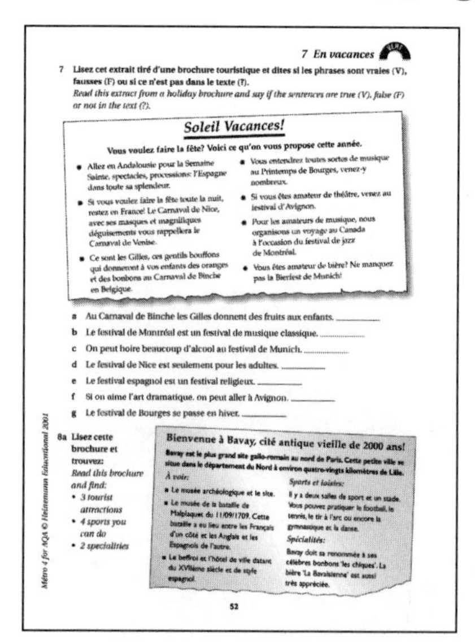

7 En vacances VERT

7 **Lisez cet extrait tiré d'une brochure touristique et dites si les phrases sont vraies (V), fausses (F) ou si ce n'est pas dans le texte (?).**
Read this extract from a holiday brochure and say if the sentences are true (V), false (F) or not in the text (?).

Soleil Vacances!

Vous voulez faire la fête? Voici ce qu'on vous propose cette année.

- Allez en Andalousie pour la Semaine Sainte, spectacles, processions: l'Espagne dans toute sa splendeur.
- Si vous voulez faire la fête toute la nuit, restez en France! Le Carnaval de Nice, avec ses masques et magnifiques déguisements vous rappellera le Carnaval de Venise.
- Ce sont les Gilles, ces gentils bouffons qui donneront à vos enfants des oranges et des bonbons au Carnaval de Binche en Belgique.
- Vous entendrez toutes sortes de musique au Printemps de Bourges, venez-y nombreux.
- Si vous êtes amateur de théâtre, venez au festival d'Avignon.
- Pour les amateurs de musique, nous organisons un voyage au Canada à l'occasion du festival de jazz de Montréal.
- Vous êtes amateur de bière? Ne manquez pas la Bierfest de Munich!

a Au Carnaval de Binche les Gilles donnent des fruits aux enfants. ____
b Le festival de Montréal est un festival de musique classique. ____
c On peut boire beaucoup d'alcool au festival de Munich. ____
d Le festival de Nice est seulement pour les adultes. ____
e Le festival espagnol est un festival religieux. ____
f Si on aime l'art dramatique, on peut aller à Avignon. ____
g Le festival de Bourges se passe en hiver. ____

8a **Lisez cette brochure et trouvez:**
Read this brochure and find:
- *3 tourist attractions*
- *4 sports you can do*
- *2 specialities*

Bienvenue à Bavay, cité antique vieille de 2000 ans!

Bavay est le plus grand site gallo-romain au nord de Paris. Cette petite ville se situe dans le département du Nord à environ quatre-vingts kilomètres de Lille.

À voir:
- Le musée archéologique et le site.
- Le musée de la bataille de Malplaquet du 11/09/1709. Cette bataille a eu lieu entre les Français d'un côté et les Anglais et les Espagnols de l'autre.
- Le beffroi et l'hôtel de ville datant du XVIIème siècle et de style espagnol.

Sports et loisirs:
Il y a deux salles de sport et un stade. Vous pouvez pratiquer le football, le tennis, le tir à l'arc ou encore la gymnastique et la danse.

Spécialités:
Bavay doit sa renommée à ses célèbres bonbons 'les chiques'. La bière 'La Bavaisienne' est aussi très appréciée.

Métro 4 for AQA © Heinemann Educational 2001

52

7
Answers

a V; **b** F; **c** V; **d** ?; **e** V; **f** V; **g** F

8a
Answers

tourist attractions: the archaeological museum and site; the battle of Malplaquet museum; the belfry; the town hall
sports: football, tennis, archery, gymnastics
specialities: 'les chiques' sweets; La Bavaisienne beer

Cahier d'exercices, page 53

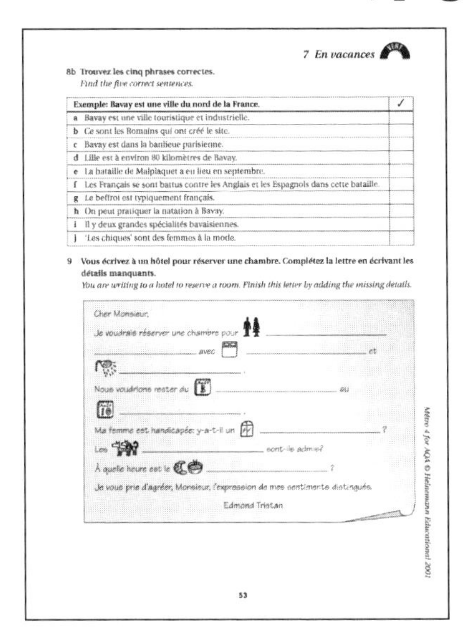

7 *En vacances*

8b **Trouvez les cinq phrases correctes.**
Find the five correct sentences.

Exemple: Bavay est une ville du nord de la France.	✓
a Bavay est une ville touristique et industrielle.	
b Ce sont les Romains qui ont créé le site.	
c Bavay est dans la banlieue parisienne.	
d Lille est à environ 80 kilomètres de Bavay.	
e La bataille de Malplaquet a eu lieu en septembre.	
f Les Français se sont battus contre les Anglais et les Espagnols dans cette bataille.	
g Le beffroi est typiquement français.	
h On peut pratiquer la natation à Bavay.	
i Il y deux grandes spécialités bavaisiennes.	
j 'Les chiques' sont des femmes à la mode.	

9 **Vous écrivez à un hôtel pour réserver une chambre. Complétez la lettre en écrivant les détails manquants.**
You are writing to a hotel to reserve a room. Finish this letter by adding the missing details.

Cher Monsieur,
Je voudrais réserver une chambre pour ______ ______ avec ______ et ______.
Nous voudrions rester du ______ au ______.
Ma femme est handicapée: y-a-t-il un ______?
Les ______ sont-ils admis?
À quelle heure est le ______?
Je vous prie d'agréer, Monsieur, l'expression de mes sentiments distingués.
Edmond Tristan

Métro 4 for AQA © Heinemann Educational 2001

53

8b
Answers

The five correct sentences are b, d, e, f and i.

9
Answers

a deux personnes; **b** un grand lit; **c** une douche; **d** trois août; **e** dix août; **f** ascenseur; **g** chiens; **h** petit déjeuner

Cahier d'exercices, page 54

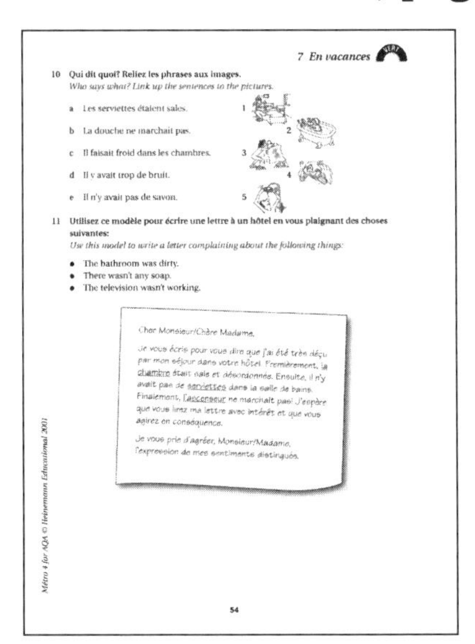

7 *En vacances*

10 **Qui dit quoi? Reliez les phrases aux images.**
Who says what? Link up the sentences to the pictures.

a Les serviettes étaient sales.
b La douche ne marchait pas.
c Il faisait froid dans les chambres.
d Il y avait trop de bruit.
e Il n'y avait pas de savon.

1 2 3 4 5

11 **Utilisez ce modèle pour écrire une lettre à un hôtel en vous plaignant des choses suivantes:**
Use this model to write a letter complaining about the following things:

- The bathroom was dirty.
- There wasn't any soap.
- The television wasn't working.

Cher Monsieur/Chère Madame,
Je vous écris pour vous dire que j'ai été très déçu par mon séjour dans votre hôtel. Premièrement, la chambre était sale et désordonnée. Ensuite, il n'y avait pas de serviettes dans la salle de bains. Finalement, l'ascenseur ne marchait pas! J'espère que vous lirez ma lettre avec intérêt et que vous agirez en conséquence.
Je vous prie d'agréer, Monsieur/Madame, l'expression de mes sentiments distingués.

Métro 4 for AQA © Heinemann Educational 2001

54

10
Answers

a 3; **b** 5; **c** 1; **d** 4; **e** 2

Cahier d'exercices, page 55

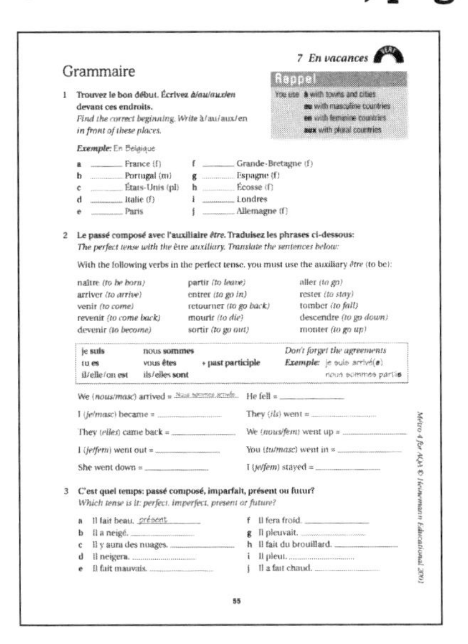

7 *En vacances*

Grammaire

1 **Trouvez le bon début. Écrivez à/au/aux/en devant ces endroits.**
Find the correct beginning. Write à/au/aux/en in front of these places.

Rappel
You use **à** with towns and cities
au with masculine countries
en with feminine countries
aux with plural countries

Exemple: En Belgique

a ______ France (f)
b ______ Portugal (m)
c ______ États-Unis (pl)
d ______ Italie (f)
e ______ Paris
f ______ Grande-Bretagne (f)
g ______ Espagne (f)
h ______ Écosse (f)
i ______ Londres
j ______ Allemagne (f)

2 **Le passé composé avec l'auxiliaire *être*. Traduisez les phrases ci-dessous:**
The perfect tense with the être auxiliary. Translate the sentences below:

With the following verbs in the perfect tense, you must use the auxiliary *être* (to be):

naître *(to be born)* · partir *(to leave)* · aller *(to go)*
arriver *(to arrive)* · entrer *(to go in)* · rester *(to stay)*
venir *(to come)* · retourner *(to go back)* · tomber *(to fall)*
revenir *(to come back)* · mourir *(to die)* · descendre *(to go down)*
devenir *(to become)* · sortir *(to go out)* · monter *(to go up)*

je **suis** · nous **sommes**
tu **es** · vous **êtes** + **past participle**
il/elle/on **est** · ils/elles **sont**
Don't forget the agreements
Exemple: je suis arrivé(**e**)
nous sommes parti**s**

We (*nous/masc*) arrived = Nous sommes arrivés. · He fell = ______
I (*je/masc*) became = ______ · They (*ils*) went = ______
They (*elles*) came back = ______ · We (*nous/fem*) went up = ______
I (*je/fem*) went out = ______ · You (*tu/masc*) went in = ______
She went down = ______ · I (*je/fem*) stayed = ______

3 **C'est quel temps: passé composé, imparfait, présent ou futur?**
Which tense is it: perfect, imperfect, present or future?

a Il fait beau. présent
b Il a neigé. ______
c Il y aura des nuages. ______
d Il neigera. ______
e Il fait mauvais. ______
f Il fera froid. ______
g Il pleuvait. ______
h Il fait du brouillard. ______
i Il pleut. ______
j Il a fait chaud. ______

Métro 4 for AQA © Heinemann Educational 2001

55

Grammaire

1
Answers

a en France; **b** au Portugal; **c** aux États-Unis; **d** en Italie; **e** à Paris; **f** en Grande-Bretagne; **g** en Espagne; **h** en Écosse; **i** à Londres; **j** en Allemagne

2
Answers

Nous sommes arrivés; Je suis devenu; Elles sont revenues; Je suis sortie; Elle est descendue
Il est tombé; Ils sont allés; Nous sommes montées; Tu es entré; Je suis restée

3
Answers

a présent; **b** passé composé; **c** futur; **d** futur; **e** présent; **f** futur; **g** imparfait; **h** présent; **i** présent; **j** passé composé

Cahier d'exercices, page 56

7 *En vacances*

À l'oral

1 Où aimes-tu passer tes vacances normalement?
2 Tu préfères aller à l'étranger ou rester en Grande-Bretagne?
3 Où es-tu allé(e) l'année dernière?
4 Comment as-tu voyagé?
5 Avec qui es-tu allé(e)?
6 Qu'est ce que tu as fait?
7 Quel temps faisait-il?
8 C'était bien?
9 Où aimerais-tu aller l'année prochaine?
10 As-tu déjà logé dans un hôtel? Si oui, était-ce une expérience positive ou négative?
11 Es-tu déjà allé(e) en France?
12 Connais-tu une spécialité française?

Métro 4 for AQA © Heinemann Educational 2001

56

Module 8: Bienvenue en France!

(Student's Book pages 114–127)

Unit	Main topics and objectives	Grammar	Key language
Déjà vu (pp. 114–117)	Using polite phrases to deal with a guest Saying how many rooms are in your house, and naming them Giving your address and spelling your town Understanding and ordering from a café menu	Asking questions *Je voudrais …*	*Bonsoir!* *Bon anniversaire/week-end/voyage/séjour!* *Bonne fête/chance/année/journée!* *Bonnes vacances!* *J'habite à* (+ town) *dans (une maison).* *Il y a … pièces.* *Le salon/la salle de séjour/la salle à manger/la salle de bains/la chambre/la cuisine/des W-C* *Mon adresse c'est …* *Je voudrais (un café).* *As-tu faim/soif?*
1 Voici ma maison (pp. 118–119)	Describing a house in detail Describing your bedroom Talking about furniture	Possessive adjectives Prepositions	*Il y a … étages.* *En haut, il y a (… pièces/l'entrée/…).* *En bas, il y a (la chambre de …/le lavabo/…)* *(un lit/une lampe/une armoire/un lave-vaisselle/…)* *derrière/à côté de/sur/dans le coin/près de la fenêtre*
2 La télé (pp. 120–121)	Saying what kind of TV programmes and films you like/dislike, and why Describing a TV programme or film, and its plot	Direct object pronouns	*Mon émission de télé préférée/film préféré s'appelle …* *C'est (un film policier) qui a lieu (dans une ville/à New York).* *Il s'agit d'(un agent de police).* *J'aime (cette émission) parce que…* *c'est passionnant/ça me fait rire.* *Tu aimes les dessins animés?* *Oui, je les aime/je les adore.* *Non, je ne les aime pas/je les déteste.*
3 On sort manger (pp. 122–123)	Understanding and ordering from a restaurant menu Asking questions in a restaurant Dealing with a problem in a restaurant	Asking questions Negatives – *ne … pas*	*J'ai réservé une table pour … personnes.* *Je peux avoir (le menu) s'il vous plaît?* *Voici la carte.* *Vous avez choisi? Qu'est-ce que vous voulez commander?* *On voudrait le menu à … euros/prix fixe, s'il vous plaît.* *Quel est le plat du jour? C'est quoi exactement?* *C'est une sorte de …* *Comme (hors-d'œuvre), je voudrais …* *Avez-vous du/de la/des …?* *Ce couteau n'est pas propre. Ma cuillère est sale.* *Mon potage est froid./Je n'ai pas de (fourchette).* *On peut avoir encore du pain?* *Où est le téléphone?* *Il n'y a pas de sel ou de poivre.* *L'addition n'est pas juste.*
Entraînez-vous (pp. 124–125)	Speaking practice and coursework	Revision of: Past, present and future tenses. Prepositions Asking questions Possessive adjectives	
À toi! (pp. 174–175)	Self-access reading and writing Understanding jokes on various topics Choosing presents for a French family Talking about a forthcoming exchange visit	Past, present and future tenses Indefinite articles Negatives (*ne … pas/ne … jamais*) Adjectives	

MODULE 8 BIENVENUE EN FRANCE!

Déjà vu

(Student's Book pages 114–117)

Main topics and objectives

- Using polite phrases to deal with a guest
- Saying how many rooms are in your house, and naming them
- Giving your address and spelling your town
- Understanding and ordering from a café menu

Grammar

- Asking questions
- *Je voudrais …*

Key language

Bonsoir!
Bon anniversaire/week-end/voyage/séjour!
Bonne fête/chance/année/journée!
Bonnes vacances!
J'habite à (+ town) *dans une maison/ un appartement.*
Il y a … pièces.
Le salon/la salle de séjour/la salle à manger/ la salle de bains/la chambre/la cuisine/des W-C
Mon adresse c'est …
Je voudrais un café/un thé/un orangina/un café-crème/un coca/une limonade/un chocolat chaud/ un jus de fruit/une eau minérale/un sandwich/ un croque-monsieur/des frites/un sandwich au fromage/une pizza/une crêpe/une omelette/une glace.
As-tu faim/soif?

Resources

Cassette C, side 2
CD 3, track 2
Cahier d'exercices, pages 57–64

Suggestion

Go straight into activity 1 to introduce the welcoming phrases.

1 Faites correspondre les bulles et les images, puis mettez les bulles dans le bon ordre.

Listening. (1–7) Students match speech bubbles and pictures. They then listen to the recording and put the speech bubbles in the order in which they hear them.

Tapescript

- *Bonjour, et bienvenue en France!*
- *Je te présente ma mère, Catherine, et mon père, René.*
- *Entre, et assieds-toi! Es-tu fatiguée?*
- *As-tu soif?*
- *As-tu faim?*
- *As-tu besoin d'une serviette … euh, de savon ou de dentifrice?*
- *Voici ta chambre. Bonne nuit!*

Answers

a 5 **b** 3 **c** 4 **d** 7 **e** 6 **f** 1 **g** 2
f, g, b, c, a, e, d

2a Trouvez l'expression qui correspond.

Reading. Students match up the English expressions with the French expressions in the Key vocabulary box.

Answers

good luck!	*bonne chance!*
have a nice holiday!	*bonnes vacances!*
happy New Year!	*bonne année!*
enjoy your stay!	*bon séjour!*
good evening!	*bonsoir!*
have a good weekend!	*bon week-end!*
have a good trip!	*bon voyage!*
have a nice day!	*bonne journée!*
happy birthday!	*bon anniversaire!*
happy Saint's day!	*bonne fête!*

2b C'est quelle image?

Listening. (1–6) Students listen to the recording and choose the picture which corresponds to each speaker.

Tapescript

1 *Ah, bonsoir, je suis enchanté.*
2 *Allez, bonne chance!*
3 *Bon anniversaire, bon anniversaire, bon anniversaire, bon anniversaire …!*
4 *Je vous souhaite de très bonnes vacances, messieurs-dames.*
5 *Bonne année, tout le monde! Bonne année!*
6 *Bon voyage!*

Answers

1 e **2** b **3** a **4** c **5** f **6** d

Suggestion

Draw a simple houseplan on OHT to recap key rooms. Once you have done this, you could have a drawing pin on the OHT and move it around the different rooms, getting students to ask questions and respond.

Q: *Où est Horace?*
R: *Dans le salon.*

3a C'est quel appartement?

Listening. (1–5) Students listen to the recording and identify the correct flat in each case, and write down its address. Go through the advertisements with your class first of all, and get them to pick out the distinguishing features of the different flats.

R Students write down just the number of the flat.

Tapescript

1 *C'est un très joli appartement. Il y a un salon et une belle salle à manger. La cuisine est assez grande. Il y a trois chambres. Il y a aussi une assez grande salle de bains.*
2 *Vous allez sûrement aimer cet appartement très moderne. C'est un appartement à deux chambres, avec cuisine, salle de séjour, et salle de bains.*
3 *Je suis sûre que cet appartement va vous plaire, mademoiselle. La cuisine et le salon sont assez grands. Il y a des W-C séparés aussi. Il y a trois chambres.*
4 *C'est un autre appartement à trois chambres qui est très bien aménagé. Il y a une petite cuisine, un salon, et une salle de bains. L'appartement n'est pas très grand, mais il est très confortable.*
5 *Voici un de nos appartements de luxe, qui se trouve dans un immeuble neuf. Il y a une cuisine, une salle de séjour et la salle à manger, bien sûr. Mais on vous offre aussi deux salles de bains, des W-C et quatre chambres.*

Answers

1 2, avenue Clemenceau
2 44, rue de la Paix
3 15, boulevard de l'Abbaye
4 16, rue de Stade
5 3, place du II novembre

3b Complétez les blancs dans cette lettre. Choisissez les mots dans la case.

Reading. Students copy out the letter and fill in the blanks with the words from the box at the side.

Answers

bonjour, Lyon, maison, numéro, pièces, manger, une, premier, trois, salle

3c À deux. En français:

Speaking. Students work with a partner. Ask them to work through the conversation four times, taking it in turns to ask the questions. The first time through, they use the first set of answers. The second time through, they use the second set of answers. Then each partner gives his/her own personal answers to the questions (as indicated by the question mark). Ask your students to keep repeating the conversations, so they become increasingly fluent and faster.

3d Complétez le texte pour là où vous habitez.

Writing. Students complete the paragraph for their own home.

For example: *Bonjour, j'habite à Chester dans une maison. Mon adresse, c'est numéro 15 King Street. Dans ma maison il y a six pièces. Au rez-de-chaussée il y a la cuisine, le salon et la salle à manger. Au premier étage il y a deux chambres et la salle de bains.*

Suggestion

Use the menu on page 117 to practise key café items.

4a À deux. Regardez la carte à la page 117 et commandez à tour de rôle.

Speaking. In pairs, students take it in turns to order the items shown. After a while, they can try to order the items shown from memory, without looking at the menu in the book.

4b À deux. Pour chaque commande ci-dessus, préparez l'addition en Euros.

Writing. For each order in **4a**, students write out a bill.

Answers

1	un thé	€3,05
	une pizza	€5,20
	total	€8,25
2	une eau minérale	€2,50
	une glace	€3,70
	total	€6,20
3	un jus de fruit	€3,05
	un croque monsieur	€4,10
	total	€7,15
4	une limonade	€2,10
	des frites	€3,50
	total	€5,60
5	un chocolat chaud	€3,40
	un sandwich au fromage	€4,50
	total	€7,90
6	un café-crème	€3,40
	une crêpe	€3,90
	total	€7,30
7	un coca	€2,50
	un sandwich au jambon	€4,60
	total	€7,10
8	un café	€2,10
	une omlette	€3,90
	total	€6,00

4c Regardez le menu et préparez l'addition pour chaque personne.

Listening. (1–5) Students listen to the recording and write down what each person orders. They then work out the total cost. Draw your students' attention to the Top Tip box.

Tapescript

1 *– Garçon!*
– Oui, monsieur?
– Je voudrais deux cocas, une pizza, et une omelette …
– Tout de suite, monsieur.
2 *– Mademoiselle!*
– Vous désirez, madame?

– Un thé et une crêpe pour moi, et un Orangina et une glace pour mon fils, s'il vous plaît.
– D'accord ... alors, un thé ... une crêpe ... un Orangina ... et une glace. Quel parfum veux-tu?
– Une glace à la vanille, s'il vous plaît.

3 *– Garçon!*
– Qu'est-ce que vous désirez?
– Euh ... deux chocolats chauds et deux sandwichs, s'il vous plaît.
– Oui, bien sûr. Quelle sorte de sandwichs voulez-vous?
– Alors, ... un sandwich au fromage, et un au jambon, s'il vous plaît.
– D'accord. Merci.

4 *– Madame*
– Oui, vous désirez, monsieur?
– Une limonade, deux eaux minérales, et un coca, s'il vous plaît.
– C'est tout? Vous n'avez pas faim?
– Non merci, on a soif, c'est tout.

5 *– Garçon!*
– Oui? Qu'est-ce que vous voudriez, messieurs-dames?
– Un café et un croque-monsieur pour moi, et un jus de fruit et une pizza pour mon mari.
– D'accord. Pour le jus de fruit, que préférez-vous?
– Un jus d'orange, s'il vous plaît monsieur.
– OK!

Answers

1	2 cocas	€2,50
		€2,50
	1 pizza	€5,20
	1 omelette	€3,90
	total	€14,10
2	1 thé	€3,05
	1 crêpe	€3,90
	1 Orangina	€2,50
	1 glace	€3,70
	total	€13,15
3	2 chocolats chauds	€3,40
		€3,40
	un sandwich au fromage	€4,50
	un sandwich au jambon	€4,60
	total	€15,90
4	1 limonade	€2,10
	2 eaux minérales	€2,50
		€2,50
	1 coca	€2,50
	total	€9,60
5	1 café	€2,10
	1 croque-monsieur	€4,10
	1 jus de fruit	€3,05
	1 pizza	€5,20
	total	€14,45

MODULE 8 BIENVENUE EN FRANCE!

1 Voici ma maison

(Student's Book pages 118–119)

Main topics and objectives

- Describing a house in detail
- Describing your bedroom
- Talking about furniture

Grammar

- Possessive adjectives
  mon, ma, mes

Key language

Il y a ... étages.
En haut, il y a ... pièces/l'entrée/l'escalier/la cave/ le garage/la salle de bains.
En bas, il y a la chambre de .../le lavabo/ la salle à manger/la cuisine.
un lit/une lampe/une armoire/un lave-vaisselle/ un poster/un four à micro-ondes/un frigo/ un placard/une machine à laver/un lavabo/ une douche/un miroir/une chaîne-hifi/une fenêtre/ un mur/une porte/un réveil/une cuisinière à gaz/ un canapé/un fauteuil/une chaise/une table/ un magnétoscope
derrière/à côté de/sur/dans le coin/près de la fenêtre

Resources

Cassette C, side 2
CD 3, track 3
Cahier d'exercices, pages 57–64

Suggestion

Read through Émilie's letter as a class before your students tackle activity 1a.

1a Corrigez les erreurs dans ces phrases.

Reading. (a–h) Having read Émilie's letter, students correct the errors in each of the sentences. While the first five sentences can be easily altered by changing single words, the latter ones require students to insert and remove negatives. It is worth going over the sentences orally before asking students to write their answers.

Suggestion

Reproduce the text and statements on an OHT, and highlight the relevant parts. Also highlight the words in the statements a–h which need to be changed.

Answers

a Émilie fait un échange en Angleterre chez **Lindsay**.
b Elle est logée dans une maison **moyenne** où il y a deux étages et 8 pièces.
c La salle de séjour est en **bas**, et les chambres sont en **haut**.
d Il y a 3 chambres, et Émilie partage une chambre avec **Lindsay**.
e Il y a de la moquette partout.
f Il y n'y a pas de cave ni de lave-vaisselle.
g Il y a un jardin **derrière** la maison.
h On **ne** prend **pas** le dîner dans le jardin parce qu'il fait **trop froid** le soir.

R Students write down in English as much as they can about the house described in the letter from Émilie.

1b Identifiez la maison de chaque personne.

Listening. (1–5) Students listen to the recording and match the house plan to the speaker.

Tapescript

1 J'habite une grande maison à deux étages. En bas, il y trois pièces et les W-C, et en haut se trouvent trois chambres, la salle de bains et le bureau de mes parents.
2 Ma maison est un bungalow, c'est à dire qu'il n'y a qu'un seul étage. On a trois chambres, et ... c'est assez grand pour ma famille.
3 Dans ma maison il y a deux étages. Au rez-de-chaussée, il y a la salle de séjour, et la cuisine. La salle de bains se trouve aussi en bas. Au premier étage, il y a les deux chambres et les toilettes.
4 J'habite dans une maison à un étage. On a deux chambres, une cuisine, une salle à manger, un salon, et bien sûr une salle de bains. Ce qui est bien, c'est qu'il y a aussi un petit bureau où je fais mes devoirs.
5 J'habite dans une maison moyenne. Le salon, la cuisine et la salle à manger sont en bas, et les trois chambres et la salle de bains sont en haut.

Answers

1 d **2** b **3** a **4** e **5** c

+ Students write a description of one of the houses.

1c À deux. Faites la description d'une de ces maisons. Votre partenaire doit trouver la bonne maison.

Speaking. Students use the same house plans as in activity 1b. Working in pairs, one student describes one of the houses. The partner identifies the right plan. Then they change role. Students could work out the minimum and maximum number of words which can be used to do this.

2a Lisez la lettre d'Émilie et identifiez les choses dans la chambre.

Reading. (1–12) Students read the letter and identify the objects numbered in the drawing.

Answers

1 de posters **2** une lampe **3** les rideaux **4** une armoire **5** son réveil **6** sa télé **7** deux lits **8** un ours en peluche **9** une petite table en bois **10** un magnétoscope **11** la moquette **12** une chaîne hi-fi

2b Émilie fait une description de sa propre chambre. Remplissez les blancs avec *mon*, *ma* ou *mes*.

Writing. Students copy and complete the text with the correct form of *mon/ma/mes*.

Answers

as tapescript for 2c

2c Écoutez la description d'Émilie pour voir si vous avez raison.

Listening. Students listen to the same description used in activity 2b, and correct their answers.

Tapescript

*Ma chambre est plus petite que celle de Lindsay. **Mes** rideaux sont beiges et **ma** moquette est verte. **Mon** armoire est dans le coin, à côté de ma chaîne hi-fi. Sur **mon** lit il y a **mon** chien en peluche, et souvent **mes** vêtements sont sur **mon** lit aussi! **Ma** petite lampe verte est sur **ma** table en bois. J'ai **ma** propre chambre, et j'aime bien avoir une chambre à moi.*

R Students draw a picture of the bedroom described and label it.

3 Cherchez l'intrus dans chaque liste à droite.

Reading. (a–e) Students read each group of words and write down the odd-one-out each time. All the items in this exercise are key vocabulary and need to be learned by heart.

Answers

a *un lave-vaisselle* (not in a bedroom) **b** *un placard* (not electric) **c** *un réveil* (not a fixture) **d** *une cuisinière à gaz* (you don't sit on it) **e** *une chaîne hi-fi* (not in a bathroom)

+ Students write some more groups of five words (on any topic) with an odd one out in each group. They then ask their partner to identify the odd one out.

4a Identifiez et notez la pièce en français.

Listening. (1–5) Students listen to the recording and deduce from what they hear which room is being talked about.

Tapescript

1 *Tu vois, il y a mon armoire là-bas et il y a tous mes vêtements dedans. À côté de l'armoire, il y a mon lit et ma petite table. Mon réveil est sur la table, et ma petite lampe bleue y est aussi.*
2 *Dans le coin, il y a la télé. Le canapé et les deux fauteuils en cuir sont près de la fenêtre, à côté de la chaîne hi-fi. C'est dans cette salle qu'on regarde la télé en famille.*
3 *Il y a une table et six chaises, parce qu'on mange ici. Le piano est dans cette salle aussi.*
4 *La machine à laver et le lave-vaisselle sont dans le coin. On a une cuisinière électrique et un four à micro-ondes, et bien sûr, il y a un frigo.*
5 *C'est une petite pièce, où il y a un lavabo, les toilettes, une douche, et un miroir. Et c'est tout.*

Answers

1 la chambre **2** la salle de séjour/le salon **3** la salle à manger **4** la cuisine **5** la salle de bains

4b Préparez une liste de tous les meubles dans trois pièces dans votre maison. Utilisez un dictionnaire. Notez les meubles avec *un/une*.

Writing. Students list all the items in three rooms of their house to practise their dictionary skills. Draw their attention to the Top Tip box, and go through some examples of finding the right word when there is a choice given (see example).

MODULE 8 BIENVENUE EN FRANCE!

2 La télé

(Student's Book pages 120–121)

Main topics and objectives

- Saying what kind of TV programmes and films you like/dislike, and why
- Describing a TV programme or film, and its plot

Grammar

- Direct object pronouns
  Tu aimes les films? Oui, je les aime.

Key language

Mon émission de télé préférée/film préféré s'appelle ...
C'est un film policier/un film d'horreur/de science-fiction/un feuilleton/une émission pour les jeunes/de sport/un dessin animé/un jeu télévisé
qui a lieu ...
dans une ville/à New York/en Australie/en Amérique.
Il s'agit d'un agent de police/d'une famille et ses problèmes.
J'aime cette émission/ce film parce que ...
c'est passionnant/ça me fait rire.
Tu aimes les dessins animés?
Oui, je les aime/je les adore.
Non, je ne les aime pas/je les déteste.

Resources

Cassette C, side 2
CD 3, track 4
Cahier d'exercices, pages 57–64
Grammaire 7.2, page 191

Suggestion

Use an OHT of a TV schedule or the names of British programmes to present the key language, i.e. different types of TV programme and films. You could say the name of a programme on British TV or a famous film, and then introduce the type of programme/film, getting students to repeat and practise.

For example: *South Park, c'est un dessin animé.*

Use *Tu aimes les ...?* and *j'adore/j'aime/je n'aime pas/je déteste* to practise giving simple opinions.

1a Faites une liste de toutes les sortes d'émissions mentionnées dans le texte. Trouvez un exemple de chaque sorte d'émission.

Reading. Having read the text, students list the different types of TV programmes and films they can find. Beside each one they write a British example of this genre. The programme types are key vocabulary and need to be learned.

Answers

les émissions de musique	les informations
les documentaires	le journal
la publicité	les films d'amour
les dessins animés	les séries
les films policiers	les émissions de sport
les films d'horreur	les jeux télévisés
les films de science-fiction	

1b Répondez à ces questions en français.

Reading. (1–13) Students answer the questions in French.

Answers

1. Elle va regarder 'M comme Musique'.
2. Elle aime beaucoup les émissions de musique et les documentaires.
3. Elle trouve ça bête.
4. Il préfère les films policiers, d'horreur et de science-fiction.
5. Son émission préférée, c'est 'Les Simpson'. C'est un dessin animé.
6. Il aime 'Les Simpson' parce que ça le fait rire.
7. Elle regarde les informations tous les soirs.
8. Elle aime les films d'amour.
9. Elle n'aime pas les séries américaines et anglaises.
10. Elle aime beaucoup la musique classique.
11. C'est une émission de sport.
12. Il n'aime pas les jeux télévisés/les feuilletons.
13. 'Who Wants to Be a Millionaire?'

1c Copiez et complétez la grille en français.

Listening. (1–5) Having copied the grid, students listen to the recording and note the relevant information in French. They could listen again to note the reasons why the speakers like/dislike these programmes.

Tapescript

1. *À la télé, j'aime beaucoup les séries, mais je n'aime pas tellement regarder les informations. Mon émission préférée s'appelle Beverley Hills, parce que c'est très amusant.*
2. *Moi, j'adore les films d'aventures. Pourtant, je n'aime pas les feuilletons. Le film que je préfère, c'est 'Batman et Robin'. Ah! J'adore les acteurs dans ce film.*
3. *Je n'aime pas regarder la télé. Il y a trop d'émissions de sport, et je n'aime pas ça. Par contre, j'aime beaucoup regarder les informations. L'émission que je préfère s'appelle 'Téléjournal', parce que le présentateur est excellent.*
4. *Je trouve les documentaires à la télé très bien faits, mais je n'aime pas du tout les émissions de musique. Mon programme favori s'appelle 'Ce Soir', parce que c'est très intéressant.*

5 Je regarde beaucoup la télé, presque trois heures par jour. J'aime tout, sauf les films: j'ai horreur des films, ils sont trop longs. J'aime surtout les dessins animés. Mon émission préférée c'est 'Inspecteur Gadget'. Ça me fait rire!

Answers

aime	n'aime pas	émission préférée	Pourquoi?
1 les séries	les informations	'Beverley Hills'	amusant
2 les films d'aventures	les feuilletons	'Batman et Robin'	adore les acteurs
3 les informations	regarder la télé	'Téléjournal'	présentateurs excellent
4 les documentaires	les émissions de musique	'Ce soir'	intéressant
5 les dessins animés	les films	'Inspecteur Gadget'	fait rire

➕ Students write a paragraph about their own TV preferences.

1d Sondage. Préparez une grille 6 × 6. Écrivez 5 sortes d'émissions de télé en haut. Interviewez 5 personnes pour trouver leurs préférences.

Speaking. Students prepare a grid and write in five types of TV programme or film along the top. They then ask five different people the question:

Tu aimes les … ? (+ type of programme).

Encourage students to answer using the direct object pronoun *les*. Students can record their findings with a single word, e.g. *aime/déteste.*

After the activity, you can get the class to find out the most popular type of TV programme by pooling their results.

2a Identifiez l'émission de télé britannique.

Reading. (a–e) Students identify the TV programme from the description.

Answers

a Grange Hill
b The Simpsons
c Coronation Street
d Who Wants to Be a Millionaire?
e Grandstand

➕ Students write their opinion of each of the TV programmes described and say why they like/dislike each one.

2b Identifiez le film.

Listening. (1–5) Students listen to the recording and work out which of the five films is being described.

➕ Ask students to write down in French any words or expressions they hear which lead them to their answer.

Tapescript

1 Ce film a lieu en Amérique. Il s'agit d'un collège pour les agents de police. C'est un film comique qui est très drôle.
2 Ce film est assez vieux mais c'est un film d'horreur classique. Il s'agit d'un monstre aux longues dents qui aime attaquer les femmes.
3 La pièce de Shakespeare a été modernisée dans ce film d'amour qui a lieu en Amérique. Il s'agit de deux jeunes de familles différentes qui tombent amoureux.
4 C'est un film d'aventures assez choquant. Il s'agit de plusieurs accidents affreux à la plage, causés par un requin.
5 C'est un des films de science-fiction les plus connus. Il s'agit d'un groupe de voyageurs dans l'espace.

Answers

1 d **2** e **3** b **4** c **5** a

2c En groupes. Une personne fait une description d'une émission de télé célèbre, ou d'un film. Le groupe identifie l'émission ou le film.

Speaking. In groups of three or four, students take it in turns to describe a film or TV programme. The others must guess which one is being described.

Encourage them to use the structure given in the speech bubble.

2d Écrivez une description de: 1) votre émission de télé préférée; 2) votre film favori.

Writing. Using the sentence-generating box for help, students write a description of their favourite TV programme and favourite film. Draw their attention to the Top Tip box.

➕ Students write a description of their favourite book.

3 On sort manger

(Student's Book pages 122–123)

Main topics and objectives

- Understanding and ordering from a restaurant menu
- Asking questions in a restaurant
- Dealing with a problem in a restaurant

Grammar

- Asking questions
- *ne … pas*

Key language

J'ai réservé une table pour … personnes.
Je peux avoir le menu/de l'eau/l'addition s'il vous plaît?
Voici la carte.
Vous avez choisi? Qu'est-ce que vous voulez commander?
On voudrait le menu à … euros/prix fixe, s'il vous plaît.
Quel est le plat du jour?
C'est quoi exactement?
C'est une sorte de …
Comme hors-d'œuvre/plat principal/dessert/boisson, je voudrais …
Avez-vous du/de la/des …?
Ma cuillère est sale.
Ce couteau n'est pas propre.
Mon potage est froid.
Je n'ai pas de fourchette/verre.
Il n'y a pas de sel ou de poivre.
On peut avoir encore du pain?
Où est le téléphone?
L'addition n'est pas juste.

Resources

Cassette C, side 2
CD 3, track 5
Cahier d'exercices, pages 57–64

Suggestion

Read/listen to the conversation at the top of page 122 of the Student's Book, as a lead-in to this unit.

Tapescript

– Bonjour, j'ai réservé une table pour 5 personnes, au nom de Dubois.
– Ah, oui monsieur, entrez. Voici votre table, asseyez-vous. Voici la carte.
(quelques minutes plus tard)
– Vous avez choisi?
– Oui, on voudrait le menu à €12, s'il vous plaît.
– D'accord. Et qu'est-ce que vous voulez commander?

1a Regardez le menu et notez la commande de chaque personne en français.

Listening. (1–5) While looking at the menu, students listen to the recording and note down in French what each person orders. Go over the pronunciation of the menu items first with your class.

Tapescript

1 *– Comme hors-d'œuvre, je voudrais des crudités, comme plat principal, je voudrais le poulet rôti et les haricots verts, et comme dessert, je voudrais une glace, s'il vous plaît. Comme boisson, apportez-moi une bière.*
2 *– Vous avez choisi?*
– Oui, quel est le plat du jour?
– C'est une omelette aux fines herbes, madame.
– D'accord. Je vais prendre l'omelette comme plat principal. Comme entrée, je vais prendre les fruits de mer, et comme dessert, la mousse au chocolat.
– Oui. Vous voulez quelque chose à boire, madame?
– Oui, une carafe de vin blanc, s'il vous plaît.
– Tout de suite.
3 *– Pour moi, ça sera des crudités pour commencer, et après, le bœuf bourguignon. Quelle est la pâtisserie maison?*
– C'est une tarte aux pommes.
– Mmm, délicieux. Une pâtisserie maison, donc, et de l'eau, s'il vous plaît.
4 *– Moi, je voudrais des crudités, le poulet rôti, et une glace. Je vais boire de l'eau aussi.*
5 *– Et vous, mademoiselle?*
– Je vais essayer l'assiette de saucisson sec comme hors-d'œuvre.
– Oui, et comme plat principal?
– Je voudrais … le bœuf bourguignon. Comme dessert, une glace s'il vous plaît.
– Oui, qu'est-ce que vous voulez boire?
– De l'eau minérale, s'il vous plaît.

Answers

	hors-d'œuvres	plats principaux	desserts	boissons
1	des crudités	le poulet rôti et les haricots verts	une glace	une bière
2	les fruits de mer	le plat du jour (l'omelette)	la mousse au chocolat	une carafe de vin blanc
3	des crudités	le bœuf bourguigon	une tarte aux pommes	de l'eau
4	des crudités	le poulet rôti	une glace	de l'eau
5	l'assiette de saucisson sec	le bœuf bourguignon	une glace	de l'eau minérale

+ Students use the dictionary to prepare a 'Menu à €15' for the Restaurant des Jongleurs.

1b Commandez un repas complet du menu à €12.

Speaking. Using the prompts, students order themselves a full meal from the €12 menu.

Encourage them to repeat the activity several times until they are able to do it flowingly.

+ Students write out the meal they would choose from the €15 menu.

2 Quel est le plat du jour?

Listening. (1–6) Students listen to the recording and identify the dish being described from the picture.

They note down the letter of the dish described.

➕ Ask students to write down as much as they can about the dish in French.

Tapescript

1 – Quel est le plat du jour?
– C'est du bœuf bourguignon.
– C'est quoi exactement?
– C'est du bœuf, donc de la viande, avec des légumes comme des carottes et des oignons, dans une sauce.
2 – Quel est le plat du jour?
– Aujourd'hui, c'est le colin aux épinards.
– C'est quoi exactement?
– C'est du poisson avec des épinards. Des épinards, c'est un légume vert. C'est le légume préféré de Popeye, vous savez!
3 – Quel est le plat du jour?
– C'est la blanquette de poulet.
– C'est quoi exactement?
– C'est du poulet dans une sauce à la crème. C'est très bon.
4 – Quel est le plat du jour?
– C'est une spécialité de notre région, c'est la quiche lorraine.
– C'est quoi exactement?
– C'est une sorte de tarte, faite avec des œufs, du lait et des lardons dedans.
5 – Quel est le plat du jour?
– C'est des poivrons farcis.
– Et c'est quoi exactement?
– C'est des poivrons rouges, des poivrons verts, avec à l'intérieur, du riz et des légumes euh … le tout dans une sauce tomate.
6 – S'il vous plaît, quel est le plat du jour?
– Alors aujourd'hui le plat du jour c'est un steak haché.
– C'est quoi exactement?
– Oh, ça ressemble à un hamburger, mais c'est très bon.

Answers

1 b **2** d **3** c **4** e **5** f **6** a

3a Faites correspondre la question et la bonne réponse.

Reading. (1–7) Students match up the key questions with the possible answer.

Answers

1 g **2** c **3** f **4** a **5** d **6** e **7** b

3b À deux. En français:

Speaking. In pairs, students prepare the conversation in French. They should take turns to be the customer and order items from the menu on page 122.

4a Identifiez le problème.

Reading. (1–7) Students match up the picture with the problem.

Answers

1 e **2** c **3** a **4** d **5** f **6** g **7** b

4b Complétez les phrases pour chaque conversation au restaurant.

Listening. (1–4) Students listen to the recording and try to complete the sentences in French. They can either copy out the beginnings of the sentences or just note down the answers.

Tapescript

1 – Bonjour, monsieur, j'ai réservé une table pour huit heures, pour deux personnes.
– Pour huit heures? À quel nom?
– C'est au nom de Gourbeault.
– Gourbeault, Gourbeault ... ah non, je … je regrette madame, il n'y a pas de réservation au nom de Gourbeault pour ce soir, et le restaurant est complet.
– Le restaurant est complet? Ah non, ça va pas.
2 – Monsieur? Vous avez bien commandé le poulet rôti?
– Oui c'est ça, j'adore le poulet rôti, c'est mon plat préféré.
– Je regrette, monsieur. Non, mais il n'y a plus de poulet.
– Il n'y en a plus? Ça alors! Un restaurant sans poulet? C'est quelque chose, ça ...
3 – Garçon! Garçon!
– Oui mademoiselle?
– J'aimerais bien commencer à manger mon omelette et mes frites, mais je n'ai pas de fourchette.
– Oh, excusez-moi mademoiselle, je vais vous en chercher une tout de suite.
4 – Garçon! Je voudrais l'addition, s'il vous plaît.
– Oui, monsieur, un moment, s'il vous plaît . . . la voilà.
– Mais ça ne va pas! Il y a une erreur ici, cette addition n'est pas juste. Je n'ai pas bu trois bouteilles de vin, moi!

Answers

1 une table pour 8 heures, pour 2 personnes
le restaurant est complet
2 le poulet rôti
il n'y a pas plus de poulet
3 une omelette et des frites
pas de fourchette
4 l'addition
l'addition n'est pas juste

➕ Students write a letter complaining about a disastrous visit to a restaurant.

5 En groupe. Préparez un sketch en français qui s'appelle 'Au Restaurant'. Présentez le sketch à la classe, ou enregistrez-le.

Speaking. In groups of three or four, students prepare a sketch in a restaurant. Encourage them to use humour and to speak from memory rather than reading from their book. If they need prompts, get them to write their cues on the waiter's notepad, or the inside of the menu, so that it does not look obvious.

MODULE 8
BIENVENUE EN FRANCE!

Entraînez-vous

(Student's Book pages 124–125)

Speaking practice and coursework

À l'oral

Topics revised
- Eating out at a restaurant
- Welcoming a French guest
- Describing your bedroom
- Describing your home
- Talking about TV/films

1 You go into a restaurant in France with your family.

Role-play. Students work in pairs. They can take it in turns to be the 'waiter/waitress', doing the role-play twice.

2 Your French penfriend has just arrived to stay with you.

Role-play. Students work in pairs. They can take it in turns to be the 'penfriend', doing the role-play twice.

3 Talk about your room for one minute. Make yourself a cue card.

Presentation. Students give a short talk about their bedroom. Remind them they can invent the information if they prefer.

This can be:
- prepared in the classroom or at home;
- recorded on tape;
- students can give their talk to a small group of other students; *or*
- certain students can be chosen to give their talk to the whole class.

The main thing is that students become used to speaking from notes, not reading a speech.

Questions générales

Speaking. These are key questions to practise for the oral exam, taken from the module as a whole. Students can practise asking and answering the questions in pairs. They should be encouraged to add as much detail as possible. It is often a good idea to write model answers together in class.

À l'écrit

Topics revised
- Describing an exchange visit
- Talking about TV/films

1 Account of an exchange visit.

An AQA Specification A coursework-style task (Theme 2.3), requiring students to write about a real or imaginary exchange visit. They should write 70–100 words and include as much information as they can. Suggestions for structure, helpful language and tips are provided, and it is indicated that students should use the perfect tense throughout, except at the end, where *je voudrais* + infinitive is required.

2 Your task is to write about what you like to watch on TV/listen to on the radio.

An AQA Specification B modular coursework-style **b** task (Module 3, topic D), in which students describe their favourite TV or radio programme in about 90 words. This task focuses on opinions vocabulary, and you should encourage your students to justify their opinions as much as they can.

MODULE 8 BIENVENUE EN FRANCE!

À toi!

(Student's Book pages 174–175)

Self-access reading and writing at two levels

1 Trouvez l'image qui correspond à chaque histoire drôle.

Reading. Students match up pictures with jokes.

Answers

1 g **2** f **3** a **4** h **5** b **6** e **7** d **8** c

2 Copiez et complétez cette histoire drôle. Les mots qui manquent sont en bas.

Reading. Students copy out the joke and fill in the missing words using the ones given. When they have finished, ask them to explain the joke in English to see if they have understood it.

Answers

vacances, pique-nique, travaille, monsieur, heures, demande, quelle, pardon, Boulogne, fermier, passe, furieux

3 Vous allez faire un échange en France. En français, faites une liste des cadeaux pour votre correspondant et sa famille.

Writing. Students need to be sure they write down a different present for each person. Encourage them to use words they know are right.

4 Paul vous a envoyé un message. Répondez en français à toutes ses questions.

Writing. Students write a reply. As usual, go through the prompts with the whole class to ensure they have spotted the tenses to use for each part. Encourage them to write at least three details in response to each prompt.

Cahier d'exercices, page 57

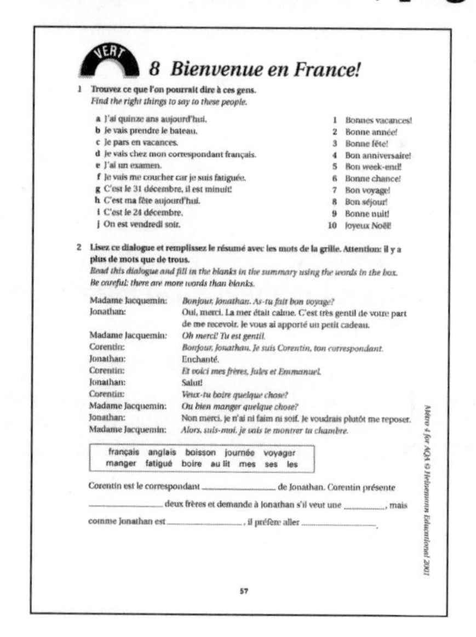

VERT

8 Bienvenue en France!

1 Trouvez ce que l'on pourrait dire à ces gens.
Find the right things to say to these people.

a	J'ai quinze ans aujourd'hui.	1	Bonnes vacances!
b	Je vais prendre le bateau.	2	Bonne année!
c	Je pars en vacances.	3	Bonne fête!
d	Je vais chez mon correspondant français.	4	Bon anniversaire!
e	J'ai un examen.	5	Bon week-end!
f	Je vais me coucher car je suis fatiguée.	6	Bonne chance!
g	C'est le 31 décembre, il est minuit!	7	Bon voyage!
h	C'est ma fête aujourd'hui.	8	Bon séjour!
i	C'est le 24 décembre.	9	Bonne nuit!
j	On est vendredi soir.	10	Joyeux Noël!

2 Lisez ce dialogue et remplissez le résumé avec les mots de la grille. Attention: il y a plus de mots que de trous.
Read this dialogue and fill in the blanks in the summary using the words in the box. Be careful: there are more words than blanks.

Madame Jacquemin: *Bonjour, Jonathan. As-tu fait bon voyage?*
Jonathan: Oui, merci. La mer était calme. C'est très gentil de votre part de me recevoir. Je vous ai apporté un petit cadeau.
Madame Jacquemin: *Oh merci! Tu est gentil.*
Corentin: *Bonjour, Jonathan. Je suis Corentin, ton correspondant.*
Jonathan: Enchanté.
Corentin: *Et voici mes frères, Jules et Emmanuel.*
Jonathan: Salut!
Corentin: *Veux-tu boire quelque chose?*
Madame Jacquemin: *Ou bien manger quelque chose?*
Jonathan: Non merci, je n'ai ni faim ni soif. Je voudrais plutôt me reposer.
Madame Jacquemin: *Alors, suis-moi, je vais te montrer ta chambre.*

français anglais boisson journée voyager
manger fatigué boire au lit mes ses les

Corentin est le correspondant ______ de Jonathan. Corentin présente ______ deux frères et demande à Jonathan s'il veut une ______, mais comme Jonathan est ______, il préfère aller ______.

Métro 4 for AQA © Heinemann Educational 2001

57

1
Answers

a 4; **b** 7; **c** 1; **d** 8; **e** 6; **f** 9; **g** 2; **h** 3; **i** 10; **j** 5

2
Answers

a français; **b** ses; **c** boisson; **d** fatigué; **e** au lit

Cahier d'exercices, page 58

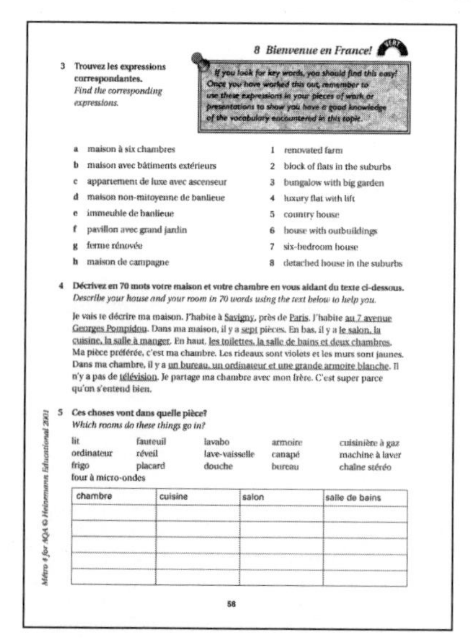

8 Bienvenue en France!

VERT

3 Trouvez les expressions correspondantes.
Find the corresponding expressions.

If you look for key words, you should find this easy! Once you have worked this out, remember to use these expressions in your pieces of work or presentations to show you have a good knowledge of the vocabulary encountered in this topic.

a	maison à six chambres	1	renovated farm
b	maison avec bâtiments extérieurs	2	block of flats in the suburbs
c	appartement de luxe avec ascenseur	3	bungalow with big garden
d	maison non-mitoyenne de banlieue	4	luxury flat with lift
e	immeuble de banlieue	5	country house
f	pavillon avec grand jardin	6	house with outbuildings
g	ferme rénovée	7	six-bedroom house
h	maison de campagne	8	detached house in the suburbs

4 Décrivez en 70 mots votre maison et votre chambre en vous aidant du texte ci-dessous.
Describe your house and your room in 70 words using the text below to help you.

Je vais te décrire ma maison. J'habite à Savigny, près de Paris. J'habite au 7 avenue Georges Pompidou. Dans ma maison, il y a sept pièces. En bas, il y a le salon, la cuisine, la salle à manger. En haut, les toilettes, la salle de bains et deux chambres. Ma pièce préférée, c'est ma chambre. Les rideaux sont violets et les murs sont jaunes. Dans ma chambre, il y a un bureau, un ordinateur et une grande armoire blanche. Il n'y a pas de télévision. Je partage ma chambre avec mon frère. C'est super parce qu'on s'entend bien.

5 Ces choses vont dans quelle pièce?
Which rooms do these things go in?

lit fauteuil lavabo armoire cuisinière à gaz
ordinateur réveil lave-vaisselle canapé machine à laver
frigo placard douche bureau chaîne stéréo
four à micro-ondes

chambre	cuisine	salon	salle de bains

Métro 4 for AQA © Heinemann Educational 2001

58

3
Answers

a 7; **b** 6; **c** 4; **d** 8; **e** 2; **f** 3; **g** 1; **h** 5

5
Answers

chambre	cuisine	salon	salle de bains
lit	frigo	fauteuil	lavabo
ordinateur	four à micro-ondes	canapé	douche
réveil	placard	bureau	
armoire	lave-vaisselle	chaîne stéréo	
	cuisinière à gaz		
	machine à laver		

Cahier d'exercices, page 59

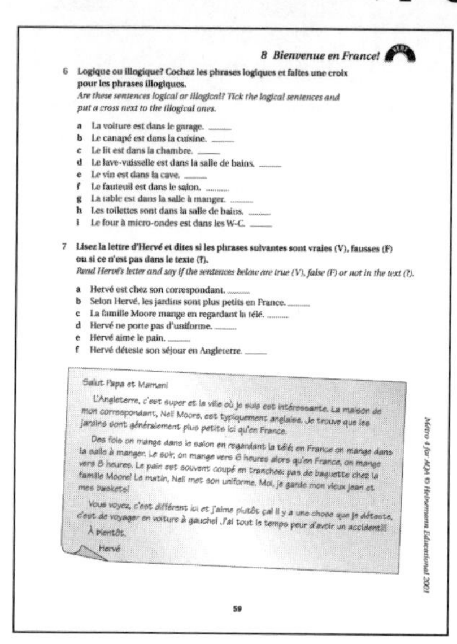

8 Bienvenue en France!

VERT

6 Logique ou illogique? Cochez les phrases logiques et faites une croix pour les phrases illogiques.
Are these sentences logical or illogical? Tick the logical sentences and put a cross next to the illogical ones.

a La voiture est dans le garage. ______
b Le canapé est dans la cuisine. ______
c Le lit est dans la chambre. ______
d Le lave-vaisselle est dans la salle de bains. ______
e Le vin est dans la cave. ______
f Le fauteuil est dans le salon. ______
g La table est dans la salle à manger. ______
h Les toilettes sont dans la salle de bains. ______
i Le four à micro-ondes est dans les W-C. ______

7 Lisez la lettre d'Hervé et dites si les phrases suivantes sont vraies (V), fausses (F) ou si ce n'est pas dans le texte (?).
Read Hervé's letter and say if the sentences below are true (V), false (F) or not in the text (?).

a Hervé est chez son correspondant. ______
b Selon Hervé, les jardins sont plus petits en France. ______
c La famille Moore mange en regardant la télé. ______
d Hervé ne porte pas d'uniforme. ______
e Hervé aime le pain. ______
f Hervé déteste son séjour en Angleterre. ______

Salut Papa et Maman!

L'Angleterre, c'est super et la ville où je suis est intéressante. La maison de mon correspondant, Neil Moore, est typiquement anglaise. Je trouve que les jardins sont généralement plus petits ici qu'en France.

Des fois on mange dans le salon en regardant la télé; en France on mange dans la salle à manger. Le soir, on mange vers 6 heures alors qu'en France, on mange vers 8 heures. Le pain est souvent coupé en tranches: pas de baguette chez la famille Moore! Le matin, Neil met son uniforme. Moi, je garde mon vieux jean et mes baskets!

Vous voyez, c'est différent ici et j'aime plutôt ça! Il y a une chose que je déteste, c'est de voyager en voiture à gauche! J'ai tout le temps peur d'avoir un accident!!!

À bientôt,

Hervé

Métro 4 for AQA © Heinemann Educational 2001

59

6
Answers

a ✓; **b** ✗; **c** ✓; **d** ✗; **e** ✓; **f** ✓; **g** ✓; **h** ✓; **i** ✗

7
Answers

a V; **b** F; **c** V; **d** V; **e** ?; **f** F

Cahier d'exercices, page 60

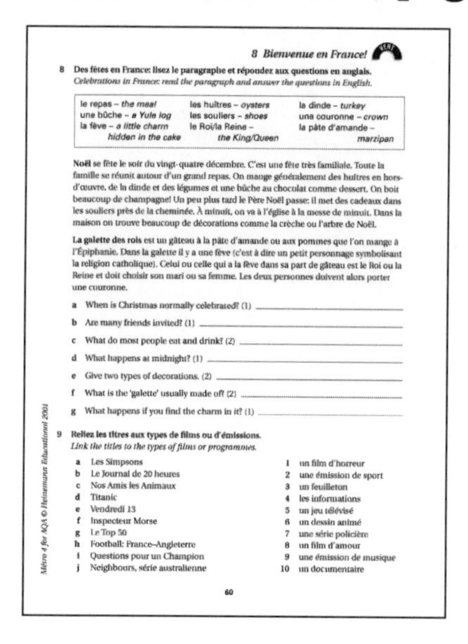

8 Bienvenue en France!

VERT

8 Des fêtes en France: lisez le paragraphe et répondez aux questions en anglais.
Celebrations in France: read the paragraph and answer the questions in English.

le repas – *the meal*	les huîtres – *oysters*	la dinde – *turkey*
une bûche – *a Yule log*	les souliers – *shoes*	une couronne – *crown*
la fève – *a little charm hidden in the cake*	le Roi/la Reine – *the King/Queen*	la pâte d'amande – *marzipan*

Noël se fête le soir du vingt-quatre décembre. C'est une fête très familiale. Toute la famille se réunit autour d'un grand repas. On mange généralement des huîtres en hors-d'œuvre, de la dinde et des légumes et une bûche au chocolat comme dessert. On boit beaucoup de champagne! Un peu plus tard le Père Noël passe: il met des cadeaux dans les souliers près de la cheminée. À minuit, on va à l'église à la messe de minuit. Dans la maison on trouve beaucoup de décorations comme la crèche ou l'arbre de Noël.

La galette des rois est un gâteau à la pâte d'amande ou aux pommes que l'on mange à l'Épiphanie. Dans la galette il y a une fève (c'est à dire un petit personnage symbolisant la religion catholique). Celui ou celle qui a la fève dans sa part de gâteau est le Roi ou la Reine et doit choisir son mari ou sa femme. Les deux personnes doivent alors porter une couronne.

a When is Christmas normally celebrated? (1) ______
b Are many friends invited? (1) ______
c What do most people eat and drink? (2) ______
d What happens at midnight? (1) ______
e Give two types of decorations. (2) ______
f What is the 'galette' usually made of? (2) ______
g What happens if you find the charm in it? (1) ______

9 Reliez les titres aux types de films ou d'émissions.
Link the titles to the types of films or programmes.

a	Les Simpsons	1	un film d'horreur
b	Le Journal de 20 heures	2	une émission de sport
c	Nos Amis les Animaux	3	un feuilleton
d	Titanic	4	les informations
e	Vendredi 13	5	un jeu télévisé
f	Inspecteur Morse	6	un dessin animé
g	Le Top 50	7	une série policière
h	Football: France–Angleterre	8	un film d'amour
i	Questions pour un Champion	9	une émission de musique
j	Neighbours, série australienne	10	un documentaire

Métro 4 for AQA © Heinemann Educational 2001

60

8

Answers

a on the evening of 24th December; **b** No, it is a family celebration. **c** oysters, turkey, vegetables, chocolate log and champagne; **d** Most people go to midnight mass. **e** the crib and the Christmas tree; **f** marzipan or apples; **g** You become the Queen or King and have to choose a partner.

9

Answers

a 6; **b** 4; **c** 10; **d** 8; **e** 1; **f** 7; **g** 9; **h** 2; **i** 5; **j** 3

Cahier d'exercices, page 61

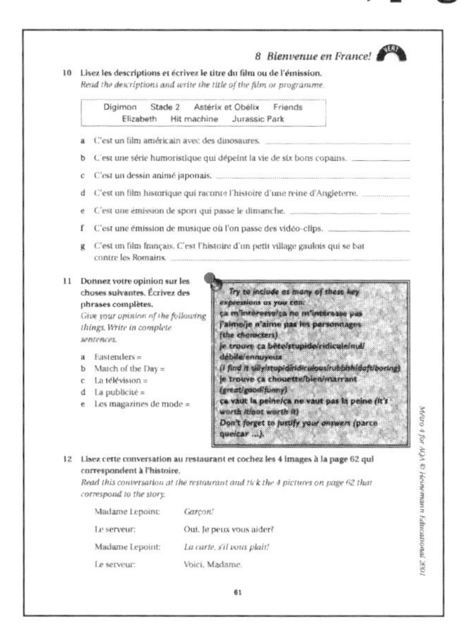

8 Bienvenue en France!

10 **Lisez les descriptions et écrivez le titre du film ou de l'émission.**
Read the descriptions and write the title of the film or programme.

Digimon Stade 2 Astérix et Obélix Friends
Elizabeth Hit machine Jurassic Park

a C'est un film américain avec des dinosaures. ______
b C'est une série humoristique qui dépeint la vie de six bons copains. ______
c C'est un dessin animé japonais. ______
d C'est un film historique qui raconte l'histoire d'une reine d'Angleterre. ______
e C'est une émission de sport qui passe le dimanche. ______
f C'est une émission de musique où l'on passe des vidéo-clips. ______
g C'est un film français. C'est l'histoire d'un petit village gaulois qui se bat contre les Romains. ______

11 **Donnez votre opinion sur les choses suivantes. Écrivez des phrases complètes.**
Give your opinion of the following things. Write in complete sentences.

a Eastenders =
b Match of the Day =
c La télévision =
d La publicité =
e Les magazines de mode =

Try to include as many of these key expressions as you can:
ça m'intéresse/ça ne m'intéresse pas
j'aime/je n'aime pas les personnages (the characters)
je trouve ça bête/stupide/ridicule/nul/débile/ennuyeux
(I find it silly/stupid/ridiculous/rubbish/daft/boring)
je trouve ça chouette/bien/marrant (great/good/funny)
ça vaut la peine/ça ne vaut pas la peine (it's worth it/not worth it)
Don't forget to justify your answers (parce que/car ...).

12 **Lisez cette conversation au restaurant et cochez les 4 images à la page 62 qui correspondent à l'histoire.**
Read this conversation at the restaurant and tick the 4 pictures on page 62 that correspond to the story.

Madame Lepoint: *Garçon!*
Le serveur: Oui. Je peux vous aider?
Madame Lepoint: *La carte, s'il vous plaît!*
Le serveur: Voici, Madame.

61

Métro 4 for AQA © Heinemann Educational 2001

10

Answers

a Jurassic Park; **b** Friends; **c** Digimon; **d** Elizabeth; **e** Stade 2; **f** Hit Machine; **g** Astérix et Obélix

12

Answers

no glass, wine, no spoon and fish soup

Cahier d'exercices, page 62

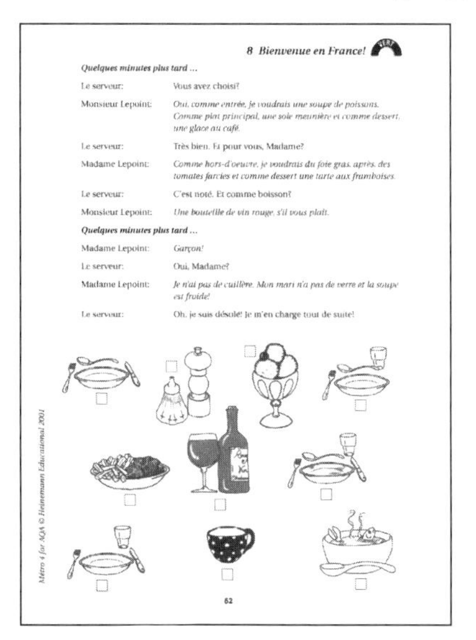

8 Bienvenue en France!

Quelques minutes plus tard ...

Le serveur: Vous avez choisi?
Monsieur Lepoint: *Oui, comme entrée, je voudrais une soupe de poissons. Comme plat principal, une sole meunière et comme dessert, une glace au café.*
Le serveur: Très bien. Et pour vous, Madame?
Madame Lepoint: *Comme hors-d'oeuvre, je voudrais du foie gras, après, des tomates farcies et comme dessert une tarte aux framboises.*
Le serveur: C'est noté. Et comme boisson?
Monsieur Lepoint: *Une bouteille de vin rouge, s'il vous plaît.*

Quelques minutes plus tard ...

Madame Lepoint: *Garçon!*
Le serveur: Oui, Madame?
Madame Lepoint: *Je n'ai pas de cuillère. Mon mari n'a pas de verre et la soupe est froide!*
Le serveur: Oh, je suis désolé! Je m'en charge tout de suite!

62

Métro 4 for AQA © Heinemann Educational 2001

Cahier d'exercices, page 63

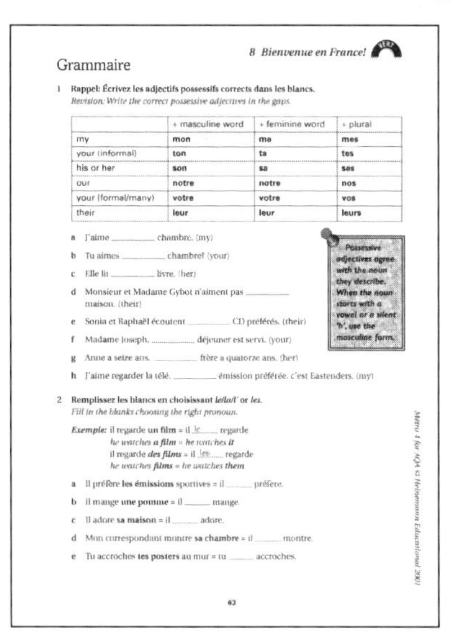

8 Bienvenue en France!

Grammaire

1 **Rappel: Écrivez les adjectifs possessifs corrects dans les blancs.**
Revision: Write the correct possessive adjectives in the gaps.

	+ masculine word	+ feminine word	+ plural
my	**mon**	**ma**	**mes**
your (informal)	**ton**	**ta**	**tes**
his or her	**son**	**sa**	**ses**
our	**notre**	**notre**	**nos**
your (formal/many)	**votre**	**votre**	**vos**
their	**leur**	**leur**	**leurs**

a J'aime ______ chambre. (my)
b Tu aimes ______ chambre? (your)
c Elle lit ______ livre. (her)
d Monsieur et Madame Gybot n'aiment pas ______ maison. (their)
e Sonia et Raphaël écoutent ______ CD préférés. (their)
f Madame Joseph, ______ déjeuner est servi. (your)
g Anne a seize ans. ______ frère a quatorze ans. (her)
h J'aime regarder la télé. ______ émission préférée, c'est Eastenders. (my)

Possessive adjectives agree with the noun they describe. When the noun starts with a vowel or a silent 'h', use the masculine form.

2 **Remplissez les blancs en choisissant *le/la/l'* or *les*.**
Fill in the blanks choosing the right pronoun.

Exemple: il regarde **un film** = il le regarde
*he watches **a film** = he watches **it***
il regarde ***des films*** = il les regarde
*he watches **films** = he watches **them***

a Il préfère **les émissions** sportives = il ______ préfère.
b Il mange **une pomme** = il ______ mange.
c Il adore **sa maison** = il ______ adore.
d Mon correspondant montre **sa chambre** = il ______ montre.
e Tu accroches **tes posters** au mur = tu ______ accroches.

63

Métro 4 for AQA © Heinemann Educational 2001

Grammaire

1

Answers

a ma; **b** ta; **c** son; **d** leur; **e** leurs; **f** votre; **g** son; **h** Mon

2

Answers

a les; **b** la; **c** l'; **d** la; **e** les

Cahier d'exercices, page 64

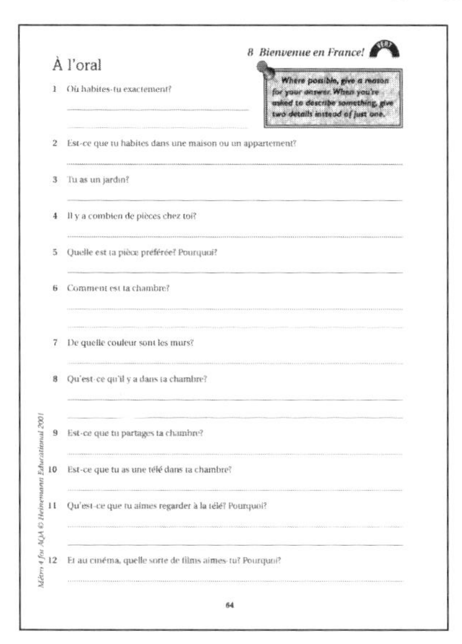

8 Bienvenue en France!

À l'oral

Where possible, give a reason for your answer. When you're asked to describe something, give two details instead of just one.

1 Où habites-tu exactement?
2 Est-ce que tu habites dans une maison ou un appartement?
3 Tu as un jardin?
4 Il y a combien de pièces chez toi?
5 Quelle est ta pièce préférée? Pourquoi?
6 Comment est ta chambre?
7 De quelle couleur sont les murs?
8 Qu'est-ce qu'il y a dans ta chambre?
9 Est-ce que tu partages ta chambre?
10 Est-ce que tu as une télé dans ta chambre?
11 Qu'est-ce que tu aimes regarder à la télé? Pourquoi?
12 Et au cinéma, quelle sorte de films aimes-tu? Pourquoi?

64

Métro 4 for AQA © Heinemann Educational 2001

Module 9: En bonne forme

(Student's Book pages 128–143)

Unit	Main topics and objectives	Grammar	Key language
Déjà vu (pp. 128–129)	Asking somebody how they are, and responding to this question Naming the parts of the body Saying where you have pain Using the 24-hour clock Saying when you have your meals	*Au/à la/à l'/aux*	*Comment vas-tu?/Comment allez-vous?/ Comment ça va?/Ça va?* *Je vais très bien/Je vais mieux.* *Comme ci, comme ça/Pas mal.* *Je suis malade/Ça ne va pas.* *J'ai mal (au genou).* *Tu as mal (à la main).* *Il/Elle a mal (à l'oreille).* *le bras/le dos/le doigt/le genou/le nez/ le pied/le ventre/l'estomac/l'œil/les yeux/ la dent/la gorge/la jambe/la main/ la tête/l'oreille/le coude* *Je prends (le petit déjeuner) à … (l'heure* + 24-hour clock*).*
1 La routine (pp. 130–131)	Talking about your daily routine	Reflexive verbs	*Il se lève à … heures.* *Il va au collège en car.* *Il préfère dormir l'après-midi.* *Tu te lèves à quelle heure?* *Je (me lève) à et je (me douche) …* *Je prends le petit déjeuner vers …* *Je quitte la maison à …* *Je rentre à la maison vers …* *Je me repose à …* *Je me couche plus tard.* *et/puis/ensuite/après/mais/pourtant …*
2 Avez-vous la pêche? (pp. 132–133)	Saying what you like/dislike to eat/drink Talking about what you eat for each meal Understanding information about healthy eating	Revision of direct object pronouns The partitive article *le, la, les du, de la, de l', des*	*Tu aimes (les abricots)?* *Oui, je l'aime/je l'adore.* *Non, je ne l'aime pas/Je le/la/les déteste.* *Pour le (repas) je mange (du jambon).* *Je bois (du coca).*
3 Êtes-vous en bonne forme? (pp. 134–135)	Talking about a healthy lifestyle Talking about daily routine	*Il faut* + inf. Imperatives	*Il faut manger plus/moins de …* *Achetez …/Essayez de …/Faites …/ Couchez-vous …* *Ne fumez pas* (comprehension only). *Je me lève à …* *Je mange/bois/vais …* *Je ne prends pas de …* *Je me couche à …* *Je (ne) suis (pas) en bonne forme parce que …* *Je (ne) suis (pas) actif (ve).* *Je (ne) mange (pas) bien.* *Je (ne) fume (pas).* *Je me couche tard/tôt.*

Unit	Main topics and objectives	Grammar	Key language
4 Ça ne va pas (pp. 136–137)	Talking about common illnesses Understanding common remedies Visiting the doctor Understanding information about First Aid	Expressions with *avoir*	*Qu'est-ce qui ne va pas?* *Je ne vais pas très bien.* *J'ai très (chaud).* *Je n'ai pas faim.* *Je me sens très fatigué(e).* *Je suis malade.* *J'ai mal au cœur.* *J'ai la grippe.* *J'ai vomi.* *Je suis enrhumé(e).* *Je me suis blessé(e) à la jambe.* *J'ai mal à la gorge.* *Je ne peux pas dormir.* *Prenez ces comprimés/pastilles/ce sirop/ rendez-vous chez le médecin.* *Buvez beaucoup d'eau.* *Reposez-vous.*
5 Ça vaut le risque? (pp. 138–139)	Talking about why people smoke, and the disadvantages of smoking Understanding information about other addictions	The present tense The pronoun *on*	*Je fume/Je ne fume pas.* *Je suis pour/contre le tabac parce que/qu'…* *À mon avis/Je pense que/qu'…* *si on fume, on a l'air plus adulte.* *le tabac sent mauvais.* *on risque d'avoir le cancer et des maladies cardiaques.* *c'est reposant de fumer une cigarette.* *si on s'habitue au tabac, on ne peut pas s'arrêter.* *les cigarettes coûtent très cher.* *je veux faire la même chose que mes copains.* *si j'ai une cigarette à la main, j'ai plus confiance en moi.* *l'odeur du tabac cause des problèmes pour les autres.*
Entraînez-vous (pp. 140–141)	Speaking practice and coursework	Revision of: Past, present and future tenses	
À toi! (pp. 176–177)	Self-access reading and writing Understanding a recipe Talking about illness Describing daily routine	Reflexive verbs The partitive article *au/à la/à l'/aux* Negatives (*ne … pas*)	

MODULE 9 EN BONNE FORME

Déjà vu

(Student's Book pages 128–129)

Main topics and objectives

- Asking somebody how they are, and responding to this question
- Naming the parts of the body
- Saying where you have pain
- Using the 24-hour clock
- Saying when you have your meals

Grammar

- *Au/à la/à l'/aux*

Key language

Comment vas-tu?/Comment allez-vous?/
Comment ça va?/Ça va?
Je vais très bien/Je vais mieux.
Comme ci, comme ça/Pas mal.
Je suis malade/Ça ne va pas.
J'ai mal au genou.
Tu as mal à la main.
Il/Elle a mal à l'oreille/aux yeux.
le bras/le dos/le doigt/le genou/le nez/le pied/
le ventre/l'estomac/l'œil/les yeux/la dent/la gorge/
la jambe/la main/la tête/l'oreille/le coude
Je prends le petit déjeuner/le déjeuner/le goûter/
le dîner à … (l'heure + 24-hour clock*).*

Resources

Cassette D, side 1
CD 3, track 6
Cahier d'exercices, pages 65–71

Suggestion

Lead in by looking at the phrases about how you are feeling.

1a Comment vont-ils? Notez   ou ☹.

Listening. (1–6) Students listen to the recording and note down how the speaker is feeling, by using .

Tapescript

1 *– Ça va?*
– Bof, comme ci, comme ça.
2 *– Comment vas-tu?*
– Je vais très bien, merci. Et toi?
3 *– Comment allez-vous?*
– Je vais mieux, merci.
4 *– Comment vas-tu?*
– Oh, pas mal …
5 *– Comment ça va?*
– Ça ne va pas!
6 *– Ça va?*
– Non, je suis malade …

Answers

1  2  3   4 5  6 

Suggestion

Use the picture on page 128 or an OHT of this to present the body parts.

1b Identifiez la partie du corps.

Reading. (a–p) Students look at the picture and match each letter with the correct body part from the Key vocabulary box.

Answers

a le coude **b** le doigt **c** la tête **d** l'œil/les yeux
e le nez **f** l'oreille **g** la dent **h** la gorge **i** la main
j le bras **k** le ventre/l'estomac **l** la jambe **m** le genou
n le pied **o** le dos **p** la bouche

1c Qu'est-ce qui fait mal? Notez la bonne lettre.

Listening. (1–10) Students listen to the recording and using the picture from activity 1b, write down the letter of the painful body part.

Tapescript

1 *Aïe! J'ai mal au bras.*
2 *Maman! J'ai très mal à la tête …*
3 *Oh docteur, j'ai mal aux oreilles …*
4 *Tu as mal aux dents? Il faut aller chez le dentiste, mon chéri.*
5 *Ah! J'ai mal au dos!*
6 *Euhh, j'ai mal au ventre …*
7 *Je me suis fait mal à la main en fermant la porte. Aïe!*
8 *J'ai mal à la gorge.*
9 *J'ai mal aux yeux.*
10 *– J'ai mal aux oreilles.*
– Pardon?
– J'ai mal aux oreilles.
– Pardon?
– J'ai mal … arrête!

Answers

1 j **2** c **3** f **4** g **5** o **6** k **7** i **8** l **9** d **10** f

1d À deux. Expliquez votre problème en français. Votre partenaire trouve la bonne image.

Speaking. In pairs, students take turns to describe what is hurting according to the pictures. For example: 1. *J'ai mal … à la gorge.* Draw their attention to *le* changing to *au*, and *les* changing to *aux*.

Suggestion

Go through how the 24-hour clock works before students start the following activity.

2 Trouvez les paires.

Reading. (1–8) Students match up the times on the 12- and 24-hour clocks which are the same.

Answers

1 deux heures et demie	= **g** quatorze heures trente
2 quatre heures moins le quart	= **f** quinze heures quarante-cinq
3 sept heures	= **d** dix-neuf heures
4 neuf heures et quart	= **a** vingt et une heures quinze
5 onze heures et demie	= **e** vingt-trois heures trente
6 une heure moins le quart	= **h** douze heures quarante-cinq
7 dix heures	= **b** vingt-deux heures
8 huit heures et quart	= **c** vingt heures quinze

R Before starting the next activity, check with your class what the times shown are in French.

3a Qui parle? Notez le bon prénom.

Listening. (1–8) Students listen to the recording and note the name of the person whose mealtime matches up with the written information.

Draw your students' attention to the Top Tip box which gives advice about noting down times during listening activities.

Tapescript

1 Je prends le dîner à vingt heures.
2 Je prends le déjeuner à douze heures quarante-cinq.
3 Je prends le petit déjeuner à six heures trente.
4 Je prends le dîner à vingt heures quarante-cinq.
5 Je prends le repas de midi à treize heures quinze.
6 Je prends le petit déjeuner à sept heures quinze.
7 Je prends le repas du soir à dix-neuf heures trente.
8 Je prends le petit déjeuner à huit heures.

Answers

1 Laure **2** Marie **3** Laure **4** Suzanne **5** Laure
6 Suzanne **7** Marie **8** Marie

3b À deux. Prenez le rôle de Laure/Suzanne. Dites les heures de vos repas.

Speaking. Working with a partner, students take turns to be Laure and Suzanne, using the written information to say when their three mealtimes are. They use the speech bubble as a model.

3c Écrivez une phrase en français sur les heures de vos repas.

Writing. Using the speech bubble as a model, students write out a sentence saying when their three mealtimes are.

MODULE 9 EN BONNE FORME

1 La routine

(Student's Book pages 130–131)

Main topics and objectives

- Talking about your daily routine

Grammar

- Reflexive verbs
  Se laver

Key language

Il se lève à … heures.
À … heures il se lève/il se lave/il se brosse les dents/ il part de chez lui/il prend son déjeuner/il se couche.
Il va au collège en car.
Il préfère dormir l'après-midi.
Tu te lèves à quelle heure?
Je me lève/je me lave à …
et je me douche/je me brosse les dents dans …
Je prends le petit déjeuner vers …
Je prends le dîner/quitte la maison à …
Je rentre à la maison vers …
Je me repose à …
Je me couche plus tard.
et/puis/ensuite/après/mais/pourtant …

Resources

Cassette D, side 1
CD 3, track 6 (contd.)
Cahier d'exercices, pages 65–71.
Grammaire 3.8, page 186

Suggestion

Read through the cartoon strip on page 130 together before asking students to tackle activity 1a.

1a Répondez aux questions en français.

Reading. (1–7) Students read the cartoon strip and answer the questions in French. Encourage them to use the cartoon drawings for help.

Answers

1 à 6h30
2 il se lave
3 vers 7h30
4 en car
5 à la cantine
6 dormir
7 à 22h

1b Copiez les phrases 1–10, et changez les mots soulignés pour décrire votre routine.

Writing. Students copy the captions from the cartoon story and change the underlined parts in accordance with their own personal daily routine.

+ Students illustrate activity 1b by drawing a cartoon strip about themselves.

1c Faites une interview et présentez les résultats à la classe.

Speaking. Students use reflexive verbs in all three singular forms in this activity. First, they prepare 5 questions in French about daily routine. They should be able to make up questions at this stage. They can look at activity 1a for inspiration. They then ask their partner the questions, and note down the answers given. Students then report back what they have found out to the class. You could ask them to write out their findings and read this to the class, to encourage them to use the reflexive pronouns successfully.

R Create the 5 questions as a class or give the students 5 ready-made questions.

+ Ask the students also to prepare a set of questions using *vous* which they can ask you.

+ Students interview several people, then write paragraphs about their routines.

2a Copiez et complétez les phrases pour cette athlète olympique française.

Listening. (1–8) Students listen to the recording and complete the sentences.

Tapescript

– *Je fais de la natation depuis l'âge de quatre ans, et mon rêve, c'est de gagner une médaille aux jeux olympiques.*
– *Je me lève tous les jours à six heures. Après avoir pris un petit déjeuner léger – un jus de fruits, un yaourt – je vais à la piscine vers six heures et demie. À la piscine, je m'entraîne avec le club de natation jusqu'à huit heures et demie, quand je rentre à la maison.*
– *Je me douche et je mange encore un peu, puis, à neuf heures, je quitte la maison pour aller au travail. J'ai un emploi dans une banque locale, où je commence à neuf heures et quart et finis à six heures moins le quart.*
– *Directement après le travail, vers six heures du soir, je pars pour la piscine: et oui, il faut faire encore un peu d'entraînement … on s'entraîne pendant deux heures et demie, puis, vers huit heures trente, je me douche et je vais chez moi.*
– *Je me couche tôt, vers dix heures, parce que je dois me lever de bonne heure le lendemain matin.*

Answers

1 se lève **2** va à la piscine **3** rentre à la maison
4 quitte la maison **5** 9h15 … 5h45
6 part pour la piscine **7** se douche **8** se couche

2b Lisez le texte sur la routine imaginaire de Fabien Barthez et finissez les phrases correctement.

Reading. Having read the text about Fabien Barthez, students choose the relevant ending to each sentence.

Answers

1	française
2	gardien de but
3	Marseille
4	7h30
5	7h45
6	à la maison
7	s'entraîner
8	3 heures
9	se douche
10	minuit

➕ Students prepare some more sentences with alternative endings (one right, one wrong) for the Fabien Barthez text.

➕ Students write a similar text about another famous person.

2 Avez-vous la pêche?

(Student's Book pages 132–133)

Main topics and objectives

- Saying what you like/dislike to eat/drink
- Talking about what you eat for each meal
- Understanding information about healthy eating

Grammar

- Revision of direct object pronouns
- The partitive article
  Le, la, les
  Du, de la, de l', des

Key language

Tu aimes les abricots/les ananas/le beurre/le bifteck/ les céréales/les cerises/les champignons/le chocolat/ le chou/le chou-fleur/les citrons/la confiture/la crème/ les framboises/les fruits de mer/la moutarde/les pâtes/ les petits pois/les poires/le poisson/le porc/le poulet/ le riz/la salade/les saucisses/le vinaigre?
Oui, je l'aime/je l'adore.
Non, je ne l'aime pas/Je le/la/les déteste.
Pour le (repas) je mange du jambon/de la salade/ des œufs/une saucisse/de la viande/du pain/ un yaourt.
Je bois du coca/un café/un chocolat chaud/de l'eau.

Resources

Cassette D, side 1
CD 3, track 7
Cahier d'exercices, pages 65–71.
Grammaire 2.1, page 181

1a Qu'est-ce que vous préférez manger? Copiez et complétez la grille.

Reading. Having copied the grid, students categorise the foods according to their own preferences.

+ Students use the dictionary to find more foods to add to the grid.

1b Qu'est-ce qu'ils aiment manger? Copiez et complétez la grille.

Listening. (1–10) Having copied the grid, students listen to the recording and write down the food each speaker mentions and what s/he thinks of it.

+ Students note the French expressions used as well as .

Tapescript

1 Les fruits de mer, je n'aime pas ça.
2 Le porc, c'est délicieux.
3 Je n'aime pas les ananas.
4 Les cerises, c'est pas mal.
5 J'adore manger les pâtes, c'est mon plat préféré.
6 Je n'aime pas manger le bifteck car je suis végétarienne.
7 Ce que j'aime manger le plus, c'est le chocolat.
8 Beurk, le chou-fleur me donne mal au cœur quand je le mange.
9 Le poisson, c'est assez bon, mais ce n'est pas ce que je choisirais dans un restaurant.
10 Moi, ce que je n'aime pas du tout, oh, ce sont les champignons.

Answers

1	les fruits de mer	☹	6	le bifteck	☹
2	le porc	☺	7	le chocolat	☺
3	les ananas	☹	8	le chou-fleur	☹
4	les cerises	😐	9	le poisson	😐
5	les pâtes	☺	10	les champignons	☹

1c À deux. Trouvez 6 choses que votre partenaire aime manger.

Speaking. Working in pairs, students ask each other if they like different foods. The aim is to find six things the partner likes. Students should try to answer using Direct Object Pronouns.

2a Lisez les lettres, puis remplissez la grille. Décidez s'ils mangent sainement ou pas.

Reading. Students read the letter and fill in the foods and drinks mentioned by each person. They then conclude whether or not each one eats healthily.

Answers

	Petit déjeuner	Déjeuner	Dîner	Sainement?
Sarah	du pain du beurre de la confiture du café	de la salade des crudités un bifteck du poisson des haricots verts des pommes de terre un yaourt une glace	du potage des pâtes de la salade de l'eau	oui
Thomas	rien du chocolat chaud	un hamburger des frites un coca une glace un gâteau	une pizza des chips	non

2b Notez en français ce qu'ils mangent au petit déjeuner. Pour chaque personne, décidez si c'est sain ou pas sain.

Listening. (1–6) Students listen to the recording and note down in French what each speaker has for breakfast. They then decide if the breakfast is healthy or unhealthy. They can write *sain* or *pas sain*, or ✓ or ✗ if preferred.

Tapescript

1 *Moi, pour le petit déjeuner, je prends un bol de céréales avec du lait, et je bois un jus d'orange.*
2 *Je préfère manger quelque chose de rapide: un yaourt et un fruit, par exemple, ou peut-être du pain grillé avec … un peu de beurre.*
3 *Moi, je ne mange rien au petit déjeuner. Je bois un café avec beaucoup de sucre, et c'est tout.*
4 *Comme ma mère est d'origine anglaise, on mange le petit déjeuner typiquement anglais à la maison: des œufs, du bacon, des champignons, des saucisses ... avec du thé au lait. C'est très bon le matin, et à midi, on ne prend qu'un sandwich.*
5 *Je préfère manger un croissant avec de la confiture et du beurre le matin. Avec ça, je bois un grand bol de chocolat chaud avec beaucoup de sucre.*
6 *Je n'ai pas très faim le matin, mais j'essaie de manger quelque chose avant de quitter la maison. Je prends un jus de fruit et du pain avec un peu de beurre au-dessus.*

Answers

1 bol de céreales, jus d'orange – sain
2 yaourt, fruit, pain grillé, beurre – sain
3 un café sucré – pas sain
4 œufs, bacon, champignons, saucisses, thé au lait – pas sain
5 croissant, confiture, beurre, bol de chocolat chaud avec du sucre – pas sain
6 jus de fruits, pain, beurre – sain

➕ Students write a piece about their meals.

2c Préparez une présentation sur vos repas typiques. Complétez ces phrases pour chaque repas.

Speaking. Students give a short talk about their meal times and what they have for each meal, using the sentence-generating box for help. Emphasise the importance of using the right article, as up until now the foods have been used with *le/la/les.*

3a Identifiez la fonction de chaque sorte de nourriture. Écoutez la cassette pour voir si vous avez raison.

Listening/Reading. (a–f) Students match up the food group with the function. They then listen to the recording and correct their answers according to what they hear.

Tapescript

– *Eh bien, le lait, le fromage, le yaourt, ce sont des exemples de produits laitiers, et il nous faut les produits laitiers, parce qu'ils apportent des protéines et des vitamines, bien sûr, et aussi le calcium, ce qui est très important pour les dents et les os.*
– *Le pain et les céréales donnent des vitamines, des fibres et de l'énergie et il faut en manger. Pour avoir de l'énergie qui dure, le pain et les céréales sont vraiment efficaces.*
– *Les fruits et les légumes, on le sait, contiennent des fibres et des vitamines, surtout la vitamine C. Il faut en manger quatre ou cinq fois par jour.*
– *Les produits sucrés, tels que le chocolat, les biscuits, euh … les bonbons, contiennent beaucoup de calories. Ils donnent de l'énergie mais … ça ne dure pas.*
– *La nourriture grasse, il faut l'éviter autant que possible, parce que le cholestérol là-dedans est très mauvais pour la santé.*
– *Quant à la viande et au poisson, ces aliments sont une source de protéines et de vitamines, mais il faut faire attention aussi parce qu'ils contiennent beaucoup de matières grasses.*

Answers

a 3 **b** 6 **c** 2 **d** 1 **e** 4 **f** 5

➕ Students write six sentences saying how often they eat each of the food groups.

3b Donnez 2 exemples en français pour chaque sorte de nourriture.

Writing. Students use their knowledge and the dictionary to find two examples of each of the six food groups in activity 3a.

➕ Students design a poster about healthy eating.

3 Êtes-vous en bonne forme?

(Student's Book pages 134–135)

Main topics and objectives

- Talking about a healthy lifestyle
- Talking about daily routine

Grammar

- *Il faut* + infinitive
- Imperatives

Key language

Il faut manger plus/moins de …
produits bio/fruits/légumes/fast-food/
matières grasses.
Il faut faire plus d'exercice.
Achetez …/Essayez de …/Faites …/Couchez-vous …
Ne fumez pas (comprehension only).
Je me lève à …
Je mange/bois/vais …
Je ne prends pas de …
Je me couche à …
Je (ne) suis (pas) en bonne forme parce que …
Je (ne) suis (pas) actif (ve).
Je (ne) mange (pas) bien.
Je (ne) fume (pas).
Je me couche tard/tôt.

Resources

Cassette D, side 1
CD 3, track 8
Cahier d'exercices, pages 65–71

1a Lisez le dépliant et choisissez le bon mot pour compléter chaque phrase.

Reading. The opening text continues the theme of healthy eating by offering advice on what to eat for different courses of a meal. Comprehension is tested by multiple-choice options.

Answers

1 bonne **2** cuits **3** bœuf **4** beurre **5** sucre
6 une glace

1b Choisissez un scénario et écrivez un menu sain (trois plats: un hors-d'œuvre, un plat principal et un dessert).

Writing. Students select one of the five scenarios and write a three-course healthy menu. They can repeat this for others of the scenarios, as an extension. The menus could be word processed and assembled as a booklet.

1c Regardez cette annonce. Remplacez les blancs. Puis écoutez pour vérifier.

Listening. Students should attempt to complete the gapped text before listening to the recording, using the recording to check their answers. Offer further practice of imperatives by writing several on the board for students to complete, e.g.

Buvez … *Essayez de …* *Prenez …*
Mangez … *Ne … pas* *Achetez …*

Tapescript

Vivez plus sain … changez vos habitudes!
***1** – Il faut manger moins de fast-food, de chocolat et de matières grasses.*
***2** – Il faut manger plus de fruits et de légumes. Achetez des produits bio, si possible.*
***3** – Essayez de faire plus d'exercice. Faites du sport au moins trois fois par semaine.*
***4** – Couchez-vous plus tôt! Huit heures par nuit, c'est parfait.*
***5** – Surtout, ne fumez pas.*

Answers

1 a fast-food **b** chocolat **c** matières grasses
2 d fruits **e** légumes **f** produits bio
3 g exercice **h** sport **i** trois
4 j tôt **k** heures
5 l fumez

2a Henri est en forme, Horace n'est pas en forme. Les phrases d'Henri et d'Horace sont mélangées. Séparez les phrases pour faire un paragraphe sur Henri et un paragraphe sur Horace.

Reading. Students separate out the sentences into two paragraphs: those which describe Henri's healthy lifestyle and those which describe Horace's unhealthy lifestyle.

Answers

Henri
Je me lève tôt tous les matins. Je bois un jus de fruits et je mange un peu de pain grillé. Je vais au collège à vélo. Je joue au ping-pong pendant la récré. J'essaie de manger des fruits ou des légumes cinq fois par jour. J'aime faire du sport le soir. Je me couche assez tôt pour être en forme le lendemain.

Horace
Tous les jours je me lève tard. Je ne prends pas de petit déjeuner. Je prends le bus pour aller au collège. Pendant la récré je fume avec mes amis. Je mange toujours des bonbons et du fast-food, si possible. Le soir je suis toujours assis devant mon ordinateur. Je ne me couche jamais avant minuit.

2b Préparez un paragraphe sur votre routine personnelle.

Writing. Students write a similar paragraph about their own routine and lifestyle.

Suggestion

You could collect these in and read them out anonymously, to see if others can work out whose lifestyle is being described each time.

2c À deux. Préparez cette interview sur vos habitudes.

Speaking. An opportunity to practise this language orally by way of interviewing a partner about his/her routine and lifestyle. Again, students can fill this out with further questions of their own, if they are able.

3 Ces jeunes donnent leurs opinions sur les émissions sur la nourriture et la santé (1–5). Pour chaque personne, notez:

- le nom de l'émission dans la case à côté
- si leur opinion est positive ou négative.

Listening. An activity focussing on opinions vocabulary. Students should identify the TV programme title on the first listening and then note if the speakers like the programme or not.

Tapescript

1 – Je trouve 'Bon appétit!' vraiment génial. Le chef est très amusant et ça me fait rire.
2 – Les émissions comme 'La cuisine de Chantal', ça ne me dit rien. Je les trouve ennuyeuses parce que la cuisine ne m'intéresse pas.
3 – Si je passe mon temps à regarder les émissions comme 'Gastronomie - la fantaisie', je ne serai pas en bonne forme! Je préfère être active. Je n'aime pas cette émission - c'est enfantin.
4 – Moi, j'adore les émissions sur la cuisine, mais je trouve 'Prenez 2 chefs' bête. Je n'aime pas le présentateur et les recettes sont trop difficiles.
5 – 'À votre santé', c'est mon émission préférée. J'ai appris à faire beaucoup de plats et mes parents en sont très contents.

Answers

1 Bon appétit! ✓
2 La cuisine de Chantal ✗
3 Gastronomie - la fantaisie ✗
4 Prenez 2 chefs ✗
5 À votre santé ✓

Students write a list of suggestions for living healthily, using imperative forms, e.g.:

Ne fumez pas; Mangez beaucoup de fruits; Couchez-vous de bonne heure.

Make this into a poster.

➕ Students design a questionnaire which assesses how healthy or unhealthy their group's lifestyles are.

➕ Students write a critique of a TV cookery or lifestyle programme. They say what they like or dislike about it and what they think of the presenters.

MODULE 9 EN BONNE FORME

4 Ça ne va pas

(Student's Book pages 136–137)

Main topics and objectives

- Talking about common illnesses
- Understanding common remedies
- Visiting the doctor
- Understanding information about First Aid

Grammar

- Expressions with *avoir*
  J'ai chaud ...

Key language

Qu'est-ce qui ne va pas?
Je ne vais pas très bien.
J'ai très chaud/froid/soif.
Je n'ai pas faim.
Je me sens très fatigué(e).
Je suis malade.
J'ai mal au cœur.
J'ai la grippe.
J'ai vomi.
Je suis enrhumé(e).
Je me suis blessé(e) à la jambe.
J'ai mal à la gorge.
Je ne peux pas dormir.
Prenez ces comprimés/pastilles/ce sirop/rendez-vous chez le médecin.
Buvez beaucoup d'eau.
Reposez-vous.

Resources

Cassette D, side 1
CD 3, track 9
Cahier d'exercices, pages 65–71
Grammaire 3.3, page 183

1a Faites correspondre l'image et le problème.

Reading.(1–10) Students match up speech bubbles with pictures.

Answers

a 8 b 9 c 7 d 6 e 5 f 1 g 3 h 10 i 2 j 4

1b Faites correspondre l'image et le remède.

Reading. (1–6) Students match up pictures with remedies.

Answers

a 4 b 2 c 6 d 5 e 3 f 1

1c Écoutez ces conversations à la pharmacie. Notez le problème et le remède proposé. Choisissez la bonne image et le(s) bon(s) remède(s).

Listening. (1–6) Students listen to the recording and note down the problem and remedy for each speaker.

They should note one or more of the lettered pictures a–j for the problem(s), and one or more of the numbered remedies 1–6 alongside.

R Students simply write down the relevant numbers and letters using the pictures from Activity 1b.

Tapescript

1 – *Oh là là,* ***je me suis blessé à la jambe*** *ce matin en descendant l'escalier. Aïe, ça fait mal. Qu'est-ce que je devrais faire?*
– ***Reposez-vous un peu au lit****, et* ***prenez ces comprimés****.*

2 – *Bonjour,* ***j'ai mal au cœur*** *depuis ce matin et ... et ce n'est pas normal.*
– *Eh bien non, mademoiselle. Vous ... vous avez sûrement mangé quelque chose qui ne vous réussit pas. S'il vous plaît,* ***buvez beaucoup d'eau*** *et* ***reposez-vous au lit****.*

3 – *Salut,* ***je me sens très fatigué*** *tout le temps, même si je me couche de très bonne heure. Qu'est-ce que j'ai?*
– *Oh,* ***prenez rendez-vous chez le médecin****, monsieur.*

4 – ***J'ai vomi*** *ce matin et plusieurs fois. Et maintenant,* ***je n'ai pas du tout faim****. Qu'est–ce que vous pouvez me conseiller?*
– *Je vous conseille de* ***prendre ce sirop****. Il est très efficace contre le mal de ventre.*

5 – ***Je suis vraiment enrhumé*** *depuis deux jours. Je crois que* ***j'ai la grippe****. La nuit,* ***j'ai ... très, très chaud*** *et je ne peux pas dormir.*
– *Vous devriez vous* ***reposer au lit****.* ***Prenez ces comprimés et ces pastilles*** *deux fois par jour aussi.*

6 – *Je ne sais pas ce que j'ai, mais* ***je me sens vraiment malade****.* ***J'ai froid*** *tout le temps et ce matin* ***j'ai vomi****.*
– *Mmm. Pour être sûr, monsieur, il faut* ***prendre rendez-vous chez le médecin****.*

Answers

1 h, remedies 4 and 1
2 d, remedies 6 and 4
3 g, remedy 5
4 b and i, remedy 3
5 a, c, f, remedies 4, 1 and 2
6 e, j, b, remedy 5

+ Students write out a conversation to go with the photo on page 136 of the Student's Book, imagining what the two people might be saying to each other.

2a Copiez et complétez la conversation chez le médecin.

Reading. Students copy and complete the conversation at the doctor's, using the words at the side to fill in the blanks.

Answers

asseyez-vous, gorge, enrhumé, soif, examiner, sirop, pastilles, lit, jours, revoir

2b À deux. Préparez une autre conversation 'Chez le médecin'. Utilisez la conversation ci-dessus comme modèle.

Writing. Students write out another conversation called 'Chez le médecin' by adapting the one in Activity 2a.

2c Copiez et complétez la grille en français.

Listening. (1–4) Having copied the grid, students listen to the recording and write down in French what is wrong with each speaker, and the doctor's opinion.

Tapescript

1 – *Bonjour, madame. Comment allez-vous aujourd'hui?*
– *Oh, vous savez docteur … j'ai mal aux oreilles et à la gorge depuis une semaine.*
– *Aux oreilles et à la gorge … . Vous permettez? … mmm … dites 'ahh' …*
– *Ahh.*
– *Ah oui, oui, ce n'est pas grave. Je vais vous donner du sirop. Il faut prendre ce sirop trois fois par jour, après les repas. Vous avez compris?*
– *Oui, merci docteur.*

2 – *Ah, monsieur Pinaud. Est-ce que vous allez mieux?*
– *Ah non, docteur. J'ai toujours très mal au ventre, et hier soir, j'ai vomi. J'ai mal au cœur ce matin encore une fois. Ça devient pénible.*
– *Bon, je vais vous prendre rendez-vous à l'hôpital.*

3 – *Bonjour, madame.*
– *Bonjour, docteur. C'est mon fils. Il s'est blessé à la tête ce matin, en jouant dans le jardin. Maintenant, il a très mal à la tête.*
– *Oh mon pauvre … attends … je peux regarder? … Ne pleure pas ... ah oui. Madame, je vous donne ces comprimés pour votre fils. Il doit prendre un comprimé toutes les deux heures. D'accord?*
– *Un comprimé toutes les deux heures. Merci, docteur.*

4 – *Ah docteur, bonjour.*
– *Bonjour, madame. Qu'est-ce qui ne va pas?*
– *J'ai mal au dos depuis deux semaines maintenant.*
– *Je peux vous examiner? Vous avez mal au cou aussi?*
– *Oui, j'ai, j'ai mal au cou, surtout la nuit.*
– *Bon, je vous conseille de rester au lit pendant deux ou trois jours, pour voir si ça vous aide. Revenez me voir dans une semaine, s'il vous plaît. Fixez un rendez-vous maintenant avec la réceptionniste.*
– *Ok, merci docteur.*

Answers

	symptômes	remède proposé
1	mal aux oreilles et à la gorge	prendre ce sirop
2	mal au ventre, mal au cœur	rendez-vous à l'hôpital
3	mal à la tête	comprimés
4	mal au dos mal au cou	rester au lit

3 Lisez cette affiche puis répondez aux questions en anglais.

Reading. (1–5) Students answer in English the questions relating to the health and safety poster.

Answers

1 first aid kit
2 first aid
3 alert colleagues
4 17/15/18
5 stay with victim, or evacuate if fire

5 Ça vaut le risque?

(Student's Book pages 138–139)

Main topics and objectives

- Talking about why people smoke, and the disadvantages of smoking
- Understanding information about other addictions

Grammar

- The present tense
- The pronoun – *on*

Key language

Je fume/Je ne fume pas.
Je suis pour/contre le tabac parce que/qu' …
À mon avis/Je pense que/qu' …
si on fume, on a l'air plus adulte.
le tabac sent mauvais.
on risque d'avoir le cancer et des maladies cardiaques.
c'est reposant de fumer une cigarette.
si on s'habitue au tabac, on ne peut pas s'arrêter.
les cigarettes coûtent très cher.
je veux faire la même chose que mes copains.
si j'ai une cigarette à la main, j'ai plus confiance en moi.
l'odeur du tabac cause des problèmes pour les autres.

Resources

Cassette D, side 1
CD 3, track 10
Cahier d'exercices, pages 65–71

1a Lisez les opinions et décidez si ces jeunes sont pour ou contre le tabac.

Reading. (a–i) Students read the opinions and say whether each is in favour of, or against, smoking. They show this by writing *pour* or *contre*.

Answers

a pour **b** contre **c** contre **d** pour **e** contre
f contre **g** pour **h** pour **i** contre

R Students translate the poster at the top of page 138 of the Student's Book into English.

1b À deux. En français.

Speaking. In pairs, students prepare their responses using the cue cards provided. For card B, they must give two reasons for their personal opinion. Encourage them to look back at Activity **1a** for help.

1c Écrivez votre réponse à cette question: qu'est-ce que vous pensez du tabac, et pourquoi?

Writing. Students give their opinion in writing about smoking.

2 Décidez si ces jeunes sont pour ou contre la drogue, et pourquoi.

Listening. (1–8) Students listen to the recording and write down whether each speaker is for, or against, drugs. They can also write down the reason in French.

Tapescript

1 C'est reposant de prendre de la drogue.
2 J'ai plus confiance en moi si je prends de la drogue.
3 Se droguer, je trouve ça vraiment stupide.
4 On risque d'avoir des maladies graves plus tard dans la vie.
5 Mes copains se droguent, donc moi, je me drogue aussi, parce que c'est cool.
6 Si on s'habitue à la drogue, on ne peut pas s'arrêter.
7 La drogue coûte très cher, et c'est de l'argent jeté par la fenêtre.
8 Je n'ai pas besoin de drogue pour m'amuser; je m'amuse sans drogue.

Answers

1 Pour – reposant **2** Pour – confiance en soi
3 Contre – stupide **4** Contre – risque de maladies
5 Pour – cool **6** Contre – on ne peut pas s'arrêter
7 Contre – coûte cher **8** Contre – n'a pas besoin

+ Students write their opinion in French about drugs, giving reasons.

3a Lisez l'article. Who thinks that …?

Reading. (1–6) Having read the four paragraphs, students identify whose opinion coincides with each of the statements.

Answers

1 Marie-Jo **2** Daniel **3** Ludo **4** Manon **5** Ludo
6 Manon

+ Students write a paragraph saying what they consider to be the greatest risk to health in the twenty-first century, and why.

3b Écoutez ces publicités. Elles sont de la part de quelle organisation?

Listening. (1–4) Students listen to the recording and link one of the four organisational logos with each radio ad.

Tapescript

1 – *Allez, juste un petit verre de vin avant de partir ...*
– *C'est gentil, mais j'ai la voiture et je ne bois rien quand je conduis ma voiture.*
– *Un tout petit peu de vin rouge, ça ne peut pas vous causer de problème ...*
– *Vraiment, non merci. Un jus de fruit, peut-être?*
– *Mais écoutez, moi, j'ai bu six verres de vin ce soir, et regardez comment je suis.*
– *Oui, exactement. Je vous laisse. Merci de votre hospitalité ...*

2 – *Ah, quelle jolie photo! C'est votre fille? Quel âge a-t-elle? Elle va à quel collège?*
– *C'était ma fille. Elle avait 15 ans. Elle allait au collège dans notre village.*
– *Elle avait 15 ans? Elle allait à notre collège local? Mais ... ?*
– *Oui, elle est morte il y a sept mois et quatre jours. Elle allait aussi en boîte ... et elle se droguait. Elle croyait ça cool ... mais plus maintenant.*
– *SURVEILLEZ VOS ENFANTS, QU'ILS NE VIVENT PAS LEUR VIE À L'IMPARFAIT.*

3 – *Tu as de beaux yeux, tu sais ...*
– *Merci.*
– *J'adore tes cheveux longs ...*
– *C'est gentil.*
– *Ta bouche est belle ...*
– *Je te remercie.*
– *Et tes mains sont des mains de princesse ...*
– *Mm ... euh ... oui, merci beaucoup ...*
– *Est-ce que tu veux sortir en boîte avec moi ce soir?*
– *Non merci, les doigts marron, les dents jaunes, la bouche qui pue et une gorge comme un homme de 65 ans, curieusement, ça ne me plaît pas. Et en plus, l'odeur me donne mal au cœur.*

4 – *Tu n'as pas faim? Tu n'as pas envie de manger? Ou tu as envie de manger trop? Tu te trouves trop mince? Tu te trouves trop grosse? On est là pour toi, n'hésite pas à nous contacter numéro vert 0800 81 68 16.*

Answers

1 d	**2** a	**3** c	**4** b

3c Dessinez un poster anti-alcool ou anti-drogue.

Writing. Students design their own anti-smoking or anti-drug poster.

MODULE 9 EN BONNE FORME

Entraînez-vous

(Student's Book pages 140–141)

Speaking practice and coursework

À l'oral

Topics revised

- Going to the doctor's
- Talking about your daily routine
- Talking about fitness

1 You are at the doctor's in France.

Role-play. Ask students to work in pairs. They can take it in turns to be the 'doctor', doing the role-play twice.

2 You are talking to your penfriend about your daily routine.

Role-play. Ask students to work in pairs. They can take it in turns to be the 'penfriend', doing the role-play twice.

3 Talk for one minute about your daily routine. Make yourself a cue card.

Presentation. Students give a short talk about their daily routine.

This can be:

- prepared in the classroom or at home;
- recorded on tape;
- students can give their talk to a small group of other students; *or*
- certain students can be chosen to give their talk to the whole class.

The main thing is that students become used to speaking from notes, not reading a speech.

R Students do the talk in the present tense only, missing out the last prompt.

+ Go through the perfect tense of common reflexives before they tackle the last prompt.

Questions générales

Speaking. These are key questions to practise for the oral exam, taken from the module as a whole. Students can practise asking and answering the questions in pairs. They should be encouraged to add as much detail as possible. It is often a good idea to write model answers together in class.

À l'écrit

Topics revised

- Meals and eating habits
- Activities
- Smoking, alcohol and drugs
- Plans for the future

1 Am I fit and healthy?

An AQA Specification A coursework-style task (Theme 3.3), for which students write 70–100 words about their health and fitness. Suggestions for ideas are given, as well as useful vocabulary and tips. A variety of formats is possible here – students could, for example, present their work in a 'notice board' style, or as a poster, or even in diary format. There is great potential for using ICT skills, but emphasise the need to concentrate on the quality of their written French.

2 Your task is to write a description of your daily menu.

An AQA Specification B modular coursework-style a task (Module 3, topic B). Students give an account of their daily menu and their routine around mealtimes, including opinions and likes/dislikes. They should write about 40 words.

MODULE 9 EN BONNE FORME

À toi!

(Student's Book pages 176–177)

Self-access reading and writing at two levels

1a Quels ingrédients sont nécessaires? Notez les bonnes lettres.

Reading. Having read the recipe, students look at the 20 pictures, pick out the ten ingredients needed, and write down the appropriate letters.

Answers

r, n, m, a, h, j, b, l, f, c

1b Mettez les images dans le bon ordre.

Reading. Again referring to the recipe, students put the pictures in the right order, one for each numbered stage of the recipe.

Answers

1 c **2** d **3** c **4** g **5** b **6** h **7** a **8** e **9** f

2 Une journée typique. Regardez les symboles et écrivez des phrases.

Writing. Students write sentences about their own daily routine, using the sentences about Paul as a model, and basing their answers on the picture prompts.

Answers

1 Je me lève a huit heures.
2 Au petit déjeuner je prends des céréales et du lait.
3 Je bois un jus de fruit.
4 Je vais au collège en bus.
5 Pendant la récré je joue au football.
6 Après le collège je regarde la télé.
7 Je fais mes devoirs dans ma chambre.
8 Je me couche à dix heures et demie.

3 Vous êtes malade! Vous devez rester au lit! Pour passer le temps, vous écrivez une lettre à votre correspondant(e).

Writing. Students write a letter to a penfriend based on five prompts, requiring the use of past, present and future tenses. Model language is provided.

Cahier d'exercices, page 65

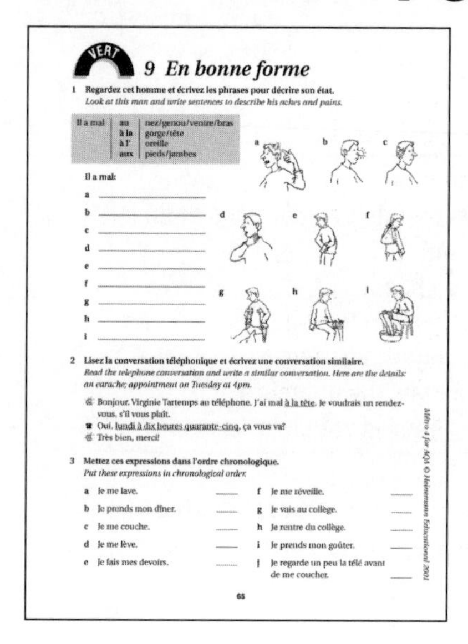

9 *En bonne forme*

1 **Regardez cet homme et écrivez les phrases pour décrire son état.**
Look at this man and write sentences to describe his aches and pains.

Il a mal	au	nez/genou/ventre/bras
	à la	gorge/tête
	à l'	oreille
	aux	pieds/jambes

Il a mal:

a ______
b ______
c ______
d ______
e ______
f ______
g ______
h ______
i ______

2 **Lisez la conversation téléphonique et écrivez une conversation similaire.**
Read the telephone conversation and write a similar conversation. Here are the details: an earache; appointment on Tuesday at 4pm.

Bonjour. Virginie Tartemps au téléphone. J'ai mal à la tête. Je voudrais un rendez-vous, s'il vous plaît.
Oui, lundi à dix heures quarante-cinq, ça vous va?
Très bien, merci!

3 **Mettez ces expressions dans l'ordre chronologique.**
Put these expressions in chronological order.

a Je me lave. ___
b Je prends mon dîner. ___
c Je me couche. ___
d Je me lève. ___
e Je fais mes devoirs. ___
f Je me réveille. ___
g Je vais au collège. ___
h Je rentre du collège. ___
i Je prends mon goûter. ___
j Je regarde un peu la télé avant de me coucher. ___

Métro 4 for AQA © Heinemann Educational 2001

65

1
Answers

a à la tête; **b** au nez; **c** à l'oreille; **d** à la gorge; **e** au ventre; **f** au bras; **g** aux jambes; **h** au genou; **i** aux pieds

2
Answers

Bonjour. J'ai mal à l'oreille. Je voudrais un rendez-vous, s'il vous plait.
Oui, mardi à 16 heures, ça vous va?
Oui, très bien, merci.

3
Answers

a 3; **b** 8; **c** 10; **d** 2; **e** 7; **f** 1; **g** 4; **h** 5; **i** 6; **j** 9

Cahier d'exercices, page 66

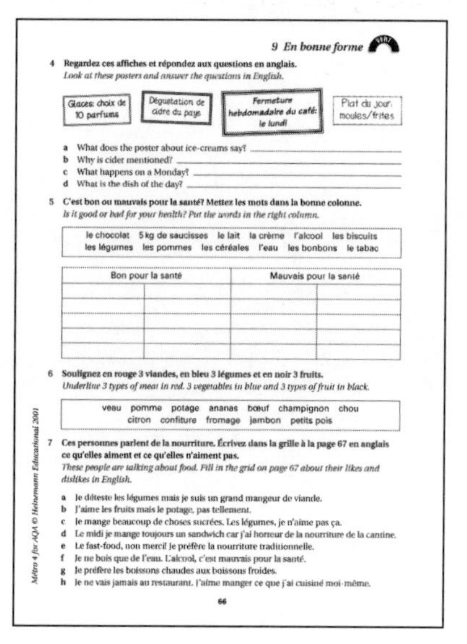

9 *En bonne forme*

4 **Regardez ces affiches et répondez aux questions en anglais.**
Look at these posters and answer the questions in English.

Glaces: choix de 10 parfums | Dégustation de cidre du pays | Fermeture hebdomadaire du café: le lundi | Plat du jour: moules/frites

a What does the poster about ice-creams say? ______
b Why is cider mentioned? ______
c What happens on a Monday? ______
d What is the dish of the day? ______

5 **C'est bon ou mauvais pour la santé? Mettez les mots dans la bonne colonne.**
Is it good or bad for your health? Put the words in the right column.

le chocolat 5 kg de saucisses le lait la crème l'alcool les biscuits les légumes les pommes les céréales l'eau les bonbons le tabac

Bon pour la santé		Mauvais pour la santé	

6 **Soulignez en rouge 3 viandes, en bleu 3 légumes et en noir 3 fruits.**
Underline 3 types of meat in red, 3 vegetables in blue and 3 types of fruit in black.

veau pomme potage ananas bœuf champignon chou citron confiture fromage jambon petits pois

7 **Ces personnes parlent de la nourriture. Écrivez dans la grille à la page 67 en anglais ce qu'elles aiment et ce qu'elles n'aiment pas.**
These people are talking about food. Fill in the grid on page 67 about their likes and dislikes in English.

a Je déteste les légumes mais je suis un grand mangeur de viande.
b J'aime les fruits mais le potage, pas tellement.
c Je mange beaucoup de choses sucrées. Les légumes, je n'aime pas ça.
d Le midi je mange toujours un sandwich car j'ai horreur de la nourriture de la cantine.
e Le fast-food, non merci! Je préfère la nourriture traditionnelle.
f Je ne bois que de l'eau. L'alcool, c'est mauvais pour la santé.
g Je préfère les boissons chaudes aux boissons froides.
h Je ne vais jamais au restaurant. J'aime manger ce que j'ai cuisiné moi-même.

Métro 4 for AQA © Heinemann Educational 2001

66

4
Answers

a There is a choice of ten flavours. **b** A tasting session is advertised. **c** The café is closed. **d** mussels and chips

5
Answers

Bon: le lait, les légumes, les pommes, les céréales, l'eau
Mauvais: le chocolat, 5 kg de saucisses, la crème, l'alcool, les biscuits, les bonbons, le tabac

6
Answers

Viandes: veau, bœuf, jambon
Légumes: champignon, chou, petits pois
Fruits: pomme, ananas, citron

7

	Likes	Dislikes
a	meat	vegetables
b	fruit	soup
c	sweet things	vegetables
d	sandwiches	canteen food
e	traditional food	fast food
f	water	alcohol
g	hot drinks	cold drinks
h	home-cooked food	restaurant food

Answers

Cahier d'exercices, page 67

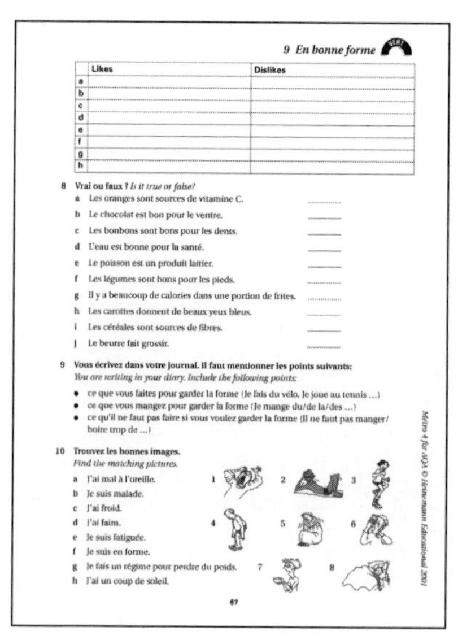

9 *En bonne forme*

	Likes	Dislikes
a		
b		
c		
d		
e		
f		
g		
h		

8 **Vrai ou faux ?** *Is it true or false?*

a Les oranges sont sources de vitamine C. ___
b Le chocolat est bon pour le ventre. ___
c Les bonbons sont bons pour les dents. ___
d L'eau est bonne pour la santé. ___
e Le poisson est un produit laitier. ___
f Les légumes sont bons pour les pieds. ___
g Il y a beaucoup de calories dans une portion de frites. ___
h Les carottes donnent de beaux yeux bleus. ___
i Les céréales sont sources de fibres. ___
j Le beurre fait grossir. ___

9 **Vous écrivez dans votre journal. Il faut mentionner les points suivants:**
You are writing in your diary. Include the following points:

- ce que vous faites pour garder la forme (Je fais du vélo, Je joue au tennis ...)
- ce que vous mangez pour garder la forme (Je mange du/de la/des ...)
- ce qu'il ne faut pas faire si vous voulez garder la forme (Il ne faut pas manger/boire trop de ...)

10 **Trouvez les bonnes images.**
Find the matching pictures.

a J'ai mal à l'oreille.
b Je suis malade.
c J'ai froid.
d J'ai faim.
e Je suis fatiguée.
f Je suis en forme.
g Je fais un régime pour perdre du poids.
h J'ai un coup de soleil.

1 2 3 4 5 6 7 8

Métro 4 for AQA © Heinemann Educational 2001

67

8
Answers

a V; **b** F; **c** F; **d** V; **e** F; **f** F; **g** V; **h** F; **i** V; **j** V

10

Answers

a 6; **b** 8; **c** 5; **d** 7; **e** 1; **f** 3; **g** 4; **h** 2

Cahier d'exercices, page 68

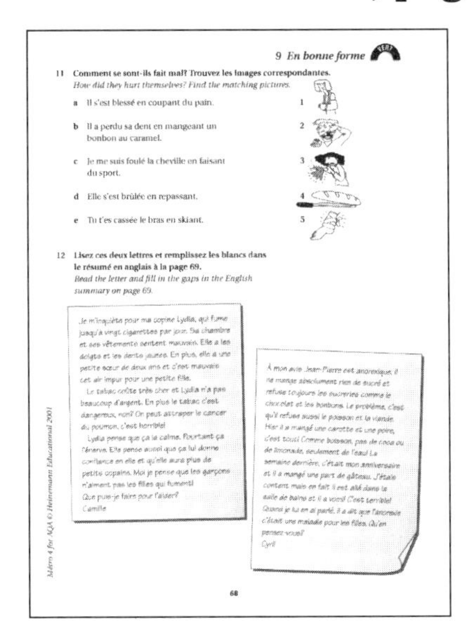

9 *En bonne forme*

11 **Comment se sont-ils fait mal? Trouvez les images correspondantes.**
How did they hurt themselves? Find the matching pictures.

a Il s'est blessé en coupant du pain.
b Il a perdu sa dent en mangeant un bonbon au caramel.
c Je me suis foulé la cheville en faisant du sport.
d Elle s'est brûlée en repassant.
e Tu t'es cassée le bras en skiant.

1 2 3 4 5

12 **Lisez ces deux lettres et remplissez les blancs dans le résumé en anglais à la page 69.**
Read the letter and fill in the gaps in the English summary on page 69.

Je m'inquiète pour ma copine Lydia, qui fume jusqu'à vingt cigarettes par jour. Sa chambre et ses vêtements sentent mauvais. Elle a les doigts et les dents jaunes. En plus, elle a une petite sœur de deux ans et c'est mauvais cet air impur pour une petite fille.
Le tabac coûte très cher et Lydia n'a pas beaucoup d'argent. En plus le tabac c'est dangereux, non? On peut attraper le cancer du poumon, c'est horrible!
Lydia pense que ça la calme. Pourtant ça l'énerve. Elle pense aussi que ça lui donne confiance en elle et qu'elle aura plus de petits copains. Moi je pense que les garçons n'aiment pas les filles qui fument!
Que puis-je faire pour l'aider?
Camille

À mon avis Jean-Pierre est anorexique. Il ne mange absolument rien de sucré et refuse toujours les sucreries comme le chocolat et les bonbons. Le problème, c'est qu'il refuse aussi le poisson et la viande. Hier il a mangé une carotte et une poire, c'est tout! Comme boisson, pas de coca ou de limonade, seulement de l'eau! La semaine dernière, c'était mon anniversaire et il a mangé une part de gâteau. J'étais content mais en fait il est allé dans la salle de bains et il a vomi! C'est terrible! Quand je lui en ai parlé, il a dit que l'anorexie c'était une maladie pour les filles. Qu'en pensez-vous?
Cyril

Métro 4 for AQA © Heinemann Educational 2001

68

11

Answers

a 4; **b** 2; **c** 5; **d** 3; **e** 1

12

Answers

Camille: 20; bedroom; 2; sister; dangerous; don't like girls who smoke
Cyril: anorexic; chocolate; sweets; fish; water; girls

Cahier d'exercices, page 69

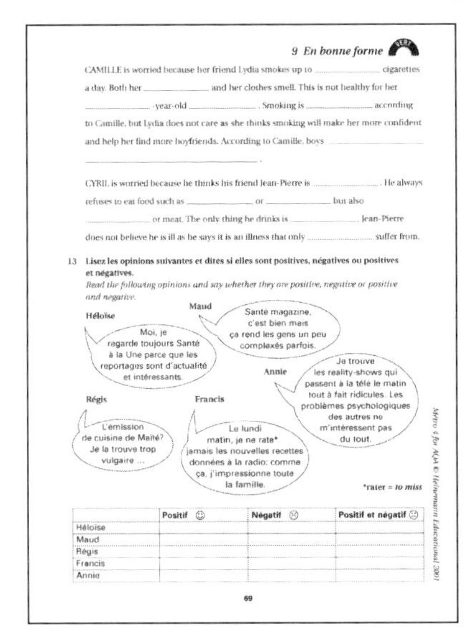

9 *En bonne forme*

CAMILLE is worried because her friend Lydia smokes up to .... cigarettes a day. Both her .... and her clothes smell. This is not healthy for her .... -year-old .... Smoking is .... according to Camille, but Lydia does not care as she thinks smoking will make her more confident and help her find more boyfriends. According to Camille, boys ....

CYRIL is worried because he thinks his friend Jean-Pierre is .... He always refuses to eat food such as .... or .... but also .... or meat. The only thing he drinks is .... Jean-Pierre does not believe he is ill as he says it is an illness that only .... suffer from.

13 **Lisez les opinions suivantes et dites si elles sont positives, négatives ou positives et négatives.**
Read the following opinions and say whether they are positive, negative or positive and negative.

*rater = *to miss*

	Positif ☺	Négatif ☹	Positif et négatif 😐
Héloïse			
Maud			
Régis			
Francis			
Annie			

Métro 4 for AQA © Heinemann Educational 2001

69

13

Answers

Héloïse: ☺ ; Maud: 😐 ; Régis: ☹ ; Francis: ☺ ; Annie: ☹

Cahier d'exercices, page 70

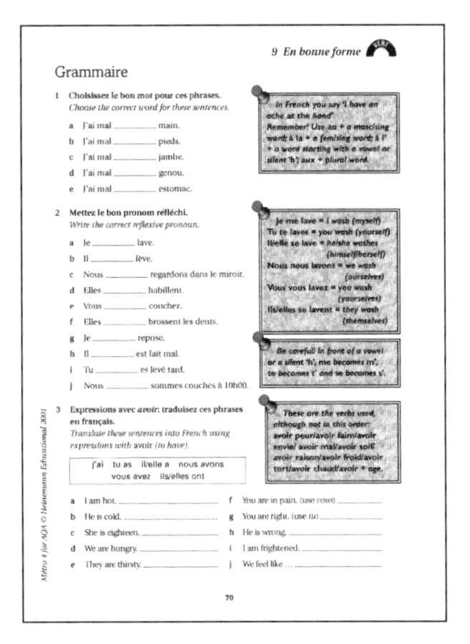

9 *En bonne forme*

Grammaire

1 **Choisissez le bon mot pour ces phrases.**
Choose the correct word for these sentences.

a J'ai mal .... main.
b J'ai mal .... pieds.
c J'ai mal .... jambe.
d J'ai mal .... genou.
e J'ai mal .... estomac.

In French you say 'I have an ache at the hand'. Remember! Use au + a masc/sing word; à la + a fem/sing word; à l' + a word starting with a vowel or silent 'h'; aux + plural word.

2 **Mettez le bon pronom réfléchi.**
Write the correct reflexive pronoun.

a Je .... lave.
b Il .... lève.
c Nous .... regardons dans le miroir.
d Elles .... habillent.
e Vous .... couchez.
f Elles .... brossent les dents.
g Je .... repose.
h Il .... est fait mal.
i Tu .... es levé tard.
j Nous .... sommes couchés à 10h00.

Je me lave = *I wash (myself)*
Tu te laves = *you wash (yourself)*
Il/elle se lave = *he/she washes (himself/herself)*
Nous nous lavons = *we wash (ourselves)*
Vous vous lavez = *you wash (yourselves)*
Ils/elles se lavent = *they wash (themselves)*

Be careful! In front of a vowel or a silent 'h', me becomes m', te becomes t' and se becomes s'.

3 **Expressions avec *avoir*: traduisez ces phrases en français.**
Translate these sentences into French using expressions with avoir *(to have).*

j'ai tu as il/elle a nous avons vous avez ils/elles ont

These are the verbs used, although not in this order: avoir peur/avoir faim/avoir envie/ avoir mal/avoir soif/ avoir raison/avoir froid/avoir tort/avoir chaud/avoir + age.

a I am hot. ....
b He is cold. ....
c She is eighteen. ....
d We are hungry. ....
e They are thirsty. ....
f You are in pain. (use *vous*) ....
g You are right. (use *tu*) ....
h He is wrong. ....
i I am frightened. ....
j We feel like … ....

Métro 4 for AQA © Heinemann Educational 2001

70

Grammaire

1

Answers

a à la; **b** aux; **c** à la; **d** au; **e** à l'

2

Answers

a me; **b** se; **c** nous; **d** s'; **e** vous; **f** se; **g** me; **h** s'; **i** t'; **j** nous

3

Answers

a J'ai chaud. **b** Il a froid. **c** Elle a dix-huit ans. **d** Nous avons faim. **e** Ils/Elles ont soif. **f** Vous avez mal. **g** Tu as raison. **h** Il a tort. **i** J'ai peur. **j** Nous avons envie …

Cahier d'exercices, page 71

9 *En bonne forme*

À l'oral

1 Comment ça va aujourd'hui?
2 À quelle heure te lèves-tu normalement?
3 À quelle heure t'es tu levé(e) aujourd'hui?
4 À quelle heure prends-tu le petit déjeuner?
5 Qu'est-ce que tu manges normalement?
6 Où manges-tu à midi?
7 Quel est ton repas préféré et pourquoi?
8 Qu'est-ce que tu n'aimes pas manger ou boire?
9 Est-ce que tu penses que la nourriture de la cantine est bonne pour la santé? Pourquoi?
10 Tu aimes manger au restaurant? Pourquoi?
11 Qu'est-ce que tu fais pour garder la forme?
12 Trouves-tu les émissions sur la santé intéressantes?

Métro 4 for AQA © Heinemann Educational 2001

71

Module 10: Le transport

(Student's Book pages 144–159)

Unit	Main topics and objectives	Grammar	Key language
Déjà vu (pp. 144–147)	Saying how you get to school Understanding methods of transport Giving directions Key functions for role-play situations Understanding exam rubrics	Revision of *à* + name of town/ country Asking questions The imperative	*Comment est-ce que tu vas au collège?* *Je vais (au collège) (en autobus).* *Pour aller (au commissariat), s'il vous plaît?* *Tournez à (droite). Allez tout droit.* *Prenez la (première) rue à (gauche).* *Je voudrais (une glace).* *Avez-vous (des maillots de bain)?* *Est-ce qu'il y a (un bus pour le stade)?* *Où est (le stade)?* *Est-ce qu'il faut (réserver)?* *(Le film finit) à quelle heure?* *(Un billet), c'est combien?* *Choisissez la bonne réponse.* *Cochez.* *Écrivez la bonne lettre.* *Faites correspondre …* *Lisez le texte.* *Mettez … dans le bon ordre.* *Remplissez la grille.* *Répondez aux questions.*
1 Pardon, madame ... (pp. 148–149)	Giving more complex directions Saying how far a place is, and how best to get there	The imperative *Y*	*Montez la rue jusqu'aux feux/au carrefour.* *Traversez le pont.* *Au rond-point …* *Allez tout droit.* *Tournez à (droite).* *Prenez la (deuxième) rue.* *C'est (en face de vous).* *(La station gare du Nord), c'est près d'ici?* *C'est à … kilomètres d'ici.* *Pour y aller, s'il vous plaît?* *Prenez (le train) …* *et descendez à la …/au stade*
2 À la gare SNCF (pp. 150–151)	Buying train tickets Finding out about departure / arrival times Understanding a timetable	*Pour* + inf. Which or what *quel, quels, quelle, quelles*	*Je peux vous aider?* *Je voudrais (un billet) s'il vous plaît.* *En quelle classe?* *En (première) classe.* *Dans le compartiment (fumeur).* *C'est combien? Ça fait …* *Le prochain train (part) à quelle heure? À … heures.* *Quel est le numéro du quai?*
3 En panne! (pp. 152–153)	Talking about driving, breakdowns and accidents Understanding information about road accidents	Imperfect and perfect tenses in reports	*Je suis en panne / j'ai un pneu crevé / j'ai un problème avec … le moteur / la batterie / les freins / les phares.* *Je suis sur la route nationale / l'autoroute.* *La marque de voiture est … . / Elle se trouve près de … .* *Pouvez-vous envoyer quelqu'un?* *J'ai vu un accident.* *… est entré(e) en collision avec …* *Un piéton / le chauffeur / personne … n'était blessé.* *Je … descendais / traversais / attendais / faisais / roulais …* *Il … pleuvait / gelait / neigeait / faisait du brouillard.* *Un camion / une moto / un vélo / une voiture allait à toute vitesse.*

Unit	Main topics and objectives	Grammar	Key language
4 Les problèmes de l'environnement (pp. 154–155)	Talking about traffic problems and the environment Discussing environmental issues	Imperatives *Il y a* Adverbs of quantity: *beaucoup de, trop de, assez de, peu de*	*À mon avis …* *Je pense que …* *Il y a/Il n'y a pas assez de/peu de/trop de/beaucoup de …* *… pollution/transports en commun/zones piétonnes/pistes cyclables/circulation/ embouteillages.* *Le trou dans la couche d'ozone.* *Le déboisement.* *La pollution des mers.* *Le réchauffement de la terre.* *La disparition des espèces rares.* *La suppression des déchets nucléaires.* *Recyclez./N'achetez plus de…/Ne jetez rien./Écrivez au gouvernement.*
Entraînez-vous (pp. 142–143)	Speaking practice and coursework	Revision of: The imperative Adjectives Past, present and future tenses	
À toi! (pp. 164–165)	Self-access reading and writing Understanding signs and notices about transport Giving details about a forthcoming visit to France	*Y* The pronoun *on* Asking questions The imperative Past, present and future tenses *Pour* + inf. *À/au/à l'/aux*	

MODULE 10 LE TRANSPORT

Déjà vu

(Student's Book pages 144–147)

Main topics and objectives

- Saying how you get to school
- Understanding methods of transport
- Giving directions
- Key functions for role-play situations
- Understanding exam rubrics

Grammar

- Revision of
  à + le = au
  à + les = aux
  to + name of town = *à*
  to + name of country = *en/au/aux*

Key language

Comment est-ce que tu vas au collège?
Je vais au collège/au cinéma/à la piscine/au marché/au magasin/à Londres/en France/en Espagne …
en autobus/en car/en métro/à vélo/à pied/en auto/en voiture/en taxi/en train/en avion/en bateau.
Pour aller au commissariat/à l'hôpital/au syndicat d'initiative/au parc/au stade/au restaurant, s'il vous plaît?
Tournez à droite/gauche. Allez tout droit.
Prenez la première/deuxième rue à droite/gauche.
Je voudrais une glace/un billet pour 'Titanic'/être coiffeur.
Avez-vous des maillots de bain/une table pour deux personnes/un livre?
Est-ce qu'il y a un bus pour le stade/des toilettes/une réduction pour les étudiants?
Où est le stade/mon stylo/le prof?
Est-ce qu'il faut réserver/payer un supplément/parler français?
Le film finit/le train arrive/tu te lèves à quelle heure?
Un billet/une nuit/un plan de la ville, c'est combien?
Choisissez la bonne réponse.
Cochez.
Écrivez la bonne lettre.
Faites correspondre …
Lisez le texte.
Mettez … dans le bon ordre.
Remplissez la grille.
Répondez aux questions.

Resources

Cassette D, side 2
CD 3, track 11
Cahier d'exercices, pages 72–80

Suggestion

Use the photos on page 144 to recap the methods of transport.

1a Écrivez en français.

Writing. Students write the sentences in French.

The *Rappel* box reminds students of the different ways to say 'to the' in French.

Answers

1 Je vais au collège en autobus/car.
2 Je vais au cinéma en métro.
3 Je vais à la piscine à vèlo.
4 Je vais au marché à pied.
5 Je vais au magasin en auto/voiture.
6 Je vais à Londres en train.
7 Je vais en France en avion.
8 Je vais en Espagne en bateau.

1b Copiez et complétez la grille en français.

Listening. (1–6) Having copied the grid, students listen to the recording and fill in the relevant information in French.

Tapescript

1 – *Comment est-ce qu'on peut se déplacer en ville?*
– *En autobus.*
– *Le trajet dure combien de temps?*
– *Euh … quinze minutes.*
2 – *Comment est-ce qu'on peut se déplacer en ville?*
– *En métro.*
– *Le trajet dure combien de temps?*
– *Il dure vingt minutes.*
3 – *Comment est-ce qu'on peut se déplacer en ville?*
– *À pied.*
– *Le trajet dure combien de temps?*
– *Oh, 5 minutes au maximum.*
4 – *Comment est-ce qu'on peut se déplacer en ville?*
– *Il faut prendre un taxi.*
– *Le trajet dure combien de temps?*
– *Euh … trente minutes.*
5 – *Comment est-ce qu'on peut se déplacer en ville?*
– *On peut y aller à vélo.*
– *Le trajet dure combien de temps?*
– *Dix minutes environ.*
6 – *Comment est-ce qu'on peut se déplacer en ville?*
– *On peut se déplacer en auto.*
– *Et le trajet dure combien de temps?*
– *Le trajet dure vingt-cinq minutes.*

Answers

1 en autobus, 15 minutes
2 en métro, 20 minutes
3 à pied, 5 minutes
4 prendre un taxi, 30 minutes
5 à velo, 10 minutes
6 en auto, 25 minutes

1c À deux. Posez les questions et répondez en français.

Speaking. In pairs, students take turns to ask and answer the questions.

Suggestion

Copy the diagrams a–f from page 145 on to an OHT or the board and use them to recap directions.

2a C'est quelle direction?

Reading. (a–f) Students match up the pictures with the phrases from the Key vocabulary box.

Answers

a allez tout droit **b** tournez à droite **c** prenez la deuxième rue à gauche **d** tournez à gauche **e** prenez la première rue à gauche **f** prenez la troisième rue à droite

2b Regardez la plan, et notez si les directions sont correctes (✓) ou fausses (✗).

Listening. (1–7) Students listen to the recording and work out if the directions given are correct or not according to the plan . They show this by a ✓ or a ✗ .

Tapescript

1 – Pour aller à l'hôpital, s'il vous plaît?
– Prenez la troisième rue à gauche.
2 – Pour aller au restaurant, s'il vous plaît?
– Prenez la première rue à droite.
3 – Pour aller à la piscine, s'il vous plaît?
– Prenez la deuxième rue à gauche.
4 – Pour aller au commissariat, s'il vous plaît?
– Allez tout droit.
5 – Pour aller au syndicat d'initiative, s'il vous plaît?
– Prenez la troisième rue à droite.
6 – Pour aller au stade, s'il vous plaît?
– Prenez la deuxième rue à gauche.
7 – Pour aller au parc, s'il vous plaît?
– Allez tout droit.

Answers

1 ✓ **2** ✓ **3** ✗ **4** ✓ **5** ✗ **6** ✗ **7** ✗

2c À deux. Posez une question et écoutez la réponse de votre partenaire. Dites si la réponse est vraie ou fausse.

Speaking. In pairs, students use the map in Activity 2b to ask and answer questions, as in the example on page 145 of the Student's Book. The person giving the directions may give false directions. The first partner then says whether the directions are correct or not.

3a Faites correspondre les expressions.

Reading. (1–8) Students match each English expression with the French equivalent from the Key language box.

Answers

1 Où est …? **2** … à quelle heure? **3** Est-ce qu'il faut …? **4** Je voudrais … **5** Est-ce qu'on peut …? **6** Avez-vous …? **7** Est-ce qu'il y a …? **8** …, c'est combien?

3b Trouvez la bonne réponse à chaque question.

Listening. (1–7) Students listen to the questions on the recording and write down the letter of the speech bubble which is a logical answer.

Tapescript

1 Où est le syndicat d'initiative, s'il vous plaît?
2 Est-ce qu'il faut réserver une table pour ce soir?
3 Le concert commence à quelle heure?
4 Ce pullover, c'est combien?
5 Est-ce qu'il y a une banque?
6 Avez-vous mon cahier, madame?
7 Est-ce qu'on peut jouer au tennis ici?

Answers

1 e **2** g **3** a **4** d **5** h **6** c **7** f

4 Faites correspondre les instructions anglaises et français.

Reading. Students match each English exam rubric with the French equivalent from the Key language box.

Answers

1 Remplissez la grille **2** Lisez le texte **3** Répondez aux questions **4** Mettez … dans le bon ordre **5** Choisissez la bonne réponse **6** Faites correspondre … **7** Cochez … **8** Écrivez la bonne lettre

5 Formez des phrases. Les mots qui manquent sont ci-dessous.

Speaking. Students use the key phrases from Activity 3a to generate a range of sentences. Working in pairs they take turns to make full sentences.

Answers

1 a Est-ce qu'il y a une gare routière?
b ... des toilettes?
c ... une réduction pour les étudiants?
2 d Où est le stade?
e ... mon stylo?
f ... le prof?
3 g Est-ce qu'on peut manger du chewing gum?
h ... avoir un nouveau cahier?
i ... prendre le bus?
4 j Je voudrais une glace.
k ... un billet pour 'Titanic'.
l ... être coiffeur.
5 m Avez-vous des maillots de bain?
n ... une table pour deux personnes?
o ... un livre?
6 p Est-ce qu'il faut réserver?
q ... payer un supplément?
r ... parler français?
7 s Un billet, c'est combien?
t Une nuit, ...?
u Un plan de la ville, ...?
8 v Le film finit à quelle heure?
w Le train arrive ...?
x Tu te lèves ...?

MODULE 10 LE TRANSPORT

1 Pardon, madame ...

(Student's Book pages 148–149)

Main topics and objectives

- Giving more complex directions
- Saying how far a place is, and how best to get there

Grammar

- The imperative
- The pronoun *y*
  Pour y aller, s'il vous plaît?

Key language

Montez la rue jusqu'aux feux/au carrefour
Traversez le pont
Au rond-point
Allez tout droit
Tournez à droite/à gauche
Prenez la première/deuxième rue
C'est en face de vous/juste après la deuxième rue/ au coin
La station gare du Nord/l'auberge de jeunesse/ le stade/la plage/l'hôtel Gambetta, c'est près d'ici?
C'est à ... kilomètres d'ici.
Pour y aller, s'il vous plaît?
Prenez le train/le car numéro 15/le taxi et descendez à la .../au stade

Resources

Cassette D, side 2
CD 3, track 12
Cahier d'exercices, pages 72–80
Grammaire 3.9, page 186 and 7.3, page 191

Suggestion

Using the plan on page 148 of the Student's Book, go through the symbols for the places to remind students what they mean.

1a Lisez les directions et notez la destination.

Reading. (a–e) Using the map, students follow the directions given and note down in French the place on the plan they reach. Point out to them where they start.

Answers

a le syndicat d'initiative **b** le camping
c le supermarché **d** la piscine **e** la banque

1b Trouvez le français pour:

Reading. Students find the French equivalent of these key phrases in the text of Activity 1a.

Answers

go up the road	=	montez la rue
to the lights	=	jusqu'aux feux
cross the bridge	=	traversez le pont
to the crossroads	=	jusqu'au carrefour
it's at the corner	=	c'est au coin
at the roundabout	=	au rond-point

1c Écoutez ces directions. On va où?

Listening. (1–5) Using the same plan as Activity 1a, students listen to the recording and follow the directions. They write down in French where they end up.

Tapescript

1 Allez tout droit, et passez les feux. Continuez tout droit, et c'est un peu plus loin, à votre droite.
2 Tournez à gauche, et puis prenez la deuxième rue à droite. Allez tout droit jusqu'au rond-point. Au rond-point, tournez à gauche. C'est après le rond-point, à droite.
3 Tournez à droite, puis aux feux, tournez à gauche. Montez la rue, et c'est à votre gauche, juste avant le pont.
4 Ah, c'est très facile parce que c'est tout près. Tournez à gauche, puis montez la première rue à droite, et c'est directement en face de vous.
5 Allez tout droit jusqu'aux feux rouges, puis tournez à gauche. Prenez la prochaine rue à droite. C'est à votre droite, avant le rond-point.

Answers

1 au commissariat **2** à la gare **3** au château
4 à la piscine **5** à la pharmacie

+ Students write out in French the directions needed to get to the destinations.

1d À deux. Regardez le plan encore une fois. Donnez des directions à votre partenaire. Où allez-vous?

Speaking. In pairs, students take it in turns to give directions, using the same town plan as Activity 1a. The partner follows the directions and works out where s/he ends up.

2a Écoutez et lisez les conversations. Pour chaque conversation, notez les détails qui manquent.

Listening. (1–4) Students listen to the recording, and write down the relevant information in French for each of the four conversations.

Tapescript

1 Tour: Pardon, madame. La cathédrale, c'est près d'ici?
Pass: Ah non, c'est assez loin. C'est à 3 kilomètres d'ici.
Tour: Pour y aller, s'il vous plaît?
Pass: Prenez le métro, et descendez au terminus.
Tour: Le trajet dure combien de temps?
Pass: Eh bien, 5 minutes environ.

Tour: *Merci, madame. Au revoir.*
Pass: *Au revoir.*

2 *Tour:* *Pardon, monsieur. Le musée, c'est près d'ici?*
Pass: *Ah non, c'est assez loin. C'est à 8 kilomètres d'ici.*
Tour: *Pour y aller, s'il vous plaît?*
Pass: *Alors, euh, vous prenez le bus ligne 5, et vous descendez à la place du marché.*
Tour: *Et le trajet dure combien de temps?*
Pass: *Oh, 20 minutes environ.*
Tour: *Merci beaucoup, monsieur. Au revoir.*

3 *Tour:* *Pardon, monsieur. La plage, c'est près d'ici?*
Pass: *Ah non, c'est assez loin. C'est à 16 kilomètres d'ici.*
Tour: *Et pour y aller, s'il vous plaît?*
Pass: *Prenez le bus numéro 120, et descendez à la plage.*
Tour: *Le trajet dure combien de temps?*
Pass: *Oh bien, 25 minutes environ.*
Tour: *Merci, monsieur. Au revoir.*

4 *Tour:* *Pardon, madame. La gare routière, c'est près d'ici?*
Pass: *Euh non, c'est assez loin. C'est à 5 kilomètres d'ici.*
Tour: *Pour y aller, s'il vous plaît?*
Pass: *Prenez l'autobus, ligne 8, et descendez au cinéma.*
Tour: *Le trajet dure combien de temps?*
Pass: *Eh bien, un quart d'heure environ.*
Tour: *Merci, merci madame. Au revoir.*

Answers

1	2	3	4
a La cathédrale **b** 3 km. **c** le métro **d** au terminus **e** cinq minutes	**a** Le musée **b** 8 km. **c** le bus, ligne 5 **d** place du marché **e** 20 minutes	**a** La plage **b** 16 km. **c** le bus numéro 120 **d** à la plage **e** 25 minutes	**a** La gare routière **b** 5 km. **c** l'autobus, ligne 8 **d** au cinéma **e** un quart d'heure

2b À deux. Répétez les conversations. Utilisez les détails suivants:

Speaking. In pairs, students read the conversation from Activity 2a four times through, using the four different sets of information given to fill in the gaps.

+ Students write out the four conversations in French.

+ Students invent three more sets of details and use them to create three more conversations.

3 Écrivez ces directions en français.

Writing. Students write out directions in French for the three journeys given. For the third task, they can write the directions and then get their partner to read them and work out the mystery destination. Alternatively, you could ask students to read their directions to the class, and you all try to work out the mystery destination.

MODULE 10 LE TRANSPORT

2 À la gare SNCF

(Student's Book pages 150–151)

Main topics and objectives

- Buying train tickets
- Finding out about departure/arrival times
- Understanding a timetable

Grammar

- *Pour* + inf.
  Pour attendre le train
- Which or what
  Quel, quels, quelle, quelles

Key language

Je peux vous aider?
Je voudrais un billet/aller-simple/aller-retour pour (Calais) s'il vous plaît.
En quelle classe?
En première/deuxième classe.
Dans le compartiment fumeur/non-fumeur.
C'est combien? Ça fait …
Le prochain train part/arrive à quelle heure?
À … heures.
Quel est le numéro du quai?

Resources

Cassette D, side 2
CD 3, track 13
Cahier d'exercices, pages 72–80
Grammaire 3.1, page 182 and 4.3, page 187

1a Où est-ce qu'on va …?

Reading. (a–j) Students match each question with one of the station signs.

Answers

a salle d'attente
b sortie de secours
c objets trouvés
d réservations
e consigne automatique
f buffet
g entrée
h quais
i guichet
j bagages

➕ Students draw a plan of a station, including the places shown in Activity 1a.

➕ Students write out six sets of directions leading to different places from the entrance. They then give them to a partner to work out the destinations.

1b Écoutez et notez en français.

Listening. (1–6) Students listen to the recording and write down in French:

a the place in the station which each speaker is looking for;

b the location given.

They should use the signs in Activity 1a for help in writing their answer.

Tapescript

1 – *Pardon, où est le guichet, s'il vous plaît?*
– *Le guichet? C'est en face des toilettes.*
2 – *Où est la consigne, s'il vous plaît?*
– *Il y a une consigne automatique là-bas, près de la sortie de secours.*
3 – *Est-ce qu'il y a un buffet?*
– *Mais oui, le buffet se trouve en face du quai numéro 5.*
4 – *Où est le bureau des objets trouvés?*
– *C'est à côté du bar, madame.*
– *À côté du bar?*
– *Oui, c'est ça.*
5 – *Est–ce qu'il y a une salle d'attente dans la gare, s'il vous plaît?*
– *Oui, vous voyez, c'est là-bas, près de la grande porte.*
6 – *Où se trouve le bureau des réservations, s'il vous plaît?*
– *Allez tout droit, puis c'est à votre gauche.*

Answers

1 a le guichet **b** en face des toilettes
2 a la consigne **b** près de la sortie (de secours)
3 a un buffet **b** en face du quai 5
4 a le bureau des objets trouvés **b** à côté du bar
5 a la salle d'attente **b** près de la grande porte
6 a le bureau des réservations **b** tout droit/à gauche

2a Complétez la conversation au guichet. Choisissez les mots dans la case.

Reading. (a–i) Students can copy out the conversation or use the letters in the gaps. They fill in the gaps using the words given. Draw their attention to the Top Tip box which reminds them to check they know the meaning of the words they are going to choose from before they start to try to fill in the gaps.

Answers

a aller–retour **b** Calais **c** deuxième
d non-fumeur **e** €35 **f** trente minutes
g 13h20 **h** 15h40 **i** quatre

2b Écoutez la conversation pour voir si vous avez raison.

Listening. Students now listen to a recording of the conversation from Activity 2a, and check their answers.

Tapescript

Empl: *Bonjour, je peux vous aider?*
Voy: *Je voudrais un aller–retour pour Calais, s'il vous plaît.*
Empl: *Bien sûr, en quelle classe?*
Voy: *En deuxième classe, s'il vous plaît, et dans le compartiment non-fumeur. C'est combien?*
Empl: *Voilà, ça fait €35, s'il vous plaît.*
Voy: *Le prochain train part à quelle heure?*
Empl: *Il y a un train toutes les trente minutes. Le prochain train part à 13h20.*
Voy: *Merci, et il arrive à quelle heure?*
Empl: *Il arrive à 15h40.*
Voy: *Et quel est le numéro du quai?*
Empl: *C'est le quai numéro 4.*

3a À deux. Faites deux autres dialogues en changeant les détails.

Speaking. Using the French conversation given and the timetable extract, students work in pairs and develop conversations similar to the one in Activity 2a.

R Go through the timetable so that students can read it and see how it works. Practise some questions with the whole class before they work in pairs. You might want to provide the key utterances on the board.

+ Students write out three example conversations.

3b Copiez et complétez la grille.

Listening. (1–6) Having copied the headings, students listen to the recording and fill in the relevant information in French. They tick ✓ or cross ✗ the *Fumeur?* column.

Tapescript

1 – *Bonjour, mademoiselle. Un aller–retour pour Paris, en deuxième classe, s'il vous plaît, non-fumeur.*
– *Voilà.*
– *Merci. Le prochain train part à quelle heure?*
– *À 7h30.*
– *Bien. Et il arrive à Paris à quelle heure?*
– *Il arrive à Paris à 11h43.*
– *Merci. Le train part de quel quai?*
– *Du quai numéro 6, monsieur.*

2 – *Bonjour, mademoiselle. Je voudrais un aller-simple pour Lyon, s'il vous plaît.*
– *En première ou en deuxième classe?*
– *En première classe, fumeur, s'il vous plaît.*
– *Voilà, monsieur. Le prochain train part à 9h03 et arrive à Lyon à 15h15. Il part du quai numéro 13.*
– *Merci beaucoup mademoiselle.*

3 – *Il y a un train pour Bordeaux à quelle heure, s'il vous plaît?*
– *Le prochain train pour Bordeaux … un moment … Bordeaux … il y en a un qui part à 14h10, et qui arrive à Bordeaux à 17h00.*
– *D'accord, je voudrais un aller–retour en deuxième classe dans le compartiment non-fumeur, s'il vous plaît. Le train part de quel quai?*
– *C'est le quai numéro 3 pour Bordeaux.*

4 – *Bonjour mademoiselle. Donnez-moi un aller-simple pour Calais, s'il vous plaît.*
– *Oui … euh, voulez-vous le compartiment non-fumeur?*
– *Mais oui, bien sûr, deuxième classe, non-fumeur s'il vous plaît. Le prochain train part à quelle heure?*
– *Le prochain train part à 18h33.*
– *À quelle heure est-ce qu'il arrive à Calais?*
– *Euh … ce train arrive à Calais à 21h46.*
– *Merci beaucoup. C'est bien le quai numéro 6 pour Calais?*
– *Oui, oui, oui, oui, c'est ça, c'est juste, c'est le quai numéro 6.*

5 – *Un aller-simple pour Bruxelles, s'il vous plaît, en première classe, non-fumeur.*
– *Ah, vous allez en Belgique, quelle chance ... j'aime bien Bruxelles, c'est une belle ville.*
– *Le prochain train part à quelle heure?*
– *Il y a un train qui part à … 20h20. Il arrive à … Bruxelles à 21h37.*
– *Le train part de quel quai?*
– *Le train part du quai numéro 16. Bon voyage!*
– *Merci.*

6 – *Je voudrais un aller–retour pour Londres, s'il vous plaît.*
– *En première classe ou en deuxième classe, madame?*
– *En deuxième classe, s'il vous plaît, dans le compartiment fumeur. Le prochain train part à quelle heure?*
– *Il y a un train pour Londres à 22h45. Il arrive à Londres demain, à 6h12.*
– *Merci. C'est quel quai pour ce train?*
– *C'est le quai numéro 12, en face de nous.*

Answers

	Destination	Sorte de billet	Classe	Fumeur?	Départ	Arrivée	Quai
1	Paris	aller–retour	2ème	✗	7h30	11h43	6
2	Lyon	aller–simple	1ère	✓	9h03	15h15	13
3	Bordeaux	aller–retour	2ème	✗	14h10	17h00	3
4	Calais	aller–simple	2ème	✗	18h33	21h46	6
5	Bruxelles	aller–simple	1ère	✗	20h20	21h37	16
6	Londres	aller–retour	2ème	✓	22h45	6h12	12

4 Regardez l'horaire, et décidez si les phrases sont vraies ou fausses.

Reading. Students read the timetable and look at the statements. They decide if each statement is true or false.

R Again, ensure students understand how the timetable works before they attempt the exercise.

Answers

1 V **2** V **3** V **4** F **5** V **6** V

MODULE 10 LE TRANSPORT

3 En panne!

(Student's Book pages 152–153)

Main topics and objectives

- Talking about driving, breakdowns and accidents
- Understanding information about road accidents

Grammar

- Imperfect and perfect tenses in reports

Key language

Je suis en panne / j'ai un pneu crevé / j'ai un problème avec ... le moteur / la batterie / les freins / les phares.
Je suis sur la route nationale / l'autoroute.
La marque de voiture est ... . Elle se trouve près de ...
Pouvez-vous envoyer quelqu'un?
J'ai vu un accident.
... est entré(e) en collision avec ...
Un piéton / le chauffeur / personne ... n'était blessé.
Je ... descendais / traversais / attendais / faisais / roulais ...
Il ... pleuvait / gelait / neigeait / faisait du brouillard.
Un camion / une moto / un vélo / une voiture allait à toute vitesse.

Resources

Cassette D, side 2
CD 3, track 14
Cahier d'exercices, pages 72–80

Suggestion

Check knowledge of parts of a car with visuals or flashcards.

You could also do a little French geography, by establishing the whereabouts of the various towns and places mentioned in the material (Tours, La Rochelle, Bordeaux, etc.).

1a Faites correspondre les phrases et les images.

Reading. A straightforward matching activity to check comprehension.

Answers

1 f	**2** e	**3** c	**4** b	**5** a	**6** d

1b Ils sont en panne. Copiez et remplissez la grille (1–4).

Listening. A detailed recording about breakdowns. Students copy and fill in the grid in French.

Transcript

1 – *Allô, Service Dépannage, je peux vous aider?*
– *Ah bonjour. Oui, je suis en panne.*
– *D'accord, qu'est-ce qu'il y a exactement?*
– *J'ai un problème avec la batterie, et la voiture ne démarre pas.*
– *Oui oui d'accord, où êtes-vous exactement?*
– *Je suis sur la route N10, près de Tours.*
– *Très bien. Votre voiture est de quelle marque?*
– *C'est une Ford.*
– *Et elle est de quelle couleur?*
– *Elle est bleue.*
– *Merci bien. Quelqu'un sera là dans 15 minutes.*

2 – *Allô, Service Dépannage, je vous écoute.*
– *Bonjour, j'ai un problème avec ma voiture. Les phares ne marchent pas.*
– *Oh là là, et il commence à faire nuit ... Bon, où êtes-vous exactement?*
– *Je suis dans une station service sur la route N11, près de la Rochelle.*
– *O.K., O.K. pouvez-vous me faire une description de votre voiture, s'il vous plaît?*
– *Oui, c'est une Renault Espace, et elle est grise.*
– *D'accord, j'envoie quelqu'un tout de suite.*

3 – *Allô, Service Dépannage, vous avez un problème?*
– *Bonjour, oui, j'ai un problème. J'ai un pneu crevé. Pouvez-vous envoyer quelqu'un, s'il vous plaît?*
– *Mais bien sûr, où êtes-vous, s'il vous plaît?*
– *Ma voiture est devant chez moi, c'est à dire numéro 10, rue du Théâtre, à Bordeaux.*
– *Numéro 10, rue du Théâtre ... d'accord, c'est noté. La voiture est de quelle marque?*
– *C'est une Fiat, une petite Fiat verte.*
– *D'accord, quelqu'un sera là dès que possible.*

4 – *Allô, Service Dépannage, je vous écoute.*
– *Ah bonjour, j'ai un problème avec ma voiture. Les freins ne marchent pas et j'ai failli entrer en collision avec une autre voiture. Je suis vraiment inquiète.*
– *Calmez-vous, madame, où êtes-vous, s'il vous plaît?*
– *Je suis sur la D44, près du Camping de la Plage.*
– *Merci. Quelle sorte de voiture avez-vous?*
– *C'est une Citroën, une Citroën 2cv.*
– *Et elle est de quelle couleur?*
– *Elle est blanche.*
– *D'accord madame, ne vous inquiétez pas. Quelqu'un sera là dans quelques minutes.*

Answers

problème	se trouve	marque de voiture	couleur
1 batterie	N10 près de Tours	Ford	bleue
2 phares	N11 près de la Rochelle	Renault Espace	grise
3 pneu crevé	chez moi	Fiat	verte
4 freins	D44, près du Camping de la plage	Citroën 2cv	blanche

1c Vous êtes en panne. Racontez votre situation en français.

Speaking. An opportunity to practise the language of breakdowns, based on a model utterance and sets of visuals. The Top Tip box highlights the need for feminine adjectives with makes of car.

Answers

1 un pneu crevé/l'autoroute A4/de Reims/une Jaguar rouge

2 les phares/D4/d'Angers/une Renault blanche

3 les freins/N8/de Marseille/une Volkswagen noire

2 Écoutez les descriptions de ces quatre accidents. Pour chaque accident, notez six détails.

Listening. This item focusses on reporting accidents which have happened, using the imperfect and perfect tenses, as appropriate. Go through the sequence of the flow chart before playing the recording. Students note six details about each accident.

Revise the use of the imperfect and perfect in reports, and practise as appropriate (see note for Activity **3a**). The *Rappel* box draws attention to these two tenses.

Transcript

Monsieur Bellini

– Hier soir j'ai vu un accident. Il pleuvait. Je faisais du shopping quand une voiture est entrée en collision avec une autre voiture. Le chauffeur était blessé.

Madame Rousseau

– Lundi dernier j'ai vu un accident. Il faisait du brouillard. J'attendais un copain devant le cinéma quand un camion est entré en collision avec une moto. Personne n'était blessé.

Mademoiselle Dubois

– La semaine dernière j'ai vu un accident. Il neigeait. Je traversais la rue quand une moto est entrée en collision avec un chien. Personne n'était blessé, même le chien, heureusement.

Monsieur Henri

– Hier j'ai vu un accident. Il gelait. Je descendais la rue quand un vélo est entré en collision avec un piéton. Personne n'était blessé.

Answers

Monsieur Bellini
1d, 2b, 3c, 4b, 5a, 6a

Madame Rousseau
1c, 2a, 3d, 4a, 5c, 6b

Mademoiselle Dubois
1b, 2d, 3b, 4c, 5b, 6b

Monsieur Henri
1a, 2c, 3a, 4d, 5d, 6b

3a Lisez le texte, puis trouvez l'expression soulignée qui correspond à ces définitions.

Reading. A newspaper article about an accident caused by road rage and impatience. Students find the actual expressions used for the paraphrases a-f. The expressions are underlined to make this easier. Extend this further by giving paraphrases for some of the other expressions used.

Answers

a il y avait beaucoup de circulation
b l'heure d'affluence
c un embouteillage
d le trottoir
e en plein centre-ville
f à toute vitesse

3b Dessinez un croquis de l'incident.

Writing. A useful technique to check comprehension. Some students might like to produce this on a computerised drawing package.

➕ Students imagine they have witnessed one of the accidents in Activity **2** and write a short report about it (using the language in the flow chart). They should add more details, if possible.

➕ Activity **3a**. Students list all the examples of the imperfect tense used in the report in one column, and of the perfect tense in another column. They then explain why each form is used.

➕ Students write five sentences using the imperfect and five using the perfect tense.

4 Les problèmes de l'environnement

(Student's Book pages 154–155)

Main topics and objectives

- Talking about traffic problems and the environment
- Discussing environmental issues

Grammar

- Imperatives
- *Il y a*
- Adverbs of quantity: *beaucoup de, trop de, assez de, peu de*

Key language

À mon avis …
Je pense/trouve que …
Il y a/Il n'y a pas assez de/peu de/trop de/beaucoup de … pollution/transports en commun/zones piétonnes/pistes cyclables/circulation/embouteillages.
Le trou dans la couche d'ozone.
Le déboisement.
La pollution des mers.
Le réchauffement de la terre.
La disparition des espèces rares.
La suppression des déchets nucléaires.
Pour résoudre le problème …
Recyclez./N'achetez plus de …/Ne jetez rien./Écrivez au gouvernement.

Resources

Cassette D, side 2
CD 3, track 15
Cahier d'exercices, pages 72–80

Suggestion

This unit presents quite a lot of vocabulary, so check understanding before you begin the first activity by conducting a 'find the French for …' challenge. You could do this at intervals, concentrating on one section of the material at a time.

1a Regardez 'Les problèmes dans notre ville'. De quel problème parlent-ils (1–5)?

Listening. Students read the handout about a public meeting, then listen to the five recordings and match each to one of the problems stated on the handout.

Transcript

1 – *Ma petite soeur et moi, nous sommes toutes les deux asthmatiques. La fumée causée par les voitures en ville nous rend malade.*
2 – *L'autre jour, je voulais garer la voiture pour aller au marché. Mais tous les parkings étaient complets.*
3 – *Si on essaie d'aller de chez moi au supermarché, le voyage peut durer presque 40 minutes, parce qu'il y a trop de circulation sur les routes en ville.*
4 – *J'ai remarqué que nos arbres et nos bâtiments deviennent de plus en plus sales à cause de la pollution causée par les véhicules qui circulent en ville.*
5 – *Quand je vais au jardin public avec ma grand-mère, il est très difficile de trouver un endroit tranquille et calme. C'est trop bruyant à cause des voitures qui passent.*

Answers

1 d	**2** b	**3** a	**4** c	**5** e

1b Regardez 'Nous voulons' et faites correspondre les images et les propositions.

Reading. Students match the pictures to the 'wish list' on the handout.

Answers

1 d	**2** c	**3** b	**4** a

2a Pensez à la ville la plus proche de chez vous. Copiez la grille et placez les opinions dans la bonne colonne.

Reading. An opportunity to apply this language to students' own environment. They note whether the six key statements about traffic problems apply to their town or not.

2b Sondage: quel est le problème de transport le plus grave dans votre ville/village? Posez la question à vos camarades de classe et notez leurs réponses.

Speaking. Students form a consensus on the worst traffic problem in their area by surveying their classmates and noting their responses.

2c Faites un graphique et écrivez un paragraphe sur les résultats de votre sondage.

Writing. Results of **2b** can be presented either as a bar chart or as a pie chart, and backed up by written statistics, as in the example given.

Campaign-style posters could be produced to highlight the issue which is voted 'worst traffic problem' and draw attention to it.

3a Faites correspondre ces problèmes de l'environnement avec la bonne image.

Reading. Students move on to consider environmental issues affecting the planet, and match pictures and text. Again, they could ask each other what they consider to be most serious.

Answers

1 b	2 e	3 f	4 c	5 a	6 d

3b Regardez **3a** et écoutez. Ils parlent de quel problème? Mettez les numéros 1–6 dans le bon ordre.

Listening. The issues are presented on the recording. Students order them as they hear them.

Transcript

- *Pour moi, le problème de l'environnement le plus grave, c'est le fait qu'on ne recycle pas assez de papier. Il est très important de protéger les arbres et les forêts.*
- *Je pense que les changements dans le temps vont être très graves à l'avenir. Si la neige et la glace au cercle polaire continuent à fondre, ça va causer des inondations et des famines dans plein de pays.*
- *Nos océans, nos mers et nos lacs sont des réserves précieuses d'eau. On ne peut pas vivre sans eau. On a besoin d'eau propre.*
- *Les déchets radioactifs peuvent contaminer la terre et causer des maladies mortelles. Il faut arrêter de produire tous ces déchets, parce qu'on ne sait pas comment s'en débarrasser.*
- *La pollution, les gaz émis par les voitures, les bombes, tout ça contribue à la destruction de cette couche d'ozone importante qui protège notre planète.*
- *J'adore les tigres depuis que je suis toute petite, et je trouve ça scandaleux qu'il y ait de moins en moins. Il faut lutter pour les animaux, parce que les animaux ne peuvent pas parler.*

Answers

2, 4, 3, 6, 1, 5

3c Quelle suggestion aide à résoudre quel problème? Notez la bonne lettre.

Listening. Suggestions for solutions to match to the problems mentioned in **3a**. Pick out the imperative forms and ask students to come up with further suggestions.

Answers

Problème 1 – e
Problème 2 – b
Problème 3 – d
Problème 4 – a
Problème 5 – c
Problème 6 – f

+ Students write four sentences about the situation in their town, using the adverbs *assez de, peu de, trop de, beaucoup de*. They choose one of the solutions to environmental problems in Activity **3c** and design a poster around it.

+ Which environmental problems are the most serious, in your opinion? Students list the problems in **3a** in order of seriousness.

Entraînez-vous

(Student's Book pages 156–157)

Speaking practice and coursework

À l'oral

Topics revised

- Finding the way
- Taking the bus
- Talking about transport and traffic problems
- Giving details about a forthcoming visit to France

1 You are lost in a French town.

Role-play. Ask students to work in pairs. They can take it in turns to be the 'passer-by', doing the role-play twice.

2 You are with a friend at the bus station.

Role-play. Ask students to work in pairs. They can take it in turns to be the 'employee', doing the role-play twice.

3 Talk for one minute about the transport in your town or village. Make yourself a cue card.

Presentation. Students give a short talk about transport in their town/village.

The talk can be:
- prepared in the classroom or at home;
- recorded on tape;
- students can give their talk to a small group of other students; *or*
- certain students can be chosen to give their talk to the whole class.

The main thing is that students become used to speaking from notes, not reading a speech.

Questions générales

Speaking. These are key questions to practise for the oral exam, taken from the module as a whole. Students can practise asking and answering the questions in pairs. They should be encouraged to add as much detail as possible. It is often a good idea to write model answers together in class.

À l'écrit

Topics revised

- Transport
- Environmental and social problems
- Traffic problems

1 & 2 Students choose one of these two tasks, both of which are AQA Specification A coursework-style tasks based on Theme 4.2, and they should write 70–100 words.

For Task **1**, they write a letter to a newspaper about transport problems in their town. Suggestions and helpful language are provided, and various tenses are required.

For Task **2**, they design a poster or leaflet about an environmental or social problem in their town. This gives greater scope for creativity in design and for using ICT skills, but remind students that the quality and accuracy of their written French will be judged, not their aptitude for design.

À toi!

(Student's Book pages 178–179)

Self-access reading and writing at two levels

1 Regardez les panneaux et choisissez la bonne définition.

Reading. Students read the signs and decide which of the two statements gives the meaning of the sign.

Answers

1 b	**2** b	**3** a	**4** b	**5** b	**6** b	**7** a	**8** a	**9** a	**10** b

2 Annette décrit une visite en ville. Lisez sa description, puis utilisez les symboles et décrivez votre visite en ville.

Writing. Students write sentences describing a trip to town, based on the model given and the picture prompts. Remind them about perfect tense verbs which use *être*, and point out the agreements in the sentences relating to Annette.

3 Vous allez passer une semaine à Paris avec votre famille. Vous décidez de contacter votre correspondant(e). Écrivez un message et mentionnez:

Writing. Students write an e-mail about a forthcoming holiday in Paris. The future tense is mostly called for here, together with opinions vocabulary. Language support is provided.

Cahier d'exercices, page 72

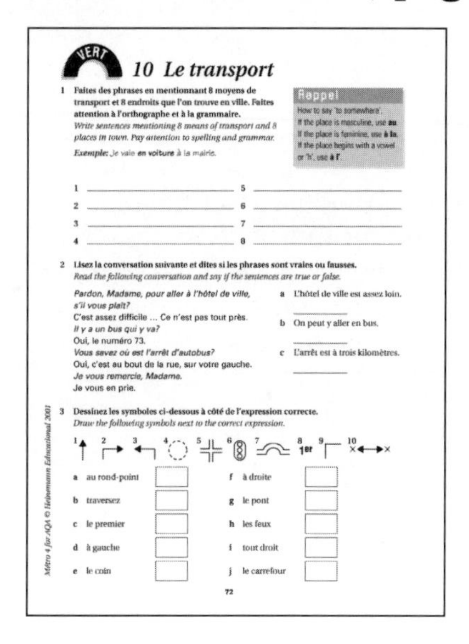
VERT

10 Le transport

1 **Faites des phrases en mentionnant 8 moyens de transport et 8 endroits que l'on trouve en ville. Faites attention à l'orthographe et à la grammaire.**
Write sentences mentioning 8 means of transport and 8 places in town. Pay attention to spelling and grammar.

Exemple: Je vais **en voiture** à la mairie.

Rappel
How to say 'to somewhere'.
If the place is masculine, use **au**.
If the place is feminine, use **à la**.
If the place begins with a vowel or 'h', use **à l'**.

1 ______ 5 ______
2 ______ 6 ______
3 ______ 7 ______
4 ______ 8 ______

2 **Lisez la conversation suivante et dites si les phrases sont vraies ou fausses.**
Read the following conversation and say if the sentences are true or false.

Pardon, Madame, pour aller à l'hôtel de ville, s'il vous plaît?
C'est assez difficile ... Ce n'est pas tout près.
Il y a un bus qui y va?
Oui, le numéro 73.
Vous savez où est l'arrêt d'autobus?
Oui, c'est au bout de la rue, sur votre gauche.
Je vous remercie, Madame.
Je vous en prie.

a L'hôtel de ville est assez loin. ______
b On peut y aller en bus. ______
c L'arrêt est à trois kilomètres. ______

3 **Dessinez les symboles ci-dessous à côté de l'expression correcte.**
Draw the following symbols next to the correct expression.

1 2 3 4 5 6 7 8 1er 9 10

a au rond-point
b traversez
c le premier
d à gauche
e le coin
f à droite
g le pont
h les feux
i tout droit
j le carrefour

72

Métro 4 for AQA © Heinemann Educational 2001

2
Answers

a V; **b** V; **c** F

3
Answers

a 4; **b** 10; **c** 8; **d** 3; **e** 9; **f** 2; **g** 7; **h** 6; **i** 1; **j** 5

Cahier d'exercices, page 73

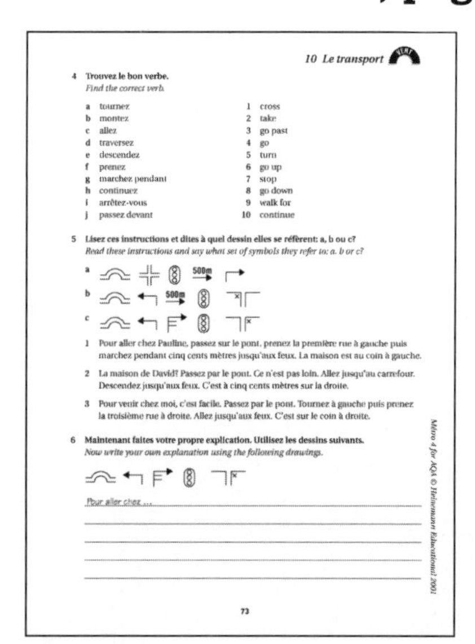
10 Le transport

VERT

4 **Trouvez le bon verbe.**
Find the correct verb.

a tournez
b montez
c allez
d traversez
e descendez
f prenez
g marchez pendant
h continuez
i arrêtez-vous
j passez devant

1 cross
2 take
3 go past
4 go
5 turn
6 go up
7 stop
8 go down
9 walk for
10 continue

5 **Lisez ces instructions et dites à quel dessin elles se réfèrent: a, b ou c?**
Read these instructions and say what set of symbols they refer to: a, b or c?

a 500m
b 500m
c

1 Pour aller chez Pauline, passez sur le pont, prenez la première rue à gauche puis marchez pendant cinq cents mètres jusqu'aux feux. La maison est au coin à gauche.

2 La maison de David? Passez par le pont. Ce n'est pas loin. Allez jusqu'au carrefour. Descendez jusqu'aux feux. C'est à cinq cents mètres sur la droite.

3 Pour venir chez moi, c'est facile. Passez par le pont. Tournez à gauche puis prenez la troisième rue à droite. Allez jusqu'aux feux. C'est sur le coin à droite.

6 **Maintenant faites votre propre explication. Utilisez les dessins suivants.**
Now write your own explanation using the following drawings.

Pour aller chez ...

73

Métro 4 for AQA © Heinemann Educational 2001

4
Answers

a 5; **b** 6; **c** 4; **d** 1; **e** 8; **f** 2; **g** 9; **h** 10; **i** 7; **j** 3

5
Answers

1 b; **2** a; **3** c

6
Answers

Passez par le pont. Tournez à gauche. Prenez la troisième rue à droite. Allez jusqu'aux feux. C'est sur le coin à droite.

Cahier d'exercices, page 74

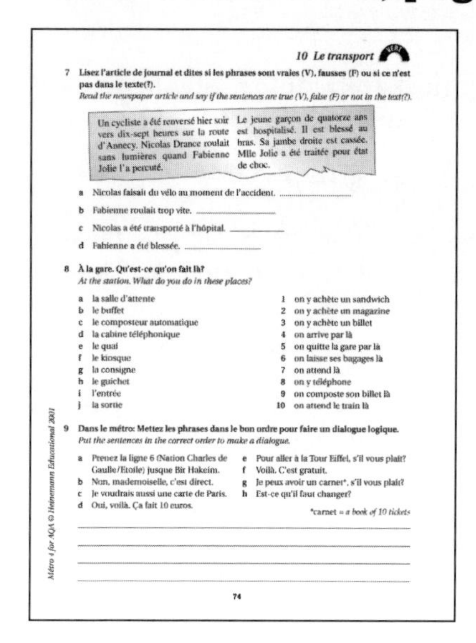
10 Le transport

VERT

7 **Lisez l'article de journal et dites si les phrases sont vraies (V), fausses (F) ou si ce n'est pas dans le texte(?).**
Read the newspaper article and say if the sentences are true (V), false (F) or not in the text(?).

Un cycliste a été renversé hier soir vers dix-sept heures sur la route d'Annecy. Nicolas Drance roulait sans lumières quand Fabienne Jolie l'a percuté. Le jeune garçon de quatorze ans est hospitalisé. Il est blessé au bras. Sa jambe droite est cassée. Mlle Jolie a été traitée pour état de choc.

a Nicolas faisait du vélo au moment de l'accident. ______
b Fabienne roulait trop vite. ______
c Nicolas a été transporté à l'hôpital. ______
d Fabienne a été blessée. ______

8 **À la gare. Qu'est-ce qu'on fait là?**
At the station. What do you do in these places?

a la salle d'attente
b le buffet
c le composteur automatique
d la cabine téléphonique
e le quai
f le kiosque
g la consigne
h le guichet
i l'entrée
j la sortie

1 on y achète un sandwich
2 on y achète un magazine
3 on y achète un billet
4 on arrive par là
5 on quitte la gare par là
6 on laisse ses bagages là
7 on attend là
8 on y téléphone
9 on composte son billet là
10 on attend le train là

9 **Dans le métro: Mettez les phrases dans le bon ordre pour faire un dialogue logique.**
Put the sentences in the correct order to make a dialogue.

a Prenez la ligne 6 (Nation Charles de Gaulle/Etoile) jusque Bir Hakeim.
b Non, mademoiselle, c'est direct.
c Je voudrais aussi une carte de Paris.
d Oui, voilà. Ça fait 10 euros.
e Pour aller à la Tour Eiffel, s'il vous plaît?
f Voilà. C'est gratuit.
g Je peux avoir un carnet*, s'il vous plaît?
h Est-ce qu'il faut changer?

*carnet = a book of 10 tickets

74

Métro 4 for AQA © Heinemann Educational 2001

7
Answers

a V; **b** ?; **c** V; **d** F

8
Answers

a 7; **b** 1; **c** 9; **d** 8; **e** 10; **f** 2; **g** 6; **h** 3; **i** 4; **j** 5

9
Answers

g, d, e, a, h, b, c, f

Cahier d'exercices, page 75

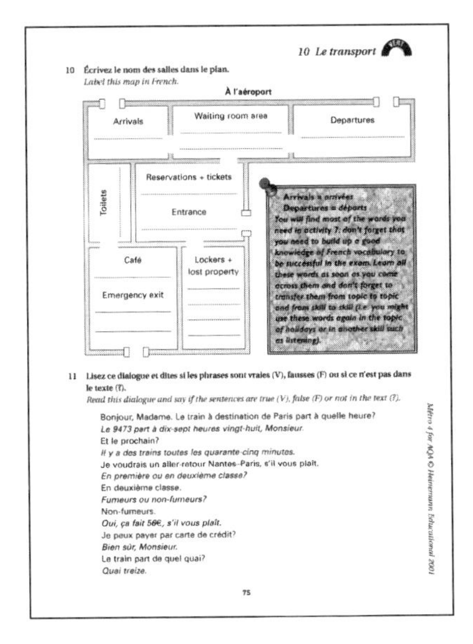

10 Le transport

10 **Écrivez le nom des salles dans le plan.**
Label this map in French.

À l'aéroport

Arrivals = arrivées
Departures = départs
You will find most of the words you need in activity 7: don't forget that you need to build up a good knowledge of French vocabulary to be successful in the exam. Learn all these words as soon as you come across them and don't forget to transfer them from topic to topic and from skill to skill (i.e. you might use these words again in the topic of holidays or in another skill such as listening).

11 **Lisez ce dialogue et dites si les phrases sont vraies (V), fausses (F) ou si ce n'est pas dans le texte (?).**
Read this dialogue and say if the sentences are true (V), false (F) or not in the text (?).

Bonjour, Madame. Le train à destination de Paris part à quelle heure?
Le 9473 part à dix-sept heures vingt-huit, Monsieur.
Et le prochain?
Il y a des trains toutes les quarante-cinq minutes.
Je voudrais un aller-retour Nantes–Paris, s'il vous plaît.
En première ou en deuxième classe?
En deuxième classe.
Fumeurs ou non-fumeurs?
Non-fumeurs.
Oui, ça fait 56€, s'il vous plaît.
Je peux payer par carte de crédit?
Bien sûr, Monsieur.
Le train part de quel quai?
Quai treize.

Métro 4 for AQA © Heinemann Educational 2001

75

10

Answers

Arrivals – Arrivées; Waiting room area – La salle d'attente; Departures – Départs; Toilets – Les toilettes; Reservation + tickets – Le guichet; Entrance – L'Entrée; Café – Café; Emergency exit – Sortie de secours; Lockers and lost property – La consigne et Les objets trouvés

11

Answers

a F; **b** F; **c** ?; **d** V; **e** V; **f** F; **g** ?; **h** V

Cahier d'exercices, page 76

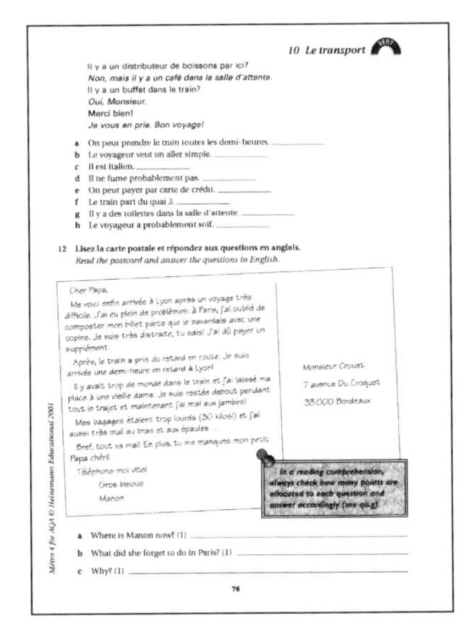

10 Le transport

Il y a un distributeur de boissons par ici?
Non, mais il y a un café dans la salle d'attente.
Il y a un buffet dans le train?
Oui, Monsieur.
Merci bien!
Je vous en prie. Bon voyage!

a On peut prendre le train toutes les demi-heures. ....
b Le voyageur veut un aller simple. ....
c Il est italien. ....
d Il ne fume probablement pas. ....
e On peut payer par carte de crédit. ....
f Le train part du quai 3. ....
g Il y a des toilettes dans la salle d'attente. ....
h Le voyageur a probablement soif. ....

12 **Lisez la carte postale et répondez aux questions en anglais.**
Read the postcard and answer the questions in English.

Cher Papa,
Me voici enfin arrivée à Lyon après un voyage très difficile. J'ai eu plein de problèmes: à Paris, j'ai oublié de composter mon billet parce que je bavardais avec une copine. Je suis très distraite, tu sais! J'ai dû payer un supplément.
Après, le train a pris du retard en route. Je suis arrivée une demi-heure en retard à Lyon!
Il y avait trop de monde dans le train et j'ai laissé ma place à une vieille dame. Je suis restée debout pendant tout le trajet et maintenant j'ai mal aux jambes!
Mes bagages étaient trop lourds (30 kilos!) et j'ai aussi très mal au bras et aux épaules ...
Bref, tout va mal! En plus, tu me manques mon petit Papa chéri!
Téléphone-moi vite!
Gros bisous
Manon

Monsieur Crouet
7 avenue Du Croquet
33 000 Bordeaux

In a reading comprehension, always check how many points are allocated to each question and answer accordingly (see qu.g).

a Where is Manon now? (1) ....
b What did she forget to do in Paris? (1) ....
c Why? (1) ....

Métro 4 for AQA © Heinemann Educational 2001

76

12

Answers

a Lyon; **b** stamp her ticket; **c** because she was chatting to a friend; **d** She had to pay a supplement. **e** 30 minutes; **f** an old lady; **g** legs, arm and shoulders; **h** feeling sorry for herself

Cahier d'exercices, page 77

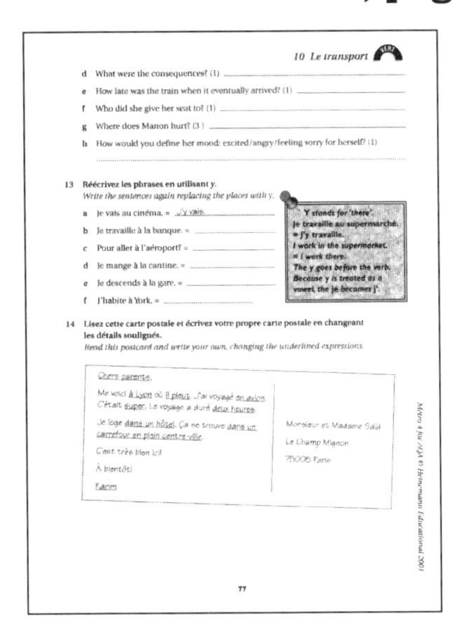

10 Le transport

d What were the consequences? (1) ....
e How late was the train when it eventually arrived? (1) ....
f Who did she give her seat to? (1) ....
g Where does Manon hurt? (3) ....
h How would you define her mood: excited/angry/feeling sorry for herself? (1) ....

13 **Réécrivez les phrases en utilisant *y*.**
Write the sentences again replacing the places with y.

a Je vais au cinéma. = J'y vais.
b Je travaille à la banque. = ...
c Pour aller à l'aéroport? = ...
d Je mange à la cantine. = ...
e Je descends à la gare. = ...
f J'habite à York. = ...

Y stands for 'there'.
Je travaille au supermarché. = J'y travaille.
I work in the supermarket. = I work there.
The y goes before the verb. Because y is treated as a vowel, the je becomes j'.

14 **Lisez cette carte postale et écrivez votre propre carte postale en changeant les détails soulignés.**
Read this postcard and write your own, changing the underlined expressions.

Chers parents,
Me voici à Lyon où il pleut. J'ai voyagé en avion. C'était super. Le voyage a duré deux heures.
Je loge dans un hôtel. Ça se trouve dans un carrefour en plein centre-ville.
C'est très bien ici!
À bientôt!
Karim

Monsieur et Madame Saïd
Le Champ Mignon
75005 Paris

Métro 4 for AQA © Heinemann Educational 2001

77

13

Answers

a J'y vais. **b** J'y travaille. **c** Pour y aller? **d** J'y mange. **e** J'y descends. **f** J'y habite.

Cahier d'exercices, page 78

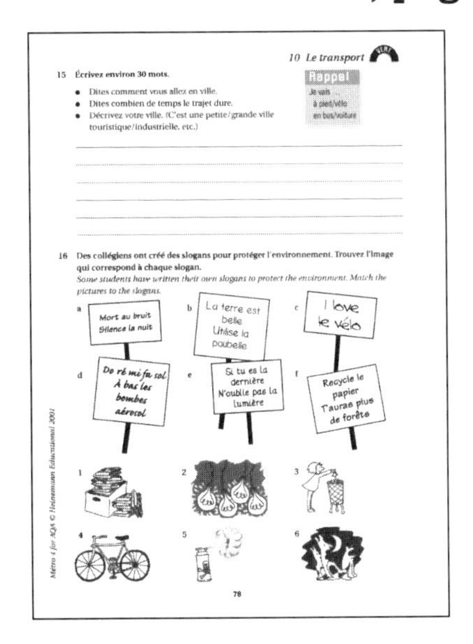

10 Le transport

15 **Écrivez environ 30 mots.**

- Dites comment vous allez en ville.
- Dites combien de temps le trajet dure.
- Décrivez votre ville. (C'est une petite/grande ville touristique/industrielle, etc.)

Rappel
Je vais ...
à pied/vélo
en bus/voiture

16 **Des collégiens ont créé des slogans pour protéger l'environnement. Trouvez l'image qui correspond à chaque slogan.**
Some students have written their own slogans to protect the environment. Match the pictures to the slogans.

Métro 4 for AQA © Heinemann Educational 2001

78

16

Answers

a 6; **b** 3; **c** 4; **d** 5; **e** 2; **f** 1

Cahier d'exercices, page 79

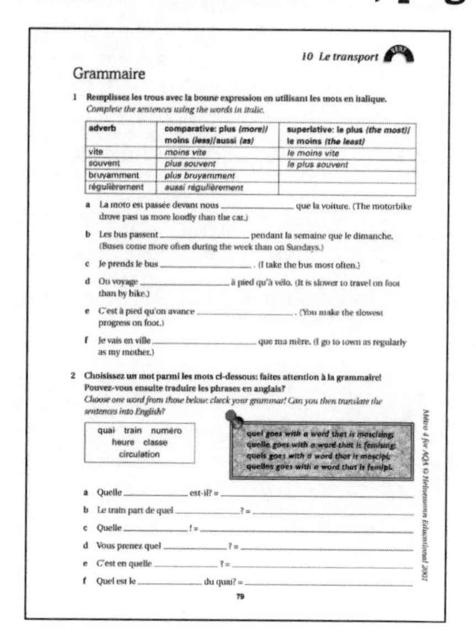

10 *Le transport*

Grammaire

1 Remplissez les trous avec la bonne expression en utilisant les mots en italique.
Complete the sentences using the words in italic.

adverb	comparative: plus *(more)*/ moins *(less)*/aussi *(as)*	superlative: le plus *(the most)*/ le moins *(the least)*
vite	*moins vite*	*le moins vite*
souvent	*plus souvent*	*le plus souvent*
bruyamment	*plus bruyamment*	
régulièrement	*aussi régulièrement*	

a La moto est passée devant nous ________ que la voiture. (The motorbike drove past us more loudly than the car.)

b Les bus passent ________ pendant la semaine que le dimanche. (Buses come more often during the week than on Sundays.)

c Je prends le bus ________. (I take the bus most often.)

d On voyage ________ à pied qu'à vélo. (It is slower to travel on foot than by bike.)

e C'est à pied qu'on avance ________. (You make the slowest progress on foot.)

f Je vais en ville ________ que ma mère. (I go to town as regularly as my mother.)

2 Choisissez un mot parmi les mots ci-dessous: faites attention à la grammaire! Pouvez-vous ensuite traduire les phrases en anglais?
Choose one word from those below: check your grammar! Can you then translate the sentences into English?

quai train numéro
heure classe
circulation

quel goes with a word that is masc sing;
quelle goes with a word that is fem sing;
quels goes with a word that is masc pl.;
quelles goes with a word that is fem pl.

a Quelle ________ est-il? = ________

b Le train part de quel ________? = ________

c Quelle ________! = ________

d Vous prenez quel ________? = ________

e C'est en quelle ________? = ________

f Quel est le ________ du quai? = ________

Métro 4 for AQA © Heinemann Educational 2001

79

Cahier d'exercices, page 80

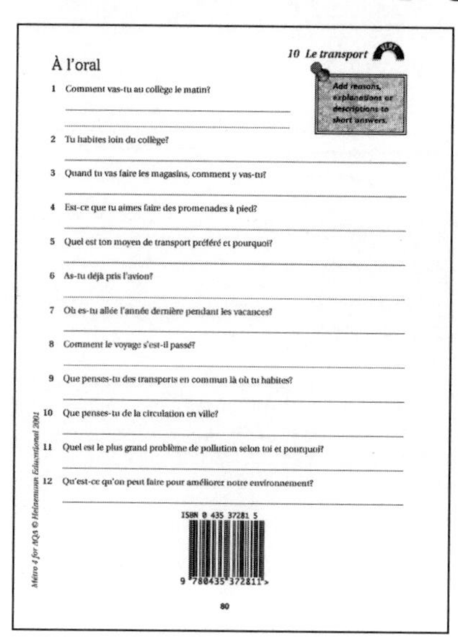

10 *Le transport*

À l'oral

Add reasons, explanations or descriptions to short answers.

1 Comment vas-tu au collège le matin?

2 Tu habites loin du collège?

3 Quand tu vas faire les magasins, comment y vas-tu?

4 Est-ce que tu aimes faire des promenades à pied?

5 Quel est ton moyen de transport préféré et pourquoi?

6 As-tu déjà pris l'avion?

7 Où es-tu allée l'année dernière pendant les vacances?

8 Comment le voyage s'est-il passé?

9 Que penses-tu des transports en commun là où tu habites?

10 Que penses-tu de la circulation en ville?

11 Quel est le plus grand problème de pollution selon toi et pourquoi?

12 Qu'est-ce qu'on peut faire pour améliorer notre environnement?

ISBN 0 435 37281 5
9 780435 372811

Métro 4 for AQA © Heinemann Educational 2001

80

Grammaire

1
Answers

a plus bruyamment; **b** plus souvent; **c** le plus souvent; **d** moins vite; **e** le moins vite; **f** aussi régulièrement

2
Answers

a heure; **b** quai; **c** circulation; **d** train; **e** classe; **f** numéro

Photocopiable grids for use with Métro 4 for AQA Vert Student's Book

Module 1
Page 8, 3b

	1	2	3	4	5	6	7	8
☺	anglais							
	dessin							
☹	technologie							

Module 1
Page 11, 2b

Matière	Opinion + raisons
le dessin	✓ prof est sympa

Module 2
Page 22, 1b

1	1	1
2		
3		
4		
5		
6		
7		
8		

Module 2
Page 27, 1b

	Prénom	Qui?	Âge	Anniversaire	Cheveux	Yeux	Taille	Autres détails
1								
2								
3								
4								

Module 3
Page 40, 3a

	club?	quand?
1	volley	mercredi soir
2		
3		
4		
5		
6		

Module 3
Page 41, 4b

	activité	opinion
1	sport	☹, affreux
2		
3		
4		
5		
6		
7		
8		

Module 4
Page 63, 2b

	métier	+	–
1	agent de police	assez bien payé	heures irregulières
2			
3			
4			
5			
6			

Module 5
Page 76, 1a

	Préfère	Raisons
1	la campagne	plus tranquille
2		
3		
4		
5		
6		

Module 6
Page 89, 2c

	Prénom	combien?	quand?	de qui?	achète?
1	Jacques	€6,85	par semaine	mes parents	jeux électroniques, ...
2					
3					
4					
5					

Module 6
Page 91, 4

	Wants?	Problem?
1	change traveller's cheques	passport at home
2		
3		
4		
5		
6		

Module 6
Page 93, 2b

	Article	Problème	Solution	
			remboursé	échangé
1	Pantalon	sale		✓
2				
3				
4				
5				
6				

Module 7
Page 103, 1b

	où?	avec qui?	resté où?	combien de temps?	temps?	opinion?
1	Belgique	copains	gîte	une semaine	beau	super
2						
3						
4						
5						
6						

Module 7
Page 107, 3

	Accommodation	Reason(s)
1		
2		
3		
4		
5		

Module 8
Page 120, 1c

	aime	n'aime pas	émission préférée
1	les séries	les informations	Beverley Hills
2			
3			
4			
5			

Module 9
Page 132, 1b

	Nourriture	☺ 😐 ☹
1		
2		
3		
4		
5		
6		
7		
8		
9		
10		

✂

Module 9
Page 137, 2c

	symptômes	remède proposé
1		
2		
3		
4		

Module 10
Page 144, 1b

	Transport	Durée du trajet
1	*en autobus*	*15 mins*
2		
3		
4		
5		
6		

Module 10
Page 149, 2a

	1	2	3	4
a				
b				
c				
d				
e				

Module 10
Page 151, 3b

	Destination	Sorte de billet	Classe	Fumeur?	Départ	Arrivée	Quai
1							
2							
3							
4							
5							
6							

Module 10
Page 152, 1b

	problème	se trouve	marque de voiture	couleur
1	batterie	N10 près de Tours	Ford	bleue
2				
3				
4				

Module 10
Page 154, 2a

D'accord	Pas d'accord
a	